LA COMTESSE DE CAGLIOSTRO

MAURICE LEBLANC

La Comtesse
de Cagliostro

LE LIVRE DE POCHE

C'est ici la première aventure d'*Arsène Lupin*, et sans doute eût-elle été publiée avant les autres s'il ne s'y était maintes fois et résolument opposé.

« Non, disait-il. Entre la comtesse de Cagliostro et moi, tout n'est pas réglé. Attendons. »

L'attente dura plus qu'il ne le prévoyait. Un quart de siècle se passa avant LE RÈGLEMENT DÉFINITIF. Et c'est aujourd'hui seulement qu'il est permis de raconter ce que fut l'effroyable duel d'amour qui mit aux prises un enfant de vingt ans et LA FILLE DE CAGLIOSTRO.

ARSÈNE LUPIN A VINGT ANS

Raoul d'Andrésy jeta sa bicyclette, après en avoir éteint la lanterne, derrière un talus rehaussé de broussailles. A ce moment, trois heures sonnaient au clocher de Bénouville.

Dans l'ombre épaisse de la nuit, il suivit le chemin de campagne qui desservait le domaine de la Haie d'Etigues, et parvint ainsi aux murs de l'enceinte. Il attendit un peu. Des chevaux qui piaffent, des roues qui résonnent sur le pavé d'une cour, un bruit de grelots, les deux battants de la porte ouverts d'un coup... et un break passa. A peine Raoul eut-il le temps de percevoir des voix d'hommes, et de distinguer le canon d'un fusil. Déjà la voiture gagnait la grand-route et filait vers Etretat.

« Allons, se dit-il, la chasse aux guillemots est captivante, la roche où on les massacre est lointaine... je vais enfin savoir ce que signifient cette partie de chasse improvisée et toutes ces allées et venues. »

Il longea par la gauche les murs du domaine, les contourna, et, après le deuxième angle, s'arrêta au quarantième pas. Il tenait deux clefs dans sa main. La première ouvrit une petite porte basse, après laquelle il monta un escalier taillé au creux d'un vieux rempart, à moitié démoli, qui flanquait une des ailes du château. La deuxième lui livra une entrée secrète, au niveau du premier étage.

Il alluma sa lampe de poche, et, sans trop de précaution, car il savait que le personnel habitait de l'autre côté, et que Clarisse d'Etigues, la fille unique du baron, demeurait au second, il suivit un couloir qui le conduisit dans un vaste cabinet de travail : c'était là que, quelques semaines auparavant, Raoul avait demandé au baron la main de sa fille, et là qu'il avait été accueilli par une explosion de colère indignée dont il gardait un souvenir désagréable.

Une glace lui renvoya sa pâle figure d'adolescent, plus pâle que d'habitude. Cependant, entraîné aux émotions, il restait maître de lui, et, froidement, il se mit à l'œuvre.

Ce ne fut pas long. Lors de son entretien avec le baron, il avait remarqué que son interlocuteur jetait parfois un coup d'œil sur un grand bureau d'acajou dont le cylindre n'était pas rabattu. Raoul connaissait tous les emplacements où il est possible de pratiquer une cachette, et tous les mécanismes que l'on fait jouer en pareil cas. Une minute après, il découvrait dans une fente une lettre écrite sur du papier très fin et roulé comme une cigarette. Aucune signature, aucune adresse.

Il étudia cette missive dont le texte lui parut d'abord trop banal pour qu'on la dissimulât avec tant de soin, et il put ainsi, grâce à un travail minutieux, en s'accrochant à certains mots plus significatifs, et en supprimant certaines phrases évidemment destinées à remplir les vides, il put ainsi reconstituer ce qui suit :

« J'ai retrouvé à Rouen les traces de notre ennemie, et j'ai fait insérer dans les journaux de la localité qu'un paysan des environs d'Etretat avait déterré dans sa prairie un vieux chandelier de cuivre à sept branches. Elle a aussitôt télégraphié au voiturier d'Etretat qu'on lui envoie le douze, à trois heures de l'après-midi, un coupé en gare de Fécamp. Le matin de ce jour, le voiturier recevra, par mes soins, une autre dépêche contremandant cet ordre. Ce sera donc votre coupé à vous qu'elle trouvera en gare de Fécamp et qui l'amènera, sous bonne escorte, parmi nous, au moment où nous tiendrons notre assemblée.

« Nous pourrons alors nous ériger en tribunal et prononcer contre elle un verdict impitoyable. Aux époques où la grandeur du but justifiait les moyens, le châtiment eût été immédiat. Morte la bête, mort le venin. Choisissez la solution qui vous plaira, mais en vous rappelant les termes de notre dernier entretien, et en vous disant bien que la réussite de nos entreprises, et que notre existence elle-même, dépendent de cette créature infernale. Soyez prudent. Organisez une partie de chasse qui détourne les soupçons. J'arriverai par Le Havre, à quatre heures exactement, avec deux de nos amis. Ne détruisez pas cette lettre. Vous me la rendrez. »

« L'excès de précaution est un défaut, pensa Raoul. Si le correspondant du baron ne s'était pas défié, le baron aurait brûlé ces lignes, et j'ignorerais qu'il y a projet d'enlèvement, projet de jugement illégal, et même, Dieu me pardonne ! projet d'assassinat. Fichtre ! mon futur beau-père, si dévot qu'il soit, me semble empêtré dans des combinaisons peu catholiques. Ira-t-il jusqu'au meurtre ? Tout cela est rudement grave et pourrait me donner barre sur lui. »

Raoul se frotta les mains. L'affaire lui plaisait et ne l'étonnait pas outre mesure, quelques détails ayant éveillé son attention depuis plusieurs jours. Il résolut donc de retourner à son auberge, d'y dormir, puis de s'en revenir à temps pour apprendre ce que complotaient le baron et ses invités, et quelle était cette « créature infernale » dont on souhaitait la suppression.

Il remit tout en ordre, mais, au lieu de partir, il s'assit devant un guéridon où se trouvait une photographie de Clarisse, et, la mettant bien en face de lui, la contempla avec une tendresse profonde. Clarisse d'Etigues, à peine plus jeune que lui !... Dix-huit ans ! Des lèvres voluptueuses... les yeux pleins de rêve... un frais visage de blonde, rose et délicat, avec des cheveux pâles comme en ont les petites filles qui courent sur les routes du pays de Caux, et un air si doux, et tant de charme !...

Le regard de Raoul se faisait plus dur. Une pensée mauvaise qu'il ne parvenait pas à dominer, envahissait le jeune homme. Clarisse était seule, là-haut, dans son appartement isolé, et deux fois déjà, se servant des clefs qu'elle-même lui avait confiées, deux fois déjà, à l'heure du thé, il l'y avait rejointe. Alors qui le retenait aujourd'hui ? Aucun bruit ne pouvait parvenir jusqu'aux domestiques. Le baron ne devait rentrer qu'au cours de l'après-midi. Pourquoi s'en aller ?

Raoul n'était pas un Lovelace. Bien des sentiments de probité et de délicatesse s'opposaient en lui au déchaînement d'instincts et d'appétits dont il connaissait la violence excessive. Mais comment résister à une pareille tentation ? L'orgueil, le désir, l'amour, le besoin impérieux de conquérir, le poussaient à l'action. Sans plus s'attarder à de vains scrupules, il monta vivement les marches de l'escalier.

Devant la porte close, il hésita. S'il l'avait franchie déjà, c'était en plein jour, comme un ami respectueux. Quelle signification, au contraire, prenait un pareil acte à cette heure de la nuit !

Débat de conscience qui dura peu. A petits coups, il frappa, tout en chuchotant :

« Clarisse... Clarisse... c'est moi. »

Au bout d'une minute, n'entendant rien, il allait frapper de nouveau et plus fort, quand la porte du boudoir fut entrebâillée, et la jeune fille apparut, une lampe à la main.

Il remarqua sa pâleur et son épouvante, et cela le bouleversa au point qu'il recula, prêt à partir.

« Ne m'en veux pas, Clarisse... Je suis venu malgré moi... Tu n'as qu'à dire un mot et je m'en vais... »

Clarisse eût entendu ces paroles qu'elle eût été sauvée. Elle aurait aisément dominé un adversaire qui acceptait d'avance la défaite. Mais elle ne pouvait ni entendre ni voir. Elle voulait s'indigner et ne faisait que balbutier des reproches indistincts. Elle voulait le chasser et son bras n'avait pas la force de faire un seul geste. Sa main qui tremblait dut poser la lampe. Elle tourna sur elle-même et tomba, évanouie...

Ils s'aimaient depuis trois mois, depuis le jour de leur rencontre dans le Midi où Clarisse passait quelque temps chez une amie de pension.

Tout de suite, ils se sentirent unis par un lien qui fut, pour lui, la chose du monde la plus délicieuse, pour elle, le signe d'un esclavage qu'elle chérissait de plus en plus. Dès le début, Raoul lui sembla un être insaisissable, mystérieux, auquel, jamais, elle ne comprendrait rien. Il la désolait par certains accès de légèreté, d'ironie méchante et d'humeur soucieuse. Mais à côté de cela, quelle séduction ! Quelle gaieté ! Quels soubresauts d'enthousiasme et d'exaltation juvénile. Tous ses défauts prenaient l'apparence de qualités excessives et ses vices avaient un air de vertus qui s'ignorent et qui vont s'épanouir.

Dès son retour en Normandie, elle eut la surprise d'apercevoir, un matin, la fine silhouette du jeune homme, perchée sur un mur, en face de ses fenêtres. Il avait choisi une auberge, à quelques kilomètres de distance, et ainsi, presque chaque jour, s'en vint sur sa bicyclette la retrouver aux environs de la Haie d'Etigues.

Orpheline de mère, Clarisse n'était pas heureuse auprès de son père, homme dur, sombre de caractère, dévot à l'excès, entiché de son titre, âpre au gain, et que ses fermiers redoutaient comme un ennemi. Lorsque Raoul, qui n'avait même pas été présenté, eut l'audace de lui demander la main de sa fille, le baron entra dans une telle fureur contre ce prétendant imberbe, sans situation et sans relations, qu'il l'eût cravaché si le jeune homme ne l'avait regardé d'un petit air de dompteur qui maîtrise une bête féroce.

C'est à la suite de cette entrevue, et pour en effacer le souvenir dans l'esprit de Raoul, que Clarisse commit la faute de lui ouvrir, à deux reprises, la porte de son boudoir. Imprudence dangereuse et dont Raoul s'était prévalu avec toute la logique d'un amoureux.

Ce matin-là, simulant une indisposition, elle se fit apporter le déjeuner de midi tandis que Raoul se cachait dans une pièce voisine, et après le repas, ils restèrent longtemps serrés l'un contre l'autre devant la fenêtre ouverte, unis par le souvenir de leurs baisers et par tout ce qu'il y avait en eux de tendresse et, malgé la faute commise, d'ingénuité.

Cependant Clarisse pleurait...

Des heures s'écoulèrent. Un souffle frais qui montait de la mer et flottait sur le plateau leur caressait le visage. En face d'eux, au-delà d'un grand verger clos de murs, et parmi des plaines tout ensoleillées de colza, une dépression leur permettait de voir, à droite, la ligne blanche des hautes falaises jusqu'à Fécamp ; à gauche, la baie d'Etretat, la porte d'Aval et la pointe de l'énorme Aiguille.

Il lui dit doucement :

« Ne soyez pas triste, ma chère bien-aimée. La vie est si belle à notre âge, et elle le sera plus encore pour nous lorsque nous aurons aboli tous les obstacles. Ne pleurez pas. »

Elle essuya ses larmes et tenta de sourire en le regardant. Il était mince comme elle, mais large d'épaules, à la fois élégant et solide d'aspect. Sa figure énergique offrait une bouche malicieuse et des yeux brillants de gaieté. Vêtu d'une culotte courte et d'un veston qui s'ouvrait sur un maillot de laine blanc, il avait un air de souplesse incroyable.

« Raoul, Raoul, dit-elle avec détresse, en ce moment même où vous me regardez vous ne pensez pas à moi ! Vous n'y pensez pas après ce qui vient de se passer entre nous ! Est-ce possible ! A quoi songez-vous, mon Raoul ? »

Il dit en riant :

14

« A votre père.

— A mon père ?

— Oui, au baron d'Etigues et à ses invités. Comment des messieurs de leur âge peuvent-ils perdre leur temps à massacrer sur une roche de pauvres oiseaux innocents ?

— C'est leur plaisir.

— En êtes-vous certaine ? Pour moi, je suis assez intrigué. Tenez, nous ne serions pas en l'an de grâce 1894 que je croirais plutôt... Vous n'allez pas vous froisser ?

— Parlez, mon chéri.

— Eh bien, ils ont l'air de jouer aux conspirateurs ! Oui, c'est comme je vous le dis, Clarisse... Marquis de Rolleville, Mathieu de la Vaupalière, comte Oscar de Bennetot, Roux d'Estiers, etc., tous ces nobles seigneurs du pays de Caux sont en pleine conjuration. »

Elle fit la moue.

« Vous dites des bêtises, mon chéri.

— Mais vous m'écoutez si joliment, répondit Raoul, convaincu qu'elle n'était au courant de rien. Vous avez une façon si drôle d'attendre que je vous dise des choses graves !...

— Des choses d'amour, Raoul. » Il lui saisit la tête ardemment.

« Toute ma vie n'est qu'amour pour toi, ma bien-aimée. Si j'ai d'autres soucis et d'autres ambitions, c'est pour faire ta conquête ! Clarisse, suppose ceci : ton père, conspirateur, est arrêté et condamné à mort, et tout à coup, moi, je le sauve. Après cela, comment ne me donnerait-il pas la main de sa fille ?

— Il cédera un jour ou l'autre, mon chéri.

— Jamais ! aucune fortune... aucun appui...

— Vous avez votre nom... Raoul d'Andrésy.

— Même pas !

— Comment cela ?

— D'Andrésy, c'était le nom de ma mère, qu'elle a repris quand elle fut veuve, et sur l'ordre de sa famille que son mariage avait indignée.

— Pourquoi ? dit Clarisse, quelque peu étourdie par ces aveux inattendus.

— Pourquoi ? Parce que mon père n'était qu'un roturier, pauvre comme Job... un simple professeur... et professeur de quoi ? De gymnastique, d'escrime et de boxe !

— Alors comment vous appelez-vous ?

— Oh ! d'un nom bien vulgaire, ma pauvre Clarisse.

— Quel nom ?

— Arsène Lupin.

— Arsène Lupin ?...

— Oui, ce n'est guère reluisant, et mieux valait changer, n'est-ce pas ? »

Clarisse semblait atterrée. Qu'il s'appelât d'une façon ou de l'autre, cela ne signifiait rien. Mais la particule, aux yeux du baron, c'était la première qualité d'un gendre...

Elle balbutia cependant :

« Vous n'auriez pas dû renier votre père. Il n'y a aucune honte à être professeur.

— Aucune honte, dit-il, en riant de plus belle, d'un rire qui faisait mal à Clarisse, et je jure que j'ai rudement profité des leçons de boxe et de gymnastique qu'il m'a données quand j'étais encore au biberon ! Mais, n'est-ce pas ? ma mère a peut-être eu d'autres raisons de le renier, l'excellent homme, et ceci ne regarde personne. »

Il l'embrassa avec une violence soudaine, puis se mit à danser et à pirouetter sur lui-même. Et, revenant vers elle :

« Mais ris donc, petite fille, s'écria-t-il. Tout cela est très drôle. Ris donc. Arsène Lupin ou Raoul d'Andrésy, qu'importe ! L'essentiel, c'est de réussir. Et je réussirai. Là-dessus, vois-tu, aucun doute. Pas une somnambule qui ne m'ait prédit un grand avenir et une réputation universelle. Raoul d'Andrésy sera général, ou ministre, ou ambassadeur... à moins que ce ne soit Arsène Lupin. C'est une chose réglée devant le destin, convenue, signée de part et d'autre. Je suis prêt. Muscles d'acier et cerveau numéro un ! Tiens, veux-tu que je marche sur les mains ? ou que je te porte à bout de bras ? Aimes-tu mieux que je prenne ta montre sans que tu t'en aperçoives ? ou bien que je te récite par cœur Homère en grec et Milton en anglais ? Mon Dieu, que la vie est belle ! Raoul d'Andrésy... Arsène Lupin... les deux faces de la statue ! Quelle est celle qu'illuminera la gloire, soleil des vivants ? »

Il s'arrêta net. Son allégresse semblait tout à coup le gêner. Il contempla silencieusement la petite pièce tranquille dont il troublait la sérénité, comme il avait troublé la paix et la pure conscience de la jeune fille, et, par un de ces revirements imprévus qui étaient le charme de sa nature, il s'agenouilla devant Clarisse et lui dit gravement :

« Pardonnez-moi. En venant ici, j'ai mal agi... Ce n'est pas de ma faute... J'ai de la peine à trouver mon équilibre... Le bien, le mal, l'un et l'autre m'attirent. Il faut m'aider, Clarisse, à choisir ma route, et il faut me pardonner si je me trompe. »

Elle lui saisit la tête entre ses mains et, d'un ton de passion :

« Je n'ai rien à te pardonner, mon chéri. Je suis heureuse. Tu me feras beaucoup souffrir, j'en suis sûre, et j'accepte d'avance et avec joie toutes ces douleurs qui me viendront de toi. Tiens, prends ma photographie. Et fais en sorte de n'avoir jamais à rougir quand tu la regarderas. Pour moi, je serai toujours telle que je suis aujourd'hui, ton amante et ton épouse. Je t'aime, Raoul ! »

Elle lui baisa le front. Déjà il riait et il dit, en se relevant :

« Tu m'as armé chevalier. Me voici désormais invincible et prêt à foudroyer mes ennemis. Paraissez, Navarrois !... J'entre en scène ! »

Le plan de Raoul — laissons dans l'ombre le nom d'Arsène Lupin puisque, à cette époque, ignorant sa destinée, lui-même le tenait en quelque mépris —, le plan de Raoul était fort simple.

Parmi les arbres du verger, à gauche du château, et s'appuyant contre le mur d'enceinte dont elle formait jadis l'un des bastions, il y avait une tour tronquée, très basse, recouverte d'un toit et qui disparaissait sous des vagues de lierre. Or, Raoul ne doutait point que la réunion de quatre heures n'eût lieu dans la grande salle intérieure où le baron recevait ses fermiers. Et Raoul avait remarqué qu'une ouverture, ancienne fenêtre ou prise d'air, donnait sur la campagne.

Escalade facile pour un garçon aussi adroit ! Sortant du château et rampant sous le lierre, il se hissa, grâce aux énormes racines, jusqu'à l'ouverture pratiquée dans l'épaisse muraille, et qui était assez profonde pour qu'il pût s'y étendre tout de son long. Ainsi, placé à cinq mètres du sol, la tête masquée par du feuillage, il ne pouvait être vu, et voyait toute la salle, grande pièce meublée d'une vingtaine de chaises, d'une table et d'un large banc d'église.

Quarante minutes plus tard, le baron y pénétrait avec un de ses amis, Raoul ne s'était pas trompé dans ses prévisions.

Le baron Godefroy d'Etigues avait la musculature d'un lutteur de foire et un visage couleur de brique, qu'entourait un collier de barbe rousse, et où le regard avait de l'acuité et de l'énergie. Son compagnon, qui était un cousin et que Raoul connaissait de vue, Oscar de Bennetot, donnait cette même impression de hobereau normand, mais avec plus de vulgarité et de lourdeur. A ce moment tous deux semblaient très agités.

« Vite, prononça le baron. La Vaupalière, Rolleville et d'Auppegard vont nous rejoindre. A quatre heures, ce sera Beaumagnan qui viendra avec le prince d'Arcole et de Brie par le verger dont j'ai ouvert la grand-porte... et puis... et puis... ce sera *elle*... si par bonheur elle tombe dans le piège.

— Douteux, murmura Bennetot.

— Pourquoi ? Elle a commandé un coupé ; le coupé sera là, et elle y montera. D'Ormont qui conduit nous l'amène. Dans la côte des Quatre-Chemins, Roux d'Estiers saute sur le marchepied, ouvre et maîtrise la dame qu'ils ficellent à eux deux. Tout cela est fatal. »

Ils s'étaient rapprochés de l'endroit au-dessus duquel écoutait Raoul. Bennetot chuchota :

« Et après ?

— Après, j'explique la situation à nos amis, le rôle de cette femme...

— Et tu t'imagines obtenir d'eux qu'on la condamne ?...

— Que je l'obtienne ou non, le résultat sera le même. Beaumagnan l'exige. Pouvons-nous refuser ?

— Ah ! fit Bennetot, cet homme nous perdra tous. »

Le baron d'Etigues haussa les épaules.

« Il faut un homme comme lui pour lutter contre une femme comme elle. As-tu tout préparé ?

— Oui, les deux barques sont sur la plage, au bas de l'Escalier du Curé. La plus petite est défoncée et coulera dix minutes après qu'on l'aura mise à l'eau.

— Tu l'as chargée d'une pierre ?

— Oui, un gros galet troué qu'on attachera à l'anneau d'une corde. »

Ils se turent.

Pas un des mots prononcés n'avait échappé à Raoul d'Andrésy, et pas un qui n'eût accru jusqu'à l'excès son ardente curiosité.

« Sacrebleu ! pensait-il, je ne donnerais pas ma loge de balcon pour un empire. Quels gaillards ! Ça parle de tuer comme d'autres de changer de faux col ! »

Godefroy d'Etigues surtout l'étonnait. Comment la tendre Clarisse pouvait-elle être la fille de ce sombre personnage ? Quel but poursuivait-il ? Quels motifs obscurs le dirigeaient ? Haine, cupidité, désir de vengeance, instincts de cruauté ? Il évoquait un bourreau d'autrefois, prêt à quelque sinistre besogne. Des flammes illuminaient sa face empourprée et sa barbe rousse.

Les trois autres invités arrivèrent d'un coup. Raoul les avait souvent remarqués comme des familiers de la Haie d'Etigues. Une fois assis, ils tournèrent le dos aux deux fenêtres qui éclairaient la salle, de sorte que leur visage demeurait dans une sorte de pénombre.

A quatre heures seulement, deux nouveaux venus entrèrent. L'un, âgé, de silhouette militaire, sanglé dans sa redingote, et qui portait au menton la barbiche que l'on appelait l'impériale sous Napoléon III, s'arrêta sur le seuil.

Tout le monde se leva pour aller au-devant de l'autre, que Raoul n'hésita pas à considérer comme l'auteur de la lettre non signée, celui qu'on attendait et que le baron avait désigné sous le nom de Beaumagnan.

Bien qu'il fût le, seul à n'avoir ni titre ni particule, on le reçut ainsi qu'un chef, avec un empressement qui convenait à son attitude de domination et à son regard autoritaire. La figure rasée, les joues creuses, de magnifiques yeux noirs tout animés de passion, quelque chose de sévère et même d'ascétique dans ses manières comme dans son habillement, il avait l'air d'un personnage d'église.

Il pria que l'on voulût bien se rasseoir, excusa celui de ses amis qu'il n'avait pu amener, le comte de Brie, et fit avancer son compagnon qu'il présenta :

« Le prince d'Arcole... Vous saviez, n'est-ce pas ? que le prince d'Arcole était des nôtres, mais le hasard avait voulu qu'il fût absent lors de nos réunions et que son action s'exerçât de loin, et de la façon la plus heureuse d'ailleurs. Aujourd'hui, son témoignage nous est nécessaire, puisque deux fois déjà, en 1870, le prince d'Arcole a rencontré la créature infernale qui nous menace. »

Raoul, faisant aussitôt le calcul, éprouva quelque déception : « la créature infernale » devait avoir dépassé la cinquantaine, puisque ses rencontres avec le prince d'Arcole avaient eu lieu vingt-quatre ans plus tôt.

Cependant le prince prenait place parmi les invités, tandis que Beaumagnan emmenait à part Godefroy d'Etigues. Le baron lui remit une enveloppe, contenant sans doute la lettre compromettante. Puis ils eurent, à voix basse, un colloque assez vif, auquel Beaumagnan coupa court d'un geste de commandement énergique.

« Pas commode, le monsieur, se dit Raoul. Le verdict est formel. Morte la bête, mort le venin. La noyade aura lieu, car il semble bien que ce soit le dénouement imposé. »

Beaumagnan passa au dernier rang. Mais, avant de s'asseoir, il s'exprima ainsi :

« Mes amis, vous savez à quel point l'heure actuelle est grave pour nous. Tous bien unis et d'accord sur le but magnifique que nous voulons atteindre, nous avons entrepris une œuvre commune d'une importance considérable. Il nous semble, avec raison, que les intérêts du pays, ceux de notre parti, ceux de notre religion — et je ne sépare pas les uns des autres — sont liés à la réussite de nos projets. Or ces projets, depuis quelque temps, se heurtent à l'audace et à l'hostilité implacable d'une femme qui, disposant de certaines indications, s'est mise à la recherche du secret que nous sommes près de découvrir. Si elle y parvient avant nous, c'est l'effondrement de tous nos efforts. Elle ou nous, il n'y a pas de place pour deux. Souhaitons ardemment que la bataille engagée se décide en notre faveur. »

Beaumagnan s'assit et, s'appuyant des deux bras sur un dossier, courba sa haute taille comme s'il voulait n'être point vu.

Et les minutes s'écoulèrent.

Entre ces hommes, réunis là pour une cause qui aurait dû susciter les conversations, le silence fut absolu, tellement l'attention de tous était portée vers les bruits lointains qui pouvaient survenir de la campagne. La capture de cette femme obsédait leur esprit. Ils avaient hâte de tenir et de voir leur adversaire.

Le baron d'Etigues leva le doigt. On commençait à entendre le rythme sourd des pas d'un cheval.

« C'est mon coupé », dit-il.

Oui, mais l'ennemie s'y trouvait-elle ?

Le baron se dirigea vers la porte. Comme d'habitude, le verger était vide, le personnel n'ayant jamais à faire que dans la cour d'honneur située sur la façade principale.

Le bruit se rapprochait. La voiture quitta la route et traversa les champs. Puis soudain elle apparut entre les deux piliers d'entrée. Le conducteur fit un geste et le baron déclara :

« Victoire ! On la tient. »

Le coupé s'arrêta. D'Ormont qui était sur le siège, sauta vivement. Roux d'Estiers s'élança hors de la voiture. Aidés par le baron, ils saisirent à l'intérieur une femme dont les jambes et les mains étaient attachées, et dont une écharpe de gaze enveloppait la tête, et ils la transportèrent jusqu'au banc d'église qui marquait le milieu de la salle.

« Pas la moindre difficulté, raconta d'Ormont. Au sortir du train elle s'est engouffrée dans la voiture. Aux Quatre-Chemins, on l'a saisie, sans qu'elle ait le temps de dire ouf.

— Otez l'écharpe, ordonna le baron. D'ailleurs, on peut aussi bien lui laisser la liberté de ses mouvements. »

Lui-même dénoua les liens.

D'Ormont enleva le voile et découvrit la tête.

Il y eut, parmi les assistants, une exclamation de stupeur, et Raoul, du haut de son poste, d'où il apercevait la captive en pleine lumière, eut la même commotion de surprise en voyant apparaître une femme dans toute la splendeur de la jeunesse et de la beauté.

Mais un cri domina les murmures. Le prince d'Arcole s'était avancé au premier rang, et, le visage contracté, les yeux agrandis, il balbutiait :

« C'est elle... c'est elle... je la reconnais... Ah ! quelle chose terrifiante !

— Qu'y a-t-il ? demanda le baron. Qu'y a-t-il de terrifiant ? Expliquez-vous ? »

Et le prince d'Arcole prononça cette phrase incompréhensible :

« *Elle a le même âge qu'il y a vingt-quatre ans !* »

La femme était assise et gardait le buste droit, les poings serrés sur les genoux. Son chapeau avait dû tomber au cours de l'agression, et sa chevelure à moitié défaite tombait derrière en masse épaisse retenue par un peigne d'or, tandis que deux bandeaux aux reflets fauves se divisaient également au-dessus du front, un peu ondulés sur les tempes.

Le visage était admirablement beau, formé par des lignes très pures et animé d'une expression qui, même dans l'impassibilité, même dans la peur semblait un sourire. Avec un menton plutôt mince, ses pommettes légèrement saillantes, ses yeux très fendus, et ses paupières lourdes, elle rappelait ces femmes de Vinci ou plutôt de Bernardino Luini dont toute la grâce est dans un sourire qu'on ne voit pas, mais qu'on devine, et qui vous émeut et vous inquiète à la fois. Sa mise était simple : sous un vêtement de voyage qu'elle laissa tomber, une robe de laine grise dessinait sa taille et ses épaules.

« Bigre ! pensa Raoul qui ne la quittait pas du regard, elle paraît bien inoffensive, l'infernale et magnifique créature ! Et ils se mettent à neuf ou dix pour la combattre ? »

Elle observait attentivement ceux qui l'entouraient, d'Etigues et ses amis, tâchant de distinguer les autres, dans la pénombre.

A la fin, elle dit :

« Que me voulez-vous ? Je ne connais aucun de ceux qui sont là. Pourquoi m'avez-vous amenée ici ?

— Vous êtes notre ennemie », déclara Godefroy d'Etigues.

Elle secoua la tête doucement :

« Votre ennemie ? Il doit y avoir une confusion.

Etes-vous bien sûrs de ne pas vous tromper ? Je suis Mme Pellegrini.

— Vous n'êtes pas Mme Pellegrini.

— Je vous affirme...

— Non », répéta le baron Godefroy d'une voix forte.

Et il ajouta ces mots aussi déconcertants que les mots prononcés par le prince d'Arcole :

« *Pellegrini, c'était un des noms sous lesquels se dissimulait, au XVIIIe siècle, l'homme dont vous prétendez être la fille.* »

Elle ne répondit point sur le moment, comme si elle n'avait pas saisi l'absurdité de la phrase. Puis elle demanda :

« Comment donc m'appellerais-je, selon vous ?

— *Joséphine Balsamo, comtesse de Cagliostro.* »

JOSÉPHINE BALSAMO, NÉE EN 1788...

CAGLIOSTRO ! l'extraordinaire personnage qui intrigua si vivement l'Europe et agita si profondément la cour de France sous le règne de Louis XVI ! Le collier de la reine... le cardinal de Rohan... Marie-Antoinette... quels épisodes troublants de l'existence la plus mystérieuse.

Un homme bizarre, énigmatique, ayant le génie de l'intrigue, qui disposait d'une réelle puissance de domination, et sur lequel toute la lumière n'a pas été faite.

Imposteur ? Qui sait ! A-t-on le droit de nier que certains êtres de sens plus affinés puissent jeter sur le monde des vivants et des morts des regards qui nous sont défendus ? Doit-on traiter de charlatan et de fou celui chez qui renaissent des souvenirs de ses existences passées, et qui, se rappelant ce qu'il a vu, bénéficiant d'acquisitions antérieures, de secrets perdus et de certitudes oubliées, exploite un pouvoir que nous appelons surnaturel, alors qu'il n'est que la mise en valeur, hésitante et balbutiante, des forces que nous sommes peut-être sur le point de réduire en esclavage ?

Si Raoul d'Andrésy, au fond de son observatoire, demeurait sceptique, et s'il riait en lui-même — peut-être pas sans quelque réticence — de la tournure que prenaient les événements, il sembla que les assistants acceptaient d'avance comme réalités indiscutables les allégations les plus extravagantes. Possédaient-ils donc sur cette affaire des preuves et des notions particulières ? Avaient-ils retrouvé chez celle qui, suivant eux, se prétendait la fille de Cagliostro, les dons de clairvoyance et de divination que l'on attribuait jadis au célèbre thaumaturge, et pour lesquels on le traitait de magicien et de sorcier ?

Godefroy d'Etigues, qui, seul parmi tous, restait debout, se pencha vers la jeune femme et lui dit :

« Ce nom de Cagliostro est bien le vôtre, n'est-ce pas ? »

Elle réfléchit. On eût dit que, pour le soin de sa défense, elle cherchait la meilleure riposte et qu'elle voulait, avant de s'engager à fond, connaître les armes dont l'ennemi disposait. Elle répliqua donc, paisiblement :

« Rien ne m'oblige à vous répondre, pas plus que vous n'avez le droit de m'interroger. Cependant, pourquoi nierais-je que, mon acte de naissance portant le nom de Joséphine Pellegrini, par fantaisie je me fais appeler Joséphine Balsamo, comtesse de Cagliostro, les deux noms de Caglios-tro et de Pellegrini complétant la personnalité qui m'a toujours intéressée de Joseph Balsamo.

— De qui, selon vous, par conséquent, et contrairement à certaines de vos déclarations, précisa le baron, vous ne seriez pas la descendante directe ? »

Elle haussa les épaules et se tut. Etait-ce prudence ? dédain ? protestation contre une telle absurdité ?

« Je ne veux considérer ce silence ni comme un aveu ni comme une dénégation, reprit Godefroy d'Etigues, en se tournant vers ses amis. Les paroles de cette femme n'ont aucune importance et ce serait du temps perdu que de les réfuter. Nous sommes ici pour prendre des décisions redoutables sur une affaire que nous connaissons tous dans son ensemble, mais dont la plupart d'entre nous ignorent certains détails. Il est donc indispensable de rappeler les faits. Ils sont résumés aussi brièvement que possible dans le mémoire que je vais vous lire et que je vous prie d'écouter avec attention. »

Et, posément, il lut ces quelques pages, qui, Raoul n'en douta pas, avaient dû être rédigées par Beaumagnan.

« Au début de mars 1870, c'est-à-dire quatre « mois avant la guerre entre la France et la « Prusse, parmi la foule des étrangers qui s'abat-« tirent sur Paris, aucun n'attira plus soudai-« nement l'attention que la comtesse de Caglios-

« tro. Belle, élégante, jetant l'argent à pleines
« mains, presque toujours seule, ou accompagnée
« d'un jeune homme qu'elle présentait comme son
« frère, partout où elle passa, dans tous les salons
« qui l'accueillirent, elle fut l'objet de la plus vive
« curiosité. Son nom d'abord intriguait, et puis la
« façon vraiment impressionnante qu'elle avait de
« s'apparenter au fameux Cagliostro par ses allu-
« res mystérieuses, certaines guérisons miracu-
« leuses qu'elle opéra, les réponses qu'elle donnait
« aux gens qui la consultaient sur leur passé ou
« sur leur avenir. Le roman d'Alexandre Dumas
« avait mis à la mode Joseph Balsamo, soi-disant
« comte de Cagliostro. Usant des mêmes procé-
« dés, et plus audacieuse encore, elle se targuait
« d'être la fille de Cagliostro, affirmait connaître
« le secret de l'éternelle jeunesse et, en souriant,
« parlait de telles rencontres qu'elle avait faites ou
« de tels événements qui lui étaient advenus sous
« le règne de Napoléon Ier.

« Son prestige fut tel qu'elle força les portes des
« Tuileries et parut à la cour de Napoléon III. On
« parlait même de séances privées où l'impératrice
« Eugénie réunissait autour de la belle comtesse
« les plus intimes de ses fidèles. Un numéro clan-
« destin du journal satirique, *Le Charivari,* qui
« fut d'ailleurs saisi sur-le-champ, nous raconte
« une séance à laquelle assistait un de ses collabo-
« rateurs occasionnels. J'en détache ce passage :

« *Quelque chose de la* Joconde. *Une expression*
« *qui ne change pas beaucoup, mais qu'on ne peut*

« guère définir, qui est aussi bien câline et
« ingénue que cruelle et perverse. Tant d'expé-
« rience dans le regard et d'amertume dans son
« invariable sourire, qu'on lui accorderait alors
« les quatre-vingts ans qu'elle s'octroie. A ces
« moments-là, elle sort de sa poche un petit
« miroir en or, y verse deux gouttes d'un flacon
« imperceptible, l'essuie et se contemple. Et, de
« nouveau, c'est la jeunesse adorable.

« Comme nous l'interrogions, elle nous répon-
« dit :

« — Ce miroir appartint à Cagliostro. Pour
« ceux qui s'y regardent avec confiance, le temps
« s'arrête. Tenez, la date est inscrite sur la
« monture, 1783, et elle est suivie de quatre
« lignes qui sont l'énumération de quatre grandes
« énigmes. Ces énigmes qu'il se proposait de
« déchiffrer, il les tenait de la bouche même de
« la reine Marie-Antoinette, et il disait, m'a-t-on
« rapporté, que celui qui en trouverait la clef
« serait roi des rois.

« — Peut-on   les   connaître ?   demanda
« quelqu'un.

« — Pourquoi pas ? Les connaître, ce n'est pas
« les déchiffrer et Cagliostro lui-même n'en eut
« pas le temps. Je ne puis donc vous transmettre
« que des appellations, des titres. En voici la
« liste[1] :

---

1. La première énigme a été expliquée par une jeune fille (voir *Dorothée, danseuse de corde*). Les deux suivantes, par Arsène Lupin (voir *L'Ile aux trente cercueils* et *L'Aiguille creuse*). La quatrième fait l'objet de ce livre.

In robore fortuna.
La dalle des rois de Bohême.
La fortune des rois de France.
Le chandelier à sept branches.

« *Elle parla ensuite à chacun de nous et nous*
« *fit des révélations qui nous frappèrent d'éton-*
« *nement.*

« *Mais ce n'était là qu'un prélude, et l'im-*
« *pératrice, bien que se refusant à poser la moin-*
« *dre question qui la concernât personnellement,*
« *voulut bien demander quelques éclaircissements*
« *touchant l'avenir.*

« *— Que Sa Majesté ait la bonne grâce de*
« *souffler légèrement* », *dit la comtesse en tendant*
« *le miroir.*

« *Et tout de suite, ayant examiné la buée que*
« *le souffle étalait à la surface, elle murmura :*

« *— Je vois de bien belles choses... une grande*
« *guerre pour cet été... la victoire... le retour des*
« *troupes sous l'Arc de Triomphe... On acclame*
« *l'Empereur... le Prince impérial.* »

« Tel est, reprit Godefroy d'Etigues, le docu-
« ment qui nous a été communiqué. Docu-
« ment déconcertant puisqu'il fut publié plusieurs
« semaines avant la guerre annoncée. Quelle était
« cette femme ? Qui était cette aventurière dont
« les prédictions dangereuses, agissant sur l'esprit
« assez faible de la malheureuse souveraine, n'ont
« pas été sans provoquer la catastrophe de 1870 ?

« Quelqu'un (lire le même numéro du *Charivari*)
« lui ayant dit un jour :

« — Fille de Cagliostro, soit, mais votre mère ?

« — Ma mère, répondit-elle, cherchez très haut
« parmi les contemporains de Cagliostro... Plus
« haut encore... Oui, c'est cela... Joséphine de
« Beauharnais, future femme de Bonaparte, future
« impératrice... »

« La police de Napoléon III ne pouvait rester
« inactive. A la fin de juin, elle remettait un
« rapport succinct, établi par un de ses meilleurs
« agents, à la suite d'une enquête difficile. J'en
« donne lecture :

« Les passeports italiens de la signorina, tout en
« faisant des réserves sur la date de la naissance,
« écrivait l'agent, sont établis au nom de José-
« phine Pellegrini-Balsamo, comtesse de Caglios-
« tro, née à Palerme, le 29 juillet 1788. M'étant
« rendu à Palerme, j'ai réussi à découvrir les
« anciens registres de la paroisse Mortarana et,
« sur l'un d'eux, en date du 29 juillet 1788, j'ai
« relevé la déclaration de naissance de Joséphine
« Balsamo, fille de Joseph Balsamo et de José-
« phine de la P., sujette du roi de France.

« Etait-ce là Joséphine Tascher de la Pagerie,
« nom de jeune fille de l'épouse séparée du
« vicomte de Beauharnais, et la future épouse du
« général Bonaparte ? J'ai cherché dans ce sens et,
« à la suite d'investigations patientes, j'ai appris,
« par des lettres manuscrites d'un lieutenant de la
« Prévôté de Paris, que l'on avait été près d'arrê-
« ter, en 1788, le sieur Cagliostro qui, bien

« qu'expulsé de France, après l'affaire du Collier,
« habitait sous le nom de Pellegrini un petit
« hôtel de Fontainebleau où il recevait chaque
« jour une dame grande et mince. Or Joséphine
« de Beauharnais, à cette époque, habite égale-
« ment Fontainebleau. Elle est grande et mince.
« La veille du jour fixé pour l'arrestation,
« Cagliostro disparaît. Le lendemain, brusque
« départ de Joséphine de Beauharnais[1]. Un mois
« plus tard, à Palerme, naissance de l'enfant.

« Ces coïncidences ne laissent pas d'être impres-
« sionnantes. Mais comme elles prennent de la
« valeur lorsqu'on les rapproche de ces deux faits !
« Dix-huit ans après, l'impératrice Joséphine intro-
« duit à la Malmaison une jeune fille qu'elle fait
« passer pour sa filleule, et qui gagne l'affection
« de l'empereur au point que Napoléon joue avec
« elle comme avec un enfant. Quel est son nom ?
« Joséphine ou plutôt Josine.

« Chute de l'Empire. Le tsar Alexandre Ier
« recueille Josine et l'envoie en Russie. Quel titre
« prend-elle ? Comtesse de Cagliostro. »

Le baron d'Etigues laissa se prolonger ses dernières paroles dans le silence. On l'avait écouté
avec une attention profonde. Raoul, dérouté par
cette histoire incroyable, essayait de saisir sur le
visage de la comtesse le reflet de l'émotion ou
d'un sentiment quelconque. Mais elle demeurait

---

1. Jusqu'ici aucun des biographes de Joséphine n'avait pu expliquer
pourquoi elle s'était évadée en quelque sorte de Fontainebleau. Seul
M. Frédéric Masson, pressentant la vérité, écrit : « Peut-être trouvera-t-on
un jour quelque lettre précisant et affirmant la nécessité *physique* d'un
départ. »

impassible, ses beaux yeux toujours un peu souriants.

Et le baron poursuivit :

« Ce rapport, et probablement aussi l'influence dangereuse que prenait la comtesse aux Tuileries, devait couper court à sa fortune. Un arrêté d'expulsion fut signé contre elle et contre son frère. Le frère s'en alla par l'Allemagne, elle par l'Italie. Un matin elle descendit à Modane, où l'avait conduite un jeune officier. Il s'inclina devant elle et la salua. Cet officier s'appelait le prince d'Arcole. C'est lui qui a pu se procurer les deux documents, le numéro du *Charivari* et le rapport secret dont l'original est entre ses mains avec ses timbres et signatures. C'est enfin lui qui, tout à l'heure, certifiait devant vous l'identité indubitable de celle qu'il a vue ce matin-là et de celle qu'il voit aujourd'hui. »

Le prince d'Arcole se leva et gravement articula :

« Je ne crois pas au miracle, et ce que je dis est cependant l'affirmation d'un miracle. Mais la vérité m'oblige à déclarer sur mon honneur de soldat que cette femme est la femme que j'ai saluée en gare de Modane il y a vingt-quatre ans.

— Que vous avez saluée tout court, sans un mot de politesse ? » insinua Joséphine Balsamo.

Elle s'était tournée vers le prince et l'interrogeait d'une voix enjouée où il y avait quelque ironie.

« Que voulez-vous dire ?

— Je veux dire qu'un officier français a trop

36

de courtoisie pour prendre congé d'une jolie femme par un simple salut protocolaire.

— Ce qui signifie ?

— Ce qui signifie que vous avez bien dû prononcer quelques paroles.

— Peut-être. Je ne m'en souviens plus..., dit le prince d'Arcole avec un peu d'embarras.

— Vous vous êtes penché vers l'exilée, monsieur. Vous lui avez baisé la main un peu plus longtemps qu'il n'eût fallu, et vous lui avez dit : « J'espère, madame, que les instants que j'ai eu le plaisir de passer près de vous ne seront pas sans lendemain. Pour moi, je ne les oublierai jamais. » Et vous avez répété, soulignant d'un accent particulier votre intention de galanterie : « Jamais, vous entendez, madame ? jamais... »

Le prince d'Arcole semblait un homme fort bien élevé. Pourtant, à l'évocation exacte de la minute écoulée un quart de siècle plus tôt, il fut si troublé qu'il marmotta :

« Nom de Dieu ! »

Mais, se redressant aussitôt, il prit l'offensive, d'un ton saccadé :

« J'ai oublié, madame. Si le souvenir de cette rencontre fut agréable, le souvenir de la seconde fois où je vous vis l'a effacé.

— Et cette seconde fois, monsieur ?

— C'est au début de l'année suivante, à Versailles, où j'accompagnais les plénipotentiaires français chargés de négocier la paix de la défaite. Je vous ai aperçue dans un café, assise devant une table, buvant et riant avec des officiers

37

allemands dont l'un était officier d'ordonnance de Bismarck. Ce jour-là, j'ai compris votre rôle aux Tuileries et de qui vous étiez l'émissaire. »

Toutes ces divulgations, toutes ces péripéties d'une vie aux apparences fabuleuses, se développèrent en moins de dix minutes. Aucune argumentation. Aucune tentative de logique et d'éloquence pour imposer une thèse inconcevable. Rien que des faits. Rien que des preuves en raccourci, violentes, assenées comme des coups de poing, et d'autant plus effarantes qu'elles évoquaient, contre une toute jeune femme, des souvenirs dont quelques-uns remontaient à plus d'un siècle !

Raoul d'Andrésy n'en revenait pas. La scène lui semblait tenir du roman, ou plutôt de quelque mélodrame fantastique et ténébreux, et les conjurés lui semblaient également en dehors de toute réalité, eux qui écoutaient toutes ces histoires comme si elles avaient eu la valeur de faits indiscutables. Certes Raoul n'ignorait pas la médiocrité intellectuelle de ces hobereaux, derniers vestiges d'une autre époque. Mais, tout de même, comment pouvaient-ils faire abstraction des données mêmes du problème qui leur était posé par l'âge que l'on attribuait à cette femme ? Si crédules qu'ils fussent, n'avaient-ils pas des yeux pour voir ?

En face d'eux, d'ailleurs, l'attitude de la Cagliostro paraissait encore plus étrange. Pourquoi ce silence, qui somme toute était une acceptation, et parfois un aveu ? Se refusait-elle à démolir une légende d'éternelle jeunesse qui lui agréait et favorisait l'exécution de ses desseins ? Ou bien, inconsciente de l'effroyable danger suspendu sur sa tête, ne considérait-elle toute cette mise en scène que comme une simple plaisanterie ?

« Tel est le passé, conclut le baron d'Etigues. Je n'insisterai pas sur les épisodes intermédiaires qui le relient au présent d'aujourd'hui. Tout en demeurant dans la coulisse, Joséphine Balsamo, comtesse de Cagliostro, a été mêlée à la tragi-comédie du boulangisme, au drame du Panama (car on la retrouve dans tous les événements funestes à notre pays). Mais nous n'avons là-dessus que des indications touchant le rôle secret qu'elle y joua. Aucune preuve. Passons, et arrivons à l'époque actuelle. Un mot encore cependant. Sur tous ces points, madame, vous n'avez pas d'observations à présenter ?

— Si, dit-elle.

— Parlez donc. »

La jeune femme prononça, avec sa même intonation un peu moqueuse :

« Je voudrais savoir, puisque vous semblez faire mon procès, et le faire à la façon d'un tribunal du Moyen Age, si vous comptez pour quelque chose les charges accumulées jusqu'ici contre moi ? En ce cas, autant me condamner sur-le-champ à être brûlée vive, comme sorcière, espionne, relapse, tous crimes que la Sainte Inquisition ne pardonnait pas.

— Non, répondit Godefroy d'Etigues. Ces

diverses aventures n'ont été rapportées que pour donner de vous, en quelques traits, une image aussi claire que possible.

— Vous croyez avoir donné de moi une image aussi claire que possible ?

— Au point de vue qui nous occupe, oui.

— Vous vous contentez de peu. Et quels liens voyez-vous entre ces différentes aventures ?

— J'en vois de trois sortes. D'abord le témoignage de toutes les personnes qui vous ont reconnue, et grâce auxquelles on remonte, de proche en proche, aux jours les plus reculés. Ensuite l'aveu de vos prétentions.

— Quel aveu ?

— Vous avez redit au prince d'Arcole les termes mêmes de la conversation qui eut lieu entre vous et lui dans la gare de Modane.

— En effet, dit-elle. Et puis ?...

— Et puis voici trois portraits qui vous représentent bien tous les trois, n'est-ce pas ? »

Elle les regarda et déclara :

« Ces trois portraits me représentent.

— Eh bien ! fit Godefroy d'Etigues, le premier est une miniature peinte en 1816 à Moscou, d'après Josine, comtesse de Cagliostro. Le second, qui est cette photographie, date de 1870. Celle-ci est la dernière, prise récemment à Paris. Les trois portraits sont signés par vous. Même signature. Même écriture. Même paraphe.

— Qu'est-ce que cela prouve ?

— Cela prouve que la même femme...

— Que la même femme, interrompit-elle, a

conservé en 1894 son visage de 1816 et de 1870. Donc au bûcher !

— Ne riez pas, madame. Vous savez qu'entre nous le rire est un blasphème abominable. »

Elle eut un geste d'impatience, et frappa l'accoudoir du banc.

« Mais enfin, monsieur, finissons-en avec cette parodie ! Qu'y a-t-il ? Que me reprochez-vous ? Pourquoi suis-je ici ?

— Vous êtes ici, madame, pour nous rendre compte des crimes que vous avez commis.

— Quels crimes ?

— Mes amis et moi nous étions douze, douze qui poursuivions le même but. Nous ne sommes plus que neuf. Les autres sont morts, assassinés par vous. »

Une ombre peut-être, du moins Raoul d'Andrésy crut l'y discerner, voila comme un nuage le sourire de la Joconde. Tout de suite, d'ailleurs, le beau visage reprit son expression coutumière, comme si rien ne pouvait altérer la paix de cette femme, pas même l'effroyable accusation lancée contre elle avec tant de virulence. On eût dit vraiment que les sentiments habituels lui étaient inconnus, ou bien alors qu'ils ne se trahissaient point par ces signes d'indignation, de révolte et d'horreur qui bouleversent tous les êtres. Quelle anomalie ! Coupable ou non, une autre se fût insurgée, elle se taisait, elle, et nul indice ne permettait de savoir si c'était par cynisme ou par innocence.

Les amis du baron demeuraient immobiles, la

figure âpre et contractée. Derrière ceux qui le cachaient presque entièrement aux regards de Joséphine Balsamo, Raoul apercevait Beaumagnan. Ses bras accoudés au dossier de la chaise, il tenait son visage dans ses mains. Mais les yeux étincelaient entre les doigts disjoints, et s'attachaient à la face même de l'ennemie.

Dans le grand silence, Godefroy d'Etigues énonça l'acte d'accusation, ou plutôt les trois actes de la formidable accusation. Il le fit sèchement, comme il l'avait fait jusque-là, sans détails inutiles, sans éclats de voix, plutôt comme on lit un procès-verbal.

« Il y a dix-huit mois, Denis Saint-Hébert, le plus jeune d'entre nous, chassait sur ses terres aux environs du Havre. En fin d'après-midi, il quitta son fermier et son garde, jeta son fusil sur l'épaule et s'en alla, dit-il, voir du haut de la falaise le soleil se coucher dans la mer. Il ne reparut pas de la nuit. Le lendemain, on trouva son cadavre sur les rochers que la mer découvrait.

« Suicide ? Denis Saint-Hébert était riche, bien portant, d'humeur heureuse. Pourquoi se serait-il tué ? Crime ? On n'y songea même pas. Donc, accident.

« Au mois de juin qui suivit, autre deuil pour nous, dans des conditions analogues. Georges d'Isneauval qui chassait les mouettes de très grand matin, au pied des falaises de Dieppe, glissa sur les algues d'une façon si malencontreuse que sa tête frappa contre un rocher et qu'il tomba inanimé. Quelques heures plus tard, deux pêcheurs l'aperçurent. Il était mort. Il laissait une veuve et deux petites filles.

« Là encore accident, n'est-ce pas ? Oui, accident pour la veuve, pour les deux orphelines, pour la famille... Mais pour nous ? Etait-il possible qu'une deuxième fois le hasard se fût attaqué au petit groupe que nous formions. Douze amis s'associent pour découvrir un grand secret et atteindre un but d'une portée considérable. Deux d'entre eux sont frappés. Ne doit-on pas supposer une machination criminelle qui, en s'attaquant à eux, s'attaque en même temps à leurs entreprises ?

« C'est le prince d'Arcole qui nous ouvrit les yeux et nous engagea dans la bonne voie. Le prince d'Arcole savait, lui, que nous n'étions pas seuls à connaître l'existence de ce grand secret. Il savait que, au cours d'une séance chez l'impératrice Eugénie, on avait évoqué une liste de quatre énigmes transmise par Cagliostro à ses descendants, et que l'une d'elles s'appelait précisément, comme celle qui nous intéresse, l'énigme du chandelier à sept branches. En conséquence, ne fallait-il pas chercher parmi ceux à qui la légende avait pu être transmise ?

« Grâce aux puissants moyens d'investigation dont nous disposons, en quinze jours, notre enquête aboutissait. Dans un hôtel particulier d'une rue solitaire de Paris, habitait une dame

Pellegrini, qui vivait assez retirée, et disparaissait souvent des mois entiers. D'une grande beauté, mais fort discrète d'allures, et comme désireuse de passer inaperçue, elle fréquentait, sous le nom de comtesse de Cagliostro, certains milieux où l'on s'occupait de magie, d'occultisme et de messe noire.

« On put se procurer sa photographie, celle-ci, et l'envoyer au prince d'Arcole qui voyageait alors en Espagne ; il reconnut avec stupeur la femme même qu'il avait vue jadis.

« On s'enquit de ses déplacements. Le jour de la mort de Saint-Hébert, aux environs du Havre, elle était de passage au Havre. De passage à Dieppe, lorsque Georges d'Isneauval agonisait au pied des falaises de Dieppe !

« J'interrogeai les familles. La veuve de Georges d'Isneauval me confia que son mari, en ces derniers temps, avait eu une liaison avec une femme qui, suivant elle, l'avait fait infiniment souffrir. D'autre part, une confession manuscrite de Saint-Hébert, trouvée dans ses papiers, et gardée jusqu'ici par sa mère, nous révéla que notre ami, ayant eu l'imprudence de noter nos douze noms et quelques indications concernant le chandelier à sept branches, le carnet lui avait été dérobé par une femme.

« Dès lors, tout s'expliquait. Maîtresse d'une partie de nos secrets, et désireuse d'en connaître davantage, la même femme, qu'avait aimée Saint-Hébert, s'était fait aimer de Georges d'Isneauval. Puis, ayant reçu leurs confidences, et dans la crainte d'être dénoncée par eux à leurs amis, elle les avait tués. Cette femme est ici, devant nous. »

Godefroy d'Etigues fit une nouvelle pause. Le silence redevint accablant, si lourd que les juges semblaient immobilisés dans cette atmosphère pesante et chargée d'angoisse. Seule, la comtesse de Cagliostro gardait un air distrait, comme si aucune parole ne l'eût atteinte.

Toujours étendu dans son poste, Raoul d'Andrésy admirait la beauté charmante et voluptueuse de la jeune femme, et, en même temps, il éprouvait un malaise à voir tant de preuves s'amasser contre elle. L'acte d'accusation la serrait de plus en plus près. De toutes parts, les faits venaient à l'assaut, et Raoul ne doutait point qu'une attaque plus directe encore ne la menaçât.

« Dois-je vous parler du troisième crime ? » demanda le baron.

Elle répliqua d'un ton de lassitude :

« Si cela vous plaît. Tout ce que vous me dites est inintelligible. Vous me parlez de personnes dont j'ignorais même le nom. Alors, n'est-ce pas, un crime de plus ou de moins...

— Vous ne connaissiez pas Saint-Hébert et d'Isneauval ? »

Elle haussa les épaules sans répondre.

Godefroy d'Etigues se pencha, puis d'une voix plus basse :

« Et Beaumagnan ? »

Elle leva sur le baron Godefroy des yeux ingénus :

« Beaumagnan ?

— Oui, le troisième de nos amis que vous avez tué ? Il n'y a pas bien longtemps, lui... quelques semaines... Il est mort empoisonné... Vous ne l'avez pas connu ? »

III

UN TRIBUNAL D'INQUISITION

QUE signifiait cette accusation ? Raoul regarda
Beaumagnan. Il s'était levé, sans redresser sa
haute taille, et, de proche en proche, s'abritant
derrière ses amis, il venait s'asseoir à côté même
de Joséphine Balsamo. Celle-ci tournée vers le
baron n'y fit pas attention.

Alors Raoul comprit pourquoi Beaumagnan
s'était dissimulé et quel piège redoutable on
tendait à la jeune femme. Si réellement elle avait
voulu empoisonner Beaumagnan, si réellement
elle le croyait mort, de quelle épouvante allait-
elle tressaillir en face de Beaumagnan lui-même,
vivant et prêt à l'accuser ! Si, au contraire, elle
ne tremblait point et que cet homme lui parût
aussi étranger que les autres, quelle preuve en sa
faveur !

Raoul se sentit anxieux, et il désirait tellement
qu'elle réussît à déjouer le complot qu'il cherchait les moyens de l'en avertir. Mais le baron

d'Etigues ne lâchait pas sa proie, et déjà reprenait :

« Vous ne vous souvenez pas de ce crime-là, non plus, n'est-ce pas ? »

Elle fronça les sourcils, marquant pour la seconde fois un peu d'impatience, et se tut.

« Peut-être même n'avez-vous pas connu Beaumagnan ? demanda le baron, incliné sur elle comme un juge d'instruction qui épie la phrase maladroite. Parlez donc ! Vous ne l'avez pas connu ? »

Elle ne répondit pas. Précisément, à cause de cette insistance opiniâtre, elle devait se défier, car son sourire se mêlait d'une certaine inquiétude. Comme une bête traquée, elle flairait l'embûche et fouillait les ténèbres de son regard.

Elle observa Godefroy d'Etigues, puis se tourna du côté de La Vaupalière et de Bennetot, puis de l'autre côté, qui était celui où se tenait Beaumagnan...

Tout de suite, elle eut un geste éperdu, le haut-le-corps de quelqu'un qui aperçoit un fantôme, et ses yeux se fermèrent. Elle tendit les mains pour repousser la terrible vision qui la heurtait et on l'entendit balbutier :

« Beaumagnan... Beaumagnan... »

Etait-ce l'aveu ? Allait-elle défaillir et confesser ses crimes ? Beaumagnan attendait. De toutes ses forces pour ainsi dire visibles, de ses poings crispés, des veines gonflées de son front, de son âpre visage convulsé par un effort surhumain de

48

volonté, il exigeait la crise de faiblesse où toute résistance se désagrège.

Un moment il crut réussir. La jeune femme fléchissait et s'abandonnait au dominateur. Une joie cruelle le transfigura. Vain espoir ! Echappant au vertige, elle se redressa. Chaque seconde écoulée lui rendit un peu de sérénité et délivra son sourire, et elle prononça, avec cette logique qui semble l'expression même d'une vérité que l'on ne peut contredire :

« Vous m'avez fait peur, Beaumagnan, car j'avais lu dans les journaux la nouvelle de votre mort. Mais pourquoi vos amis ont-ils voulu me tromper ? »

Raoul se rendit compte aussitôt que tout ce qui s'était passé jusque-là n'avait point d'importance. Les deux vrais adversaires se trouvaient l'un en face de l'autre. Si bref qu'il dût être, étant donné les armes de Beaumagnan et l'isolement de la jeune femme, le combat réel ne faisait que commencer.

Et ce ne fut plus l'attaque sournoise et contenue du baron Godefroy, mais l'agression désordonnée d'un ennemi qu'exaspéraient la colère et la haine.

« Mensonge ! mensonge ! s'écria-t-il, tout est mensonge en vous. Vous êtes l'hypocrisie, la bassesse, la trahison, le vice ! Tout ce qu'il y a d'ignoble et de répugnant dans le monde se cache derrière votre sourire. Ah ! ce sourire ! Quel masque abominable ! On voudrait vous l'arracher avec des tenailles rougies au feu.

« C'est la mort que votre sourire, c'est la damnation éternelle pour celui qui s'y laisse prendre... Ah ! quelle misérable que cette femme !... »

L'impression que Raoul avait eue, dès le début, d'assister à une scène d'inquisition, il l'éprouva plus nettement encore devant la fureur de cet homme qui jetait l'anathème avec toute la force d'un moine du Moyen Age. Sa voix frémissait d'indignation. Ses gestes menaçaient, comme s'il allait saisir à la gorge l'impie dont le divin sourire faisait perdre la tête et vouait aux supplices de l'enfer.

« Calmez-vous, Beaumagnan », lui dit-elle, avec un excès de douceur dont il s'irrita comme d'un outrage.

Malgré tout, il essaya de se contenir et de contrôler les paroles qui se pressaient en lui. Mais elles sortaient de sa bouche haletantes, précipitées ou murmurées, au point que ses amis, à qui il s'adressait maintenant, eurent quelquefois peine à comprendre l'étrange confession qu'il leur fit, en se frappant la poitrine, pareil aux croyants d'autrefois qui prenaient le public à témoin de leurs fautes.

« C'est moi qui ai cherché la bataille aussitôt après la mort d'Isneauval. Oui, j'ai pensé que l'ensorceleuse s'acharnerait encore après nous... et que je serais plus fort que les autres... mieux assuré contre la tentation... N'est-ce pas, vous connaissiez toute ma décision à cette époque ? Déjà consacré au service de l'Eglise, je voulais revêtir la robe du prêtre. J'étais donc à l'abri du mal, protégé par des engagements formels, et plus encore par toute l'ardeur de ma foi. Et je me rendis là-bas, à l'une de ces réunions spirites où je savais la trouver.

« Elle y était en effet. Je n'eus pas besoin que l'ami qui m'avait amené me la désignât, et j'avoue que, sur le seuil, une appréhension obscure me fit hésiter. Je la surveillai. Elle parlait à peu de gens et se tenait sur la réserve, écoutant plutôt en fumant des cigarettes.

« Selon mes instructions, mon ami vint s'asseoir près d'elle et engagea la conversation avec les personnes de son groupe. Puis, de loin, il m'appela par mon nom. Et je vis à l'émoi de son regard, et sans contestation possible, qu'elle le connaissait, ce nom, pour l'avoir lu sur le carnet dérobé à Denis Saint-Hébert. Beaumagnan, c'était un des douze affiliés... un des dix survivants. Et cette femme, qui semblait vivre dans une sorte de rêve, subitement s'éveilla. Une minute plus tard, elle m'adressait la parole. Durant deux heures elle déploya toute la grâce de son esprit et de sa beauté, et elle obtenait de moi la promesse que je viendrais la voir le lendemain.

« Dès cet instant, à la seconde même où je la quittai, la nuit, à la porte de sa demeure, j'aurais dû m'enfuir au bout du monde. Il était déjà trop tard. Il n'y avait plus en moi ni courage, ni volonté, ni clairvoyance, plus rien que le désir fou de la revoir. Certes, je masquais ce désir sous de grands mots ; j'accomplissais un devoir... il fallait connaître le jeu de l'ennemie, la convaincre de ses crimes et l'en punir, etc. Autant de prétextes ! En réalité, du premier coup j'étais persuadé de son innocence. Un tel sourire était l'indice de l'âme la plus pure.

« Ni le souvenir sacré de Saint-Hébert, ni celui de mon pauvre d'Isneauval ne m'éclairaient. Je ne voulais pas voir. J'ai vécu quelques mois dans l'obscurité, goûtant les pires joies, et ne rougissant même pas d'être un objet de honte et de scandale, de renoncer à mes vœux et de renier ma foi.

« Forfaits inconcevables de la part d'un homme comme moi, je vous le jure, mes amis. Cependant j'en ai commis un qui les dépasse peut-être tous. J'ai trahi notre cause. Le serment de silence que nous avons fait en nous associant pour une œuvre commune, je l'ai rompu. *Cette femme connaît du grand secret ce que nous en connaissons nous-mêmes.* »

Un murmure d'indignation accueillit ces paroles. Beaumagnan courba la tête.

Maintenant Raoul comprenait mieux le drame qui se jouait devant lui, et les personnages qui en étaient les acteurs acquéraient leur véritable relief. Hobereaux, campagnards, rustres, oui, certes, mais Beaumagnan était là, Beaumagnan qui les animait de son souffle et leur communiquait son exaltation. Au milieu de ces existences vulgaires et de ces silhouettes falotes, celui-là prenait figure de prophète et d'illuminé. Il leur avait montré comme un devoir quelque besogne de conjuration à laquelle lui-même s'était dévoué corps et âme, comme on se dévouait jadis à Dieu en abandonnant son donjon pour partir en croisade.

Ces sortes de passions mystiques transforment ceux qu'elles brûlent en héros ou en bourreaux. Il y avait vraiment de l'inquisiteur en Beaumagnan. Au XVe siècle, il eût persécuté et martyrisé pour arracher à l'impie la parole de foi.

Il avait l'instinct de la domination et l'attitude de l'homme pour qui l'obstacle n'existe pas. Entre le but et lui une femme se dressait ? Qu'elle meure ! S'il aimait cette femme, une confession publique l'absolvait. Et ceux qui l'entendaient subissaient d'autant plus l'ascendant de ce maître dur que sa dureté semblait s'exercer aussi bien contre lui-même.

Humilié par l'aveu de sa déchéance, il n'avait plus de colère, et c'est d'une voix sourde qu'il acheva :

« Pourquoi ai-je failli ? Je l'ignore. Un homme comme moi ne doit pas faillir. Je n'ai même pas l'excuse de dire qu'elle m'ait interrogé. Non. Elle faisait souvent allusion aux quatre énigmes signalées par Cagliostro, et c'est un jour, presque à mon insu, que j'ai prononcé les mots irréparables... lâchement... pour lui être agréable... pour prendre à ses yeux plus de valeur... pour que son sourire fût plus tendre. Je me disais en moi-même : « Elle sera notre alliée... elle nous « aidera de ses conseils, de toute sa clairvoyance « affinée par les pratiques de la divination... »

J'étais fou. L'ivresse du péché faisait vaciller ma raison.

« Le réveil fut terrible. Un jour — il y a de cela trois semaines — je devais partir en mission pour l'Espagne. Je lui avais dit adieu, le matin. L'après-midi, vers trois heures, ayant rendez-vous dans le centre de Paris, je quittai le petit logement que j'occupe au Luxembourg. Or, il se trouva qu'ayant oublié de donner certaines instructions à mon domestique, je rentrai chez moi par la cour et par l'escalier de service.

Mon domestique était sorti et avait laissé ouverte la porte de la cuisine. De loin, j'entendis du bruit. J'avançai lentement. Il y avait quelqu'un dans ma chambre, il y avait cette femme, dont la glace me renvoyait l'image.

« Que faisait-elle donc penchée sur ma valise ? J'observai.

« Elle ouvrit une petite boîte en carton qui contenait des cachets que je prends en voyage pour combattre mes insomnies. Elle enleva l'un de ces cachets et, à la place, elle en mit un autre, un autre qu'elle tira de son porte-monnaie.

« Mon émoi fut si grand que je ne songeai pas à me jeter sur elle. Quand j'arrivai dans ma chambre, elle était partie. Je ne pus la rattraper.

« Je courus chez un pharmacien et fis analyser les cachets. L'un d'eux contenait du poison, de quoi me foudroyer.

« Ainsi, j'avais la preuve irréfutable. Ayant eu l'imprudence de parler et de dire ce que je savais du secret, j'étais condamné. Autant, n'est-ce pas ? se débarrasser d'un témoin inutile et d'un concurrent qui pouvait, un jour ou l'autre, prendre sa part du butin, ou bien découvrir la vérité, attaquer l'ennemie, l'accuser et la vaincre. Donc, la mort. La mort comme pour Denis Saint-Hébert et Georges d'Isneauval. La mort stupide, sans cause suffisante.

« J'écrivis à l'un de mes correspondants d'Espagne. Quelques jours après, certains journaux annonçaient la mort à Madrid d'un nommé Beaumagnan.

« Dès lors, je vécus dans son ombre, et la suivis pas à pas. Elle se rendit à Rouen d'abord, puis au Havre, puis à Dieppe, c'est-à-dire aux lieux mêmes qui circonscrivent le terrain de nos recherches. D'après mes confidences, elle savait que nous sommes sur le point de bouleverser un ancien prieuré des environs de Dieppe. Elle y alla tout un jour, et, profitant de ce que le domaine est abandonné, chercha. Puis, je perdis ses traces. Je la retrouvai à Rouen. Vous savez le reste par notre ami d'Etigues, comment le piège fut préparé, et comment elle s'y jeta, attirée par l'appât de ce chandelier à sept branches que, soi-disant, un cultivateur aurait trouvé dans sa prairie.

« Telle est cette femme. Vous vous rendez compte des motifs qui nous empêchent de la livrer à la justice. Le scandale des débats rejaillirait sur nous, et, en jetant la pleine clarté sur nos entreprises, les rendrait impossibles. Notre devoir, si redoutable qu'il soit, est donc de la juger nous-mêmes, sans haine, mais avec toute la rigueur qu'elle mérite. »

Beaumagnan se tut. Il avait fini son réquisitoire avec une gravité plus dangereuse pour l'accusée que sa colère. Elle apparaissait réellement coupable, et presque monstrueuse dans cette série de meurtres inutiles. Raoul d'Andrésy, lui, ne savait plus que penser, et il exécrait cet homme qui avait aimé la jeune femme et qui venait de rappeler en frissonnant les joies de cet amour sacrilège...

La comtesse de Cagliostro s'était levée et regardait son adversaire bien en face, toujours un peu narquoise.

« Je ne m'étais pas trompée, dit-elle, c'est le bûcher ?...

— Ce sera, déclara-t-il, ce que nous déciderons, sans que rien puisse empêcher l'exécution de notre juste verdict.

— Un verdict ? De quel droit ? fit-elle. Il y a des juges pour cela. Vous n'êtes pas des juges. La peur du scandale, dites-vous ? En quoi cela m'importe-t-il que vous ayez besoin d'ombre et de silence pour vos projets ? Laissez-moi libre. »

Il proféra :

« Libre ! Libre de continuer votre œuvre de mort ? Nous sommes maîtres de vous. Vous subirez notre jugement.

— Votre jugement sur quoi ? S'il y avait parmi vous un seul juge véritable, un seul homme qui sût ce que c'est que la raison et que la vraisemblance, il rirait de vos accusations stupides et de vos preuves incohérentes.

— Des mots ! Des phrases ! s'écria-t-il. Ce sont des preuves contraires qu'il nous faudrait... quelque chose qui détruise le témoignage de mes yeux.

— A quoi bon me défendre ? Votre résolution est prise.

— Elle est prise parce que vous êtes coupable.

— Coupable de poursuivre le même but que vous, oui, cela, je l'avoue, et c'est la raison pour laquelle vous avez commis cette infamie de venir m'espionner et de jouer la comédie de l'amour. Si vous vous êtes pris au piège, tant pis pour vous ! Si vous m'avez fait des confidences à propos de l'énigme dont je connaissais déjà l'existence par le document de Cagliostro... tant pis pour vous ! Maintenant j'en suis obsédée, et j'ai juré d'atteindre le but, quoi qu'il arrive, et malgré vous. Voilà mon seul crime, à vos yeux.

— Votre crime, c'est d'avoir tué, proféra Beaumagnan qui s'emportait de nouveau.

— Je n'ai pas tué, dit-elle fermement.

— Vous avez poussé Saint-Hébert dans l'abîme et vous avez frappé d'Isneauval à la tête.

— Saint-Hébert ? d'Isneauval ? Je ne les ai pas connus. J'entends leurs noms aujourd'hui pour la première fois.

— Et moi ! et moi ! fit-il avec véhémence. Et moi, vous ne m'avez pas connu ? Vous n'avez pas voulu m'empoisonner ?

— Non. »

Il s'exaspéra et, la tutoyant dans un accès de rage :

« Mais je t'ai vue, Joséphine Balsamo. Je t'ai vue comme je te vois ! Tandis que tu rangeais le poison, j'ai vu ton sourire qui devenait féroce et le coin de ta lèvre qui remontait davantage... comme un rictus de damnée. »

Elle hocha la tête et prononça :

« Ce n'était pas moi. »

Il parut suffoqué. Comment avait-elle l'audace ?... Mais, tranquillement, elle lui posa la main sur l'épaule, et reprit :

« La haine vous fait perdre la tête, Beaumagnan, votre âme fanatique se révolte contre le péché d'amour. Cependant, malgré cela, vous me permettez de me défendre, n'est-ce pas ?

— C'est votre droit. Mais hâtez-vous.

— Ce sera bref. Demandez à vos amis la miniature faite à Moscou en 1816, d'après la comtesse de Cagliostro... (Beaumagnan obéit et prit la miniature des mains du baron.) Bien... Examinez-la attentivement. C'est mon portrait, n'est-ce pas ?

— Où voulez-vous en venir ? dit-il.

— Répondez, c'est mon portrait ?

— Oui, fit-il nettement.

— Alors, si c'est là mon portrait, c'est que je vivais à cette époque ? Il y a quatre-vingts ans, j'en avais vingt-cinq ou trente ? Réfléchissez bien avant de répondre. Hein, vous hésitez, n'est-ce pas, devant un tel miracle ! Et vous n'osez pas affirmer ?... Pourtant, il y a mieux encore...

Ouvrez, par-derrière, le cadre de cette miniature, et vous verrez, à l'envers de la porcelaine, un autre portrait, le portrait d'une femme souriante, dont la tête est enveloppée d'un voile impalpable qui descend jusqu'aux sourcils, et à travers lequel on voit ses cheveux partagés en deux bandeaux ondulés. C'est encore moi, n'est-ce pas ? »

Tandis que Beaumagnan exécutait ses instructions, elle avait mis également sur sa tête un léger voile de tulle dont le rebord frôlait la ligne de ses sourcils, et elle baissait ses paupières avec une expression charmante. Beaumagnan balbutia, tout en comparant :

« C'est vous... c'est vous...

— Aucun doute, n'est-ce pas ?

— Aucun. C'est vous...

— Eh bien ! lisez la date, sur le côté droit. »

Beaumagnan épela :

« Fait à Milan, en l'an 1498. »

Elle répéta :

« En 1498 ! Il y a quatre cents ans. »

Elle rit franchement, et son rire sonnait avec clarté.

« Ne prenez pas cet air confondu, dit-elle. D'abord je connaissais l'existence de ce double portrait, et je le cherchais depuis longtemps. Mais soyez certain qu'il n'y a là aucun miracle. Je n'essaierai pas de vous persuader que j'ai servi de modèle au peintre et que j'ai quatre cents ans. Non, ceci est tout simplement le visage de la Vierge Marie, et c'est une copie d'un fragment de la *Sainte Famille* de Bernardino Luini, peintre milanais, disciple de Léonard de Vinci. »

Puis, soudain sérieuse, et sans laisser à l'adversaire le temps de souffler, elle lui dit :

« Vous comprenez maintenant où je veux en venir, n'est-ce pas, Beaumagnan ? Entre la Vierge de Luini, la jeune fille de Moscou et moi, il y a cette chose insaisissable, merveilleuse, et pourtant indéniable, la ressemblance absolue. Trois visages en un seul. Trois visages qui ne sont pas ceux de trois femmes différentes, mais qui sont *celui de la même femme*. Alors pourquoi ne voulez-vous pas admettre qu'un même phénomène, tout naturel après tout, se reproduise en d'autres circonstances, et que la femme que vous avez vue dans votre chambre ne soit pas moi, mais une autre femme qui me ressemble assez pour vous faire illusion ?... une autre qui aurait connu et qui aurait tué vos amis Saint-Hébert et d'Isneauval ?

— J'ai vu... j'ai vu... protesta Beaumagnan, qui la touchait presque, debout contre elle tout pâle et frémissant d'indignation. J'ai vu. Mes yeux ont vu.

— Vos yeux voient aussi le portrait d'il y a vingt-cinq ans, et la miniature d'il y a quatre-vingts ans, et le tableau d'il y a quatre cents ans. C'était donc moi ? »

Elle offrait aux regards de Beaumagnan sa jeune figure, sa beauté fraîche, ses dents éclatantes, ses joues tendres et pleines comme un fruit. Défaillant, il s'écria :

« Ah ! sorcière, il y a des moments où j'y crois, à cette absurdité. Sait-on jamais avec toi ! Tiens, la femme de la miniature montre tout en bas de son épaule nue, sous la peau blanche de la poitrine, un signe noir. Ce signe, il est là au bas de ton épaule... Je l'y ai vu... Tiens... montre-le donc aux autres pour qu'ils le voient aussi, pour qu'ils soient édifiés. »

Il était livide et la sueur coulait de son front. Il porta la main vers le corsage clos. Mais elle le repoussa et, s'exprimant avec beaucoup de dignité :

« Assez, Beaumagnan, vous ne savez pas ce que vous faites, et vous ne le savez plus depuis des mois. Je vous écoutais tout à l'heure et j'étais interdite, car vous parliez de moi comme si j'avais été votre maîtresse, et je n'ai pas été votre maîtresse. C'est une noble chose que de se frapper la poitrine en public, mais encore faut-il que la confession soit sincère. Vous n'en avez pas eu le courage. Le démon de l'orgueil ne vous a pas permis l'aveu humiliant de votre échec, et lâchement vous avez laissé croire ce qui n'a pas été. Durant des mois vous vous êtes traîné à mes pieds, vous m'avez implorée et menacée, sans que jamais, une seule fois, vos lèvres aient effleuré mes mains. Voilà tout le secret de votre conduite et de votre haine.

« Ne pouvant me fléchir, vous avez voulu me perdre, et, devant vos amis, vous dressez de moi une image effrayante de criminelle, d'espionne et de sorcière. Oui, de sorcière ! Un homme comme vous ne peut pas faillir, selon votre expression, et si vous avez failli ce ne peut être que par l'action de sortilèges diaboliques. Non, Beaumagnan, vous ne savez plus ce que vous faites, ni ce que vous dites. Vous m'avez vue dans votre chambre, préparant la poudre qui devait vous empoisonner ? Allons donc ! De quel droit invoquez-vous le témoignage de vos yeux ? Vos yeux ? Mais ils étaient obsédés par mon image, et l'autre femme vous offrit un visage qui n'était pas le sien, mais le mien, que vous ne pouviez pas ne pas voir.

« Oui, Beaumagnan, je le répète, l'autre femme... Il y a une autre femme sur le chemin que nous suivons tous. Il y a une autre femme qui a hérité de certains documents issus de Cagliostro et qui se pare, elle aussi, des noms qu'il prenait. Marquise de Belmonte, comtesse de Fenix... cherchez-la, Beaumagnan. Car c'est elle que vous avez vue, et c'est en vérité sur la plus grossière hallucination d'un cerveau détraqué que vous échafaudez contre moi tant d'accusations mensongères.

« Allons, tout cela n'est qu'une comédie puérile, et j'avais bien raison de rester paisible au milieu de vous tous, comme une femme innocente, d'abord, et comme une femme qui ne risque rien. Avec vos façons de juges et de tortionnaires, et malgré l'intérêt que chacun de vous peut avoir dans la réussite de l'entreprise commune, vous êtes au fond des braves gens qui n'oseriez jamais me faire mourir. Vous, peut-être, Beaumagnan, qui êtes un fanatique et qui avez peur de moi, mais il vous faudrait ici des bourreaux capables de vous obéir, et il n'y en a pas. Alors quoi... m'enfermer ? me jeter dans quelque coin obscur ? Si cela vous amuse, soit ! Mais, sachez-le, il n'y a pas de cachot d'où je ne puisse sortir aussi aisément que vous de cette salle. Ainsi, jugez, condamnez. Pour ma part, je ne dirai plus un mot. »

Elle se rassit, ôta son voile, et, de nouveau, s'accouda. Son rôle était terminé. Elle avait parlé sans emportement, mais avec une conviction profonde et une logique vraiment irréfutable, associant les charges relevées contre elle à cette légende d'inexplicable longévité qui dominait l'aventure.

« Tout se tient, disait-elle, et vous avez dû vous-même appuyer votre réquisitoire sur le récit de mes aventures passées. Vous avez dû commencer votre réquisitoire par le récit d'événements qui remontent à cent ans pour aboutir aux événements criminels d'aujourd'hui. Si je suis mêlée à ceux-ci, c'est que je fus l'héroïne de ceux-là. Si je suis la femme que vous avez vue, je suis aussi celle que vous montrent mes différents portraits. »

Que répondre ? Beaumagnan se tut. Le duel s'achevait par sa défaite et il n'essaya pas de la masquer. D'ailleurs, ses amis n'avaient plus cette face implacable et convulsée des gens qui se trouvent acculés à l'effroyable décision de mort. Le doute était en eux, Raoul d'Andrésy le sentit nettement, et il en eût conçu quelque espoir si le souvenir des préparatifs effectués par Godefroy d'Etigues et Bennetot n'eût atténué son contentement.

Beaumagnan et le baron d'Etigues s'entretinrent à voix basse, puis Beaumagnan reprit, comme un homme pour qui la discussion est close :

« Vous avez toutes les pièces du procès devant vous, mes amis. L'accusation et la défense ont dit leur dernier mot. Vous avez vu avec quelle certitude Godefroy d'Etigues et moi avons accusé cette femme, avec quelle subtilité elle s'est défendue, se retranchant derrière une ressemblance inadmissible, et donnant ainsi, en dernier ressort, un exemple frappant de son adresse et de sa ruse infernales. La situation est donc très simple : un adversaire de cette puissance et qui dispose de telles ressources ne nous laissera jamais de repos. Notre œuvre est compromise. Les uns après les autres, elle nous détruira. Son existence entraîne fatalement notre ruine et notre perte.

« Est-ce à dire pour cela qu'il n'est d'autre solution que la mort, et que le châtiment mérité soit le seul que nous devions envisager ? Non. Qu'elle disparaisse, qu'elle ne puisse rien tenter, nous n'avons pas le droit de demander davantage et, si notre conscience se révolte devant une solution aussi indulgente, nous devons nous y tenir parce que, somme toute, nous ne sommes pas là pour châtier, mais pour nous défendre.

« Voici donc les dispositions que nous avons prises, sous réserve de votre approbation. Cette nuit, un bateau anglais viendra croiser à quelque distance des côtes. Une barque s'en détachera, au-devant de laquelle nous irons et que nous rencontrerons à dix heures, au pied de l'aiguille de Belval. Cette femme sera livrée, emmenée à Londres, débarquée la nuit, et enfermée dans une maison de fous, jusqu'à ce que notre œuvre soit achevée. Je ne pense pas qu'aucun de vous s'oppose à notre façon d'agir, qui est humaine et généreuse, mais qui sauvegarde notre œuvre et nous met à l'abri des périls inévitables ? »

Raoul aperçut aussitôt le jeu de Beaumagnan, et il pensa :

« C'est la mort. Il n'y a pas de bateau anglais. Il y a deux barques, dont l'une, percée, sera conduite au large et coulera. La comtesse de Cagliostro disparaîtra sans que personne sache jamais ce qu'elle est devenue. »

La duplicité de ce plan et la manière insidieuse dont il était exposé l'effrayaient. Comment les amis de Beaumagnan ne l'eussent-ils pas soutenu alors qu'on ne leur demandait point de réponse affirmative ? Leur silence suffisait. Qu'aucun d'eux ne protestât, et Beaumagnan était libre d'agir par l'intermédiaire de Godefroy d'Etigues.

Or, aucun d'eux ne protesta. A leur insu, ils avaient condamné à mort.

Ils se levèrent tous pour le départ, heureux évidemment d'en être quittes à si bon marché. Nulle observation ne fut faite. Ils avaient l'air de s'en aller d'une petite réunion d'intimes où l'on a discuté de choses insignifiantes. Quelques-uns d'entre eux devaient d'ailleurs prendre le train du soir à la station voisine. Au bout d'un instant, ils étaient tous sortis, à l'exception de Beaumagnan et des deux cousins.

Et ainsi, il arrivait ceci, qui déconcertait Raoul, c'est que cette séance dramatique, où la vie d'une femme avait été exposée d'une façon si arbitraire, et sa mort obtenue par un subterfuge si odieux, finissait tout à coup, brusquement, comme une pièce dont le dénouement se produit avant l'heure logique, comme un procès dont le jugement serait proclamé au milieu des débats.

Dans cette sorte d'escamotage, le caractère insidieux et tortueux de Beaumagnan apparaissait de plus en plus net à Raoul d'Andrésy. Implacable et fanatique, rongé par l'amour et par l'orgueil, l'homme avait décidé la mort. Mais il y avait en lui des scrupules, des lâchetés, des hypocrisies, des peurs confuses, qui l'obligeaient, pour ainsi dire, à se couvrir devant sa conscience, et peut-être aussi devant la justice. D'où cette solution ténébreuse, le blanc-seing obtenu grâce à cet abominable tour de passe-passe.

Maintenant, debout sur le seuil, il observait la femme qui devait mourir. Livide, les sourcils froncés, les muscles et la mâchoire agités d'un tic nerveux, les bras croisés, il avait comme à l'ordinaire l'attitude un peu théâtrale d'un personnage romantique. Son cerveau devait rouler des pensées tumultueuses. Hésitait-il, au dernier moment ?

En tout cas, sa méditation ne fut pas longue. Il

empoigna Godefroy d'Etigues par l'épaule et se retira, tout en jetant cet ordre :

« Gardez-la ! Et pas de bêtises, hein ? Sans quoi... »

Durant toutes ces allées et venues, la comtesse de Cagliostro n'avait pas bougé, et son visage conservait cette expression pensive et pleine de quiétude qui était si peu en rapport avec la situation.

« Certainement, se disait Raoul, elle ne soupçonne pas le danger. La claustration dans une maison de fous, voilà tout ce qu'elle envisage, et c'est une perspective dont elle ne se tourmente aucunement. »

Une heure passa. L'ombre du soir commençait à envahir la salle. Deux fois, la jeune femme consulta la montre qu'elle portait à son corsage.

Puis, elle essaya de lier conversation avec Bennetot, et tout de suite sa figure s'imprégna d'une séduction incroyable, et sa voix prit des inflexions qui vous émouvaient comme une caresse.

Bennetot gogna, d'un air bourru, et ne répondit pas.

Une demi-heure encore... Elle regarda de droite et de gauche, et s'aperçut que la porte était entrouverte. A cette minute-là, elle eut, indubitablement, l'idée de la fuite possible, et tout son être se replia sur lui-même comme pour bondir.

De son côté Raoul cherchait les moyens de l'aider dans son projet. S'il avait eu un revolver il eût abattu Bennetot. Il pensa également à sauter dans la salle, mais l'orifice n'était pas assez large.

D'ailleurs Bennetot qui était armé, lui, sentit le péril et posa son revolver sur la table, en maugréant :

« Un geste, un seul, et je tire. J'en jure Dieu ! »

Il était homme à tenir son serment. Elle ne remua plus. La gorge serrée par l'angoisse, Raoul la contemplait sans se lasser.

Vers sept heures, Godefroy d'Etigues revint.

Il alluma une lampe, et dit à Oscar de Bennetot :

« Préparons tout. Va chercher la civière sous la remise. Ensuite tu iras dîner. »

Lorsqu'il fut seul avec la jeune femme, le baron sembla hésiter. Raoul vit que ses yeux étaient hagards et qu'il avait l'intention de parler ou d'agir. Mais les mots et les actes devaient être de ceux devant lesquels on se dérobe. Aussi l'attaque fut-elle brutale.

« Priez Dieu, madame », dit-il subitement.

Elle répéta d'une voix qui ne comprenait pas.

« Prier Dieu ? pourquoi ce conseil ? »

Alors il dit très bas :

« Faites à votre guise... seulement je devais vous prévenir...

— Me prévenir de quoi ? demanda-t-elle de plus en plus anxieuse.

— Il y a des moments, murmura-t-il, où il faut prier Dieu comme si l'on devait mourir la nuit même... »

Elle fut secouée d'une épouvante soudaine. Du

coup elle voyait toute la situation. Ses bras s'agitèrent dans une sorte de convulsion fébrile.

« Mourir ?... Mourir ?... mais il ne s'agit pas de cela, n'est-ce pas ? Beaumagnan n'a pas parlé de cela... il a parlé d'une maison de fous... »

Il ne répondit pas. Et on entendit la malheureuse qui bégayait :

« Ah ! mon Dieu, il m'a trompée. La maison de fous, ce n'est pas vrai... C'est autre chose... ils vont me jeter à l'eau... en pleine nuit... Oh ! l'horreur ! Mais ce n'est pas possible... Moi, mourir !... Au secours !... »

Godefroy d'Etigues avait apporté, plié sous son épaule, un long plaid. Avec une brutalité rageuse, il en couvrit la tête de la jeune femme et lui plaqua la main contre la bouche pour étouffer ses cris.

Bennetot revenait. A eux deux ils la couchèrent sur le brancard et la ficelèrent solidement, de façon que passât, entre les planches à claire-voie, l'anneau de fer auquel devait être attaché un lourd galet...

IV

LA BARQUE QUI COULE

Les ténèbres s'accumulaient, Godefroy d'Etigues alluma une lampe, et les deux cousins s'installèrent pour la veillée funèbre. Sous la lueur, ils avaient un visage sinistre, que l'idée du crime faisait grimacer.

« Tu aurais dû apporter un flacon de rhum, bougonna Oscar de Bennetot. Il y a des moments où il ne faut pas savoir ce que l'on fait.

— Nous ne sommes pas à l'un de ces moments, répliqua le baron. Au contraire ! Il nous faut toute notre attention.

— C'est gai.

— Il fallait raisonner avec Beaumagnan et lui refuser ton concours.

— Pas possible.

— Alors, obéis. »

Du temps encore s'écoula. Aucun bruit ne venait du château, ni de la campagne assoupie.

Bennetot s'approcha de la captive, écouta, puis se retournant :

« Elle ne gémit même pas. C'est une rude femme. »

Et il ajouta d'une voix où il y avait une certaine peur.

« Crois-tu à tout ce qu'on dit sur elle ?

— A quoi ?

— Son âge ?... toutes ces histoires d'autrefois ?

— Des bêtises !

— Beaumagnan y croit, lui.

— Est-ce qu'on sait ce que pense Beaumagnan !

— Avoue tout de même, Godefroy, qu'il y a des choses vraiment curieuses... et que tout laisse supposer qu'elle n'est pas née d'hier ? »

Godefroy d'Etigues murmura :

« Oui, évidemment... Moi-même, en lisant, c'est à elle que je m'adressais, comme si elle vivait réellement à cette époque-là.

— Alors, tu y crois ?

— Assez. Ne parlons pas de tout ça ! c'est déjà trop d'y être mêlé. Ah ! je te jure Dieu (et il haussa le ton) que si j'avais pu refuser, et sans prendre de gants !... Seulement... »

Godefroy n'était pas en humeur de causer, et il n'en dit pas davantage sur un chapitre qui semblait lui être infiniment désagréable.

Mais Bennetot reprit :

« Moi aussi, je te jure Dieu que pour un rien je filerais. D'autant que j'ai comme une idée, vois-tu, que nous sommes refaits sur toute la ligne.

Oui, je te l'ai déjà dit, Beaumagnan en connaît beaucoup plus que nous, et nous ne sommes que des polichinelles entre ses mains. Un jour ou l'autre, quand il n'aura plus besoin de nous, il nous tirera sa révérence, et l'on s'apercevra qu'il a escamoté l'affaire à son profit.

— Ça, jamais.

— Cependant... », objecta Bennetot.

Godefroy lui mit la main sur la bouche et chuchota :

« Tais-toi. Elle entend.

— Qu'importe, dit l'autre, puisque tout à l'heure... »

Ils n'osèrent plus rompre le silence. De temps à autre l'horloge de l'église sonnait des coups qu'ils comptaient des lèvres en se regardant.

Quand ils en comptèrent dix, Godefroy d'Etigues donna sur la table un formidable coup de poing qui fit sauter la lampe.

« Crebleu de crebleu ! il faut marcher.

— Ah ! fit Bennetot, quelle ignominie ! Nous y allons seuls ?

— Les autres veulent nous accompagner. Mais je les arrête au haut de la falaise, puisqu'ils croient au bateau anglais.

— Moi j'aimerais mieux qu'on y aille tous.

— Tais-toi, l'ordre ne concerne que nous. Et puis les autres pourraient bavarder... Et ce serait du propre. Tiens, les voici. »

Les autres, c'étaient ceux qui n'avaient pas pris le train, c'est-à-dire d'Ormont, Roux d'Estiers et

Rolleville. Ils arrivèrent avec un falot d'écurie que le baron leur fit éteindre.

« Pas de lumière, dit-il. On verrait ça se promener sur la falaise, et on jaserait par la suite. Tous les domestiques sont couchés ?

— Oui.

— Et Clarisse ?

— Elle n'a pas quitté sa chambre.

— En effet, dit le baron, elle est un peu souffrante aujourd'hui. En route ! » D'Ormont et Rolleville saisirent les bras de la civière. On traversa le verger et l'on s'engagea dans une pièce de terre pour rejoindre le chemin de campagne qui conduisait du village à l'Escalier du Curé. Le ciel était noir, sans étoiles, et le cortège, à tâtons, trébuchait et se heurtait aux ornières et aux talus. Des jurons fusaient, vite étouffés par la colère de Godefroy.

« Pas de bruit, bon sang ! On pourrait reconnaître nos voix.

— Qui, Godefroy ? Il n'y a personne absolument, et tu as dû prendre tes précautions pour les douaniers ?

— Oui. Ils sont au cabaret, invités par un homme dont je suis sûr. Tout de même une ronde est possible. »

Le plateau se creusa en une dépression que le chemin suivait. Tant bien que mal, ils parvinrent à l'endroit où s'amorce l'escalier. Il fut taillé jadis en pleine falaise, sur l'initiative d'un curé de Bénouville, et pour que les gens du pays puissent descendre directement jusqu'à la plage.

Le jour, des orifices pratiqués dans la craie l'éclairent et ouvrent des vues magnifiques sur la mer, dont les flots viennent battre les rochers et vers laquelle il semble que l'on s'enfonce.

« Ça va être dur, fit Rolleville. Nous pourrions vous aider. On vous éclairerait.

— Non, déclara le baron. Il est prudent de se séparer. »

Les autres obéirent et s'éloignèrent. Les deux cousins, sans perdre de temps, commencèrent l'opération difficile de la descente.

Ce fut long. Les marches étaient fort élevées, et le tournant parfois si brusque que la place manquait pour le brancard et qu'il fallait le dresser dans toute sa hauteur. La lumière d'une lampe de poche ne les éclairait que par à-coups. Oscar de Bennetot ne dérageait pas, à tel point que, dans son instinct de hobereau mal dégrossi, il proposait simplement de jeter « tout cela » par-dessus bord, c'est-à-dire par l'un des orifices.

Enfin ils atteignirent une plage de galets fins où ils purent reprendre haleine. A quelque distance, on apercevait les deux barques allongées l'une près de l'autre. La mer très calme, sans la moindre vague, en baignait les quilles. Bennetot montra le trou qu'il avait creusé dans la plus petite des deux et qui, provisoirement, demeurait obstrué par un bouchon de paille, et ils couchèrent le brancard sur les trois bancs qui la garnissaient.

« Ficelons le tout ensemble », ordonna Godefroy d'Etigues.

Bennetot fit observer :

« Et si jamais il y a une enquête et que l'on découvre la chose au fond de la mer, quelle preuve contre nous, ce brancard !

— C'est à nous d'aller assez loin pour qu'on ne découvre jamais rien. Et d'ailleurs, c'est un vieux brancard hors d'usage depuis vingt ans, et que j'ai sorti d'une grange abandonnée. Rien à craindre. »

Il parlait en tremblant, et d'une voix effarée que Bennetot ne lui connaissait point.

« Qu'est-ce que tu as, Godefroy ?

— Moi ? Que veux-tu que j'aie ?

— Alors ?

— Alors, poussons la barque... Mais il faut d'abord, selon les instructions de Beaumagnan, qu'on *lui* enlève son bâillon et qu'on *lui* demande si elle a quelque volonté à exprimer. Tu veux faire cela, toi ? »

Bennetot balbutia :

« La toucher ? La voir ? J'aimerais mieux crever... et toi ?

— Je ne pourrais pas non plus... je ne pourrais pas...

— Elle est coupable cependant... elle a tué...

— Oui... oui... Du moins c'est probable... Seulement, elle a l'air si doux !...

— Oui, fit Bennetot... et elle est si belle... belle comme la Vierge... »

En même temps ils tombèrent à genoux sur le galet et se mirent à prier tout haut pour celle qui allait mourir et sur qui ils appelaient « l'intervention de la Vierge Marie ».

Godefroy entremêlait les versets et les supplications que Bennetot scandait, au hasard, avec des *amen* fervents. Cela parut leur rendre un peu de courage, car ils se relevèrent brusquement, avides d'en finir. Bennetot apporta l'énorme galet qu'il avait préparé, le lia vivement à l'anneau de fer, et poussa la barque qui flotta aussitôt sur l'eau tranquille. Ensuite, d'un commun effort, ils firent glisser l'autre barque et sautèrent dedans. Godefroy saisit les deux rames, tandis que Bennetot, à l'aide d'une corde, remorquait le bateau de la condamnée.

Ainsi s'en allèrent-ils au large, à petits coups d'aviron qui laissaient tomber un bruit frais de gouttelettes. Des ombres plus noires que la nuit leur permettaient de se guider à peu près entre les roches et de glisser vers la pleine mer. Mais, au bout de vingt minutes, l'allure devint plus lente et l'embarcation s'arrêta.

« Je ne peux plus... murmura le baron tout défaillant... mes bras refusent. A ton tour...

— Je n'aurais pas la force », avoua Bennetot.

Godefroy fit une nouvelle tentative, puis renonçant, il dit :

« A quoi bon ? Nous avons sûrement dépassé de beaucoup la ligne où la mer s'en va. C'est ton avis ? »

L'autre approuva.

« D'autant, dit-il, qu'il y a comme une brise qui portera le bateau encore plus loin que la ligne.

« — Alors enlève le bouchon de paille.

— C'est toi qui devrais faire ça, protesta Bennetot, à qui le geste commandé semblait le geste même du meurtre.

— Assez de bêtises ! Finissons-en. »

Bennetot tira la corde. La quille vint se balancer tout contre lui. Il n'avait plus qu'à se pencher et à plonger la main.

« J'ai peur, Godefroy, bégaya-t-il. Sur mon salut éternel, ce n'est pas moi qui agis, mais bien toi, tu entends ? »

Godefroy bondit jusqu'à lui, l'écarta, se courba par-dessus bord, et plongeant sa main arracha d'un coup le bouchon. Il y eut un glouglou d'eau qui bouillonne, et cela le bouleversa au point que, dans un revirement subit, il voulut combler le trou. Trop tard. Bennetot avait pris les rames, et, retrouvant toute son énergie, effrayé lui aussi du bruit qu'il avait perçu, donnait un effort violent qui mettait un intervalle de plusieurs brasses entre les deux embarcations.

« Halte ! commanda Godefroy. Halte ! Je veux la sauver. Arrête, mordieu !... Ah ! c'est bien toi qui la tues... Assassin, assassin... je l'aurais sauvée, moi. »

Mais Bennetot, ivre de terreur, sans rien comprendre, ramait à faire craquer les avirons.

Le cadavre demeura donc seul — car pouvait-on appeler autrement l'être inerte, impuissant et voué à la mort que portait la barque blessée ? L'eau devait fatalement monter à l'intérieur en quelques minutes. Le frêle bateau s'engloutirait.

Cela Godefroy d'Etigues le savait. Aussi, résolu à son tour, il saisit une rame et, sans se soucier d'être entendus, les deux complices se courbèrent avec des efforts désespérés pour fuir au plus vite le lieu du crime commis. Ils avaient peur de percevoir quelque cri d'angoisse, ou le chuchotement effroyable d'une chose qui coule et sur laquelle l'eau se referme pour toujours. Le canot se balançait au ras de l'onde presque immobile, où l'air, chargé de nuages très bas, semblait peser de tout son poids.

D'Etigues et Oscar de Bennetot devaient être à demi-chemin du retour. Tout bruit cessa.

A ce moment, la barque s'inclina sur tribord, et, dans la sorte de torpeur épouvantée où elle agonisait, la jeune femme eut la sensation que le dénouement se produisait. Elle n'eut aucun soubresaut, aucune révolte. L'acceptation de la mort provoque un état d'esprit où il semble que l'on soit déjà de l'autre côté de la vie.

Cependant, elle s'étonnait de ne pas frissonner au contact de l'eau glacée, ce qui était la chose que craignait surtout sa chair de femme. Non, la barque ne s'enfonçait pas. Elle paraissait plutôt prête à chavirer comme si quelqu'un en eût enjambé le rebord.

Quelqu'un ? Le baron ? Son complice ? Elle pensa que ce n'était ni l'un ni l'autre, car une voix qu'elle ne connaissait pas murmura :

« Rassurez-vous, c'est un ami qui vient à votre secours... »

Cet ami se pencha sur elle, et sans même savoir si elle entendait ou non, expliqua aussitôt :

« Vous ne m'avez jamais vu... Je m'appelle Raoul... Raoul d'Andrésy... Tout va bien... J'ai bouché le trou avec un morceau de bois coiffé d'un chiffon. Réparation de fortune, mais qui peut suffire... D'autant que nous allons nous débarrasser de cet énorme galet. »

A l'aide d'un couteau, il trancha les cordes qui attachaient la jeune femme ; puis saisit le gros galet, et réussit à le jeter. Enfin écartant la couverture dont elle était enveloppée, il s'inclina et lui dit :

« Comme je suis content ! Les événements ont tourné beaucoup mieux encore que je ne l'espérais, et vous voilà sauvée ! L'eau n'a pas eu le temps de monter jusqu'à vous, n'est-ce pas ? Quelle chance ! Vous ne souffrez pas ? »

Elle chuchota, la voix à peine intelligible :

« Oui... la cheville... leurs liens me tordaient le pied.

— Ce ne sera rien, dit-il. L'essentiel, maintenant, c'est de gagner le rivage. Vos deux bourreaux ont sûrement atterri et doivent grimper l'escalier en hâte. Nous n'avons donc rien à redouter. »

Il fit rapidement ses préparatifs, ramassa un aviron qu'il avait caché d'avance dans le fond, le fit glisser à l'arrière et se mit à « godiller » tout en continuant ses explications d'un ton joyeux, et comme s'il ne s'était rien passé de plus extraordinaire que ce qui se passe au cours d'une partie de plaisir.

« Que je me présente, d'abord, un peu plus régulièrement, quoique je ne sois guère présentable : pour tout costume, quelque chose comme un caleçon de bain que je me suis confectionné et auquel j'avais attaché un couteau... — donc Raoul d'Andrésy, pour vous servir, puisque le hasard me le permet. Oh ! un hasard bien simple... Une conversation surprise... J'ai su qu'on machinait un complot contre une certaine dame... Alors j'ai pris les devants. Je suis descendu sur la plage et quand les deux cousins ont débouché du tunnel, je suis entré dans l'eau. Il ne me restait plus qu'à m'accrocher à votre barque dès que celle-ci fut à la remorque. C'est ce que j'ai fait. Et ni l'un ni l'autre ne s'avisa qu'ils emmenaient avec leur victime un champion de natation bien résolu à la sauver. J'ai dit. Je vous raconterai cela par le détail plus tard et lorsque vous m'entendrez. Pour l'instant, j'ai idée que je bavarde dans le vide. »

Il s'arrêta une minute.

« Je souffre, dit-elle... Je suis épuisée... »

Il répondit :

« Un conseil : perdez connaissance. Rien ne repose comme de perdre connaissance. »

Elle dut lui obéir, car, après quelques gémissements, elle respira d'un souffle calme et régulier. Raoul lui couvrit le visage et repartit en concluant :

« C'est préférable. J'ai toute latitude pour agir, et je ne dois de compte à personne. »

Ce qui ne l'empêcha pas d'ailleurs de monologuer avec toute la satisfaction de quelqu'un qui est enchanté de soi-même et de ses moindres actes. Le canot filait prestement sous son impulsion. La masse des falaises se devinait.

Lorsque le fer de la quille grinça sur les galets, il sauta, puis enleva la jeune femme avec une aisance qui prouvait la valeur de ses muscles, et la déposa contre le pied de la falaise.

« Champion de boxe aussi, dit-il, et de lutte romaine également. Je vous avouerai, puisque vous ne pouvez m'entendre, que j'ai trouvé ces mérites dans l'héritage de papa... et combien d'autres ! mais assez de balivernes... Reposez-vous ici, sous cette roche où vous êtes à l'abri des flots perfides... Quant à moi, je repars. Je suppose qu'il est dans vos projets de prendre votre revanche sur les deux cousins ? Pour cela, il est nécessaire que l'on ne retrouve pas la barque, et que l'on vous croie bel et bien noyée. Donc, un peu de patience. »

Sans plus tarder, Raoul d'Andrésy exécuta ce qu'il avait annoncé. De nouveau il conduisit la barque en pleine mer, enleva le bouchon de linge et, certain qu'elle disparaîtrait, se mit à l'eau. De retour sur le rivage il chercha ses vêtements qu'il avait dissimulés dans une anfractuosité, se débarrassa de son espèce de caleçon de bain, et se rhabilla.

« Allons, dit-il en rejoignant la jeune femme, il

s'agit de remonter là-haut, et ce n'est pas le plus commode. »

Elle sortait peu à peu de son évanouissement et, au clair de sa lanterne, il vit qu'elle ouvrait les yeux.

Aidée par lui, elle essaya de se mettre debout, mais la douleur lui arracha un cri, et elle retomba sans forces. Il dénoua le soulier et vit aussitôt que le bas était couvert de sang. Blessure peu dangereuse, mais qui la faisait souffrir. Avec son mouchoir, Raoul banda la cheville provisoirement et décida le départ immédiat.

Il la chargea donc sur son épaule et commença l'escalade. Trois cent cinquante marches ! Si Godefroy d'Etigues et Bennetot avaient eu du mal dans la descente combien l'effort contraire était plus rude, effectué par un adolescent ! Quatre fois il dut s'arrêter, couvert de sueur, avec la sensation qu'il lui serait impossible de continuer.

Il continuait cependant, toujours de bonne humeur. A la troisième halte, s'étant assis, il la coucha sur ses genoux, et il lui sembla qu'elle riait de ses plaisanteries et de sa verve intarissable. Alors il acheva l'ascension en serrant ainsi contre sa poitrine le corps charmant dont ses mains sentaient les formes souples.

Arrivé au sommet, il ne prit aucun repos, un vent frais s'étant levé qui balayait la plaine. Il avait hâte de mettre la jeune femme à l'abri, et, d'un élan, il traversa les champs et la porta jusqu'à une grange isolée que, dès le début, il s'était proposé d'atteindre. En prévision des événements, il y avait placé deux bouteilles d'eau fraîche, du cognac et quelques aliments.

Il appuya une échelle contre le pignon, reprit son fardeau, poussa le panneau de bois qui servait à clore, et fit retomber l'échelle.

« Douze heures de sécurité et de sommeil. Personne ne nous dérangera. Demain, vers midi, je me procurerai une voiture et vous mènerai où vous voudrez. »

Voici donc qu'ils étaient enfermés l'un près de l'autre, à la suite de la plus tragique et de la plus merveilleuse aventure que l'on pût rêver. Comme tout était loin maintenant des scènes affreuses de la journée ! Tribunal d'inquisition, juges implacables, bourreaux sinistres, Beaumagnan, Godefroy d'Etigues, la condamnation, la descente vers la mer, la barque qui coule au fond des ténèbres, quels cauchemars, effacés déjà, et qui s'achevaient dans l'intimité de la victime et du sauveur !

A la lueur de la lampe accrochée à une poutre, il étendit la jeune femme parmi les bottes de foin qui garnissaient le grenier, la soigna, la fit boire, et pansa doucement sa blessure. Protégée par lui, loin des embûches, n'ayant plus rien à redouter de ses ennemis, Joséphine Balsamo s'abandonna en toute confiance. Elle ferma les yeux et s'assoupit.

La lampe illuminait en plein son beau visage auquel la fièvre de tant d'émotions donnait de la couleur. Raoul s'agenouilla devant elle et la contempla longuement. Alourdie par la chaleur de la grange, elle avait ouvert le haut de son corsage et Raoul apercevait les épaules harmonieuses dont la ligne parfaite se reliait au cou le plus pur.

Il se souvint de ce signe noir auquel Beaumagnan avait fait allusion et qui se voyait sur la miniature. Comment eût-il pu résister à la tentation de voir, à son tour, et de se rendre compte si réellement, le même signe se trouvait là, sur la poitrine de la femme qu'il avait sauvée de la mort ? Lentement il écarta l'étoffe. A droite, un grain de beauté, noir comme une de ces mouches que les coquettes se posaient autrefois, marquait la peau blanche et soyeuse et suivait le rythme égal de la respiration.

« Qui êtes-vous ? qui êtes-vous ? murmura-t-il tout troublé. De quel monde venez-vous ? »

Lui aussi, comme les autres, il éprouvait un malaise inexplicable et subissait l'impression mystérieuse qui se dégageait de cette créature et de certains détails de sa vie et de son apparence physique. Et il l'interrogeait, malgré lui, comme si la jeune femme pouvait répondre au nom de celle qui jadis avait servi de modèle à la miniature.

Les lèvres épelèrent des mots qu'il ne comprit pas, et il était si près d'elles, et l'haleine qu'elles exhalaient était si douce, qu'il les effleura de ses lèvres en tremblant.

Elle soupira. Ses yeux s'entrouvrirent. En voyant Raoul agenouillé, elle rougit, et elle souriait en même temps, et ce sourire demeura, tandis que les lourdes paupières se baissaient de nouveau et qu'elle retombait au sommeil.

Raoul fut éperdu, et, palpitant de désir et d'admiration, il chuchotait des phrases exaltées et joignait les mains comme devant une idole à laquelle il eût adressé l'hymne d'adoration le plus ardent et le plus fou.

« Ce que vous êtes belle !... Je ne croyais pas à tant de beauté dans la vie. Ne souriez plus !... Je comprends qu'on ait envie de vous faire pleurer. Votre sourire bouleverse... On voudrait l'effacer pour que personne ne le voie plus jamais... Ah ! ne souriez plus qu'à moi, je vous en supplie... »

Et plus bas, passionnément :

« Joséphine Balsamo... Que votre nom est doux ! Et combien il vous a faite plus mystérieuse encore ! Sorcière ? a dit Beaumagnan... Non : ensorceleuse ! Vous surgissez des ténèbres, et vous êtes comme de la lumière, du soleil... Joséphine Balsamo... enchanteresse... magicienne... Ah ! tout ce qui s'ouvre devant moi !... tout ce que je vois de bonheur !... Ma vie commence à la minute même où je vous ai prise dans mes bras... Je n'ai plus d'autres souvenirs que vous... Je n'espère qu'en vous... Mon Dieu ! mon Dieu ! que vous êtes belle ! C'est à pleurer de désespoir... »

Il lui disait cela tout contre elle, et sa bouche près de sa bouche, mais le baiser dérobé fut l'unique caresse qu'il se permit. Il n'y avait pas que de la volupté dans le sourire de Joséphine Balsamo, mais aussi une telle pudeur que Raoul était pénétré de respect et que son exaltation s'acheva en paroles graves et pleines d'un dévouement juvénile.

« Je vous aiderai... Les autres ne pourront rien contre vous... Si vous voulez atteindre, malgré eux, le but qu'ils poursuivent, je vous promets que vous réussirez. Loin de vous ou près de vous, je serai toujours celui qui défend et qui sauve... Ayez foi dans mon dévouement... »

Il s'endormit à la fin, en balbutiant des promesses et des serments qui n'avaient pas beaucoup de sens, et ce fut un sommeil profond, immense, sans rêves, comme le sommeil des enfants qui ont besoin de refaire leur jeune organisme surmené...

Onze coups sonnèrent à l'horloge de l'église. Il les compta avec une surprise croissante.

« Onze heures du matin, est-ce possible ? » Par les fentes du volet et par les fissures ménagées sous le vieux toit de chaume, le jour filtrait. D'un côté même, un peu de soleil passa.

« Où donc êtes-vous ? dit-il. Je ne vous vois pas. »

La lampe s'était éteinte. Il courut jusqu'au volet et l'attira vers lui, emplissant ainsi le grenier de lumière. Il n'aperçut point Joséphine Balsamo.

Il s'élança contre les bottes de foin, les déplaça, les jeta furieusement par la trappe qui s'ouvrait sur le rez-de-chaussée. Personne. Joséphine Balsamo avait disparu.

Il descendit, chercha dans le verger, fouilla la plaine voisine et le chemin. Vainement. Bien que blessée, incapable de poser le pied à terre, elle avait quitté le refuge, sauté sur le sol, traversé le verger, la plaine voisine...

Raoul d'Andrésy regagna la grange pour en faire l'inspection minutieuse. Il n'eut pas besoin de chercher longtemps. Sur le plancher même il aperçut un carton rectangulaire.

Il le ramassa. C'était la photographie de la comtesse de Cagliostro.

Derrière, écrites au crayon, ces deux lignes :

« Que mon sauveur soit remercié, mais qu'il n'essaie pas de me revoir. »

V

UNE DES SEPT BRANCHES

Il y a certains contes dont le héros est en proie aux aventures les plus extravagantes et s'avise, lors du dénouement, qu'il fut tout simplement le jouet d'un rêve. Raoul, quand il eut retrouvé sa bicyclette derrière le talus où il l'avait enfouie la veille se demanda subitement s'il n'avait pas été ballotté par une suite de songes tour à tour divertissants, pittoresques, redoutables et, en définitive, fort décevants.

L'hypothèse ne l'arrêta guère. La vérité s'attachait à lui par la photographie qu'il avait entre les mains, et plus encore peut-être par le souvenir enivrant du baiser pris aux lèvres de Joséphine Balsamo. Cela, c'était une certitude à laquelle il ne pouvait se soustraire.

Pour la première fois, à ce moment — il le constata avec un remords aussitôt chassé —, il pensa d'une façon nette à Clarisse d'Etigues, et aux heures délicieuses de la matinée précédente.

Mais, à l'âge de Raoul, ces ingratitudes et ces contradictions de cœur s'arrangent aisément, il semble qu'on se dédouble en deux êtres, dont l'un continuera d'aimer dans une sorte d'inconscience où la part de l'avenir est réservée, et dont l'autre se livre avec frénésie à tous les emportements de la passion nouvelle. L'image de Clarisse se dressa, confuse et douloureuse, comme au fond d'une petite chapelle ornée de cierges vacillants près desquels il irait prier de temps en temps. Mais la comtesse de Cagliostro devenait tout à coup l'unique divinité que l'on adore, une divinité despotique et jalouse qui ne permettrait pas qu'on lui dérobât la moindre pensée ni le moindre secret.

Raoul d'Andrésy — continuons d'appeler ainsi celui qui devait illustrer le nom d'Arsène Lupin —, Raoul d'Andrésy n'avait jamais aimé. En fait, le temps lui avait manqué plus encore que l'occasion. Brûlé d'ambition, mais ne sachant pas dans quel domaine et par quels moyens se réaliseraient ses rêves de gloire, de fortune et de puissance, il se dépensait de tous côtés pour être prêt à répondre à l'appel du destin. Intelligence, esprit, volonté, adresse physique, force musculaire, souplesse, endurance, il cultiva tous ses dons jusqu'à l'extrême limite, étonné lui-même de voir que cette limite reculait toujours devant la puissance de ses efforts.

Avec cela il fallait vivre, et il n'avait aucune ressource. Orphelin, seul dans l'existence, sans amis, sans relations, sans métier, il vécut cependant. Comment ? C'était un point sur lequel il n'aurait su donner que des explications insuffisantes, et que lui-même il n'examinait pas de trop près. On vit comme on peut. On fait face à ses besoins et à ses appétits selon les circonstances.

« La chance est pour moi, se disait-il. Allons de l'avant. Ce qui doit être sera, et j'ai idée que ce sera magnifique. »

C'est alors qu'il croisa sur son chemin Joséphine Balsamo. Tout de suite il sentit que, pour la conquérir, ll mettrait en œuvre tout ce qu'il avait accumulé d'énergie.

Et Joséphine Balsamo, pour lui, n'avait rien de commun avec la « créature infernale » que Beaumagnan avait essayé de dresser devant l'imagination inquiète de ses amis. Toute cette vision sanguinaire, tout cet attirail de crime et de perfidie, tous ces oripeaux de sorcière, s'évanouissaient comme un cauchemar en face de la jolie photographie où il contemplait les yeux limpides et les lèvres pures de la jeune femme.

« Je te retrouverai, jurait-il en la couvrant de baisers, et tu m'aimeras comme je t'aime, et tu seras à moi comme la maîtresse la plus soumise, et la plus chérie. Je lirai dans ta vie mystérieuse ainsi que dans un livre ouvert. Ton pouvoir de divination, tes miracles, ton incroyable jeunesse, tout ce qui déconcerte les autres et les effare, autant de procédés ingénieux dont nous rirons ensemble. Tu seras à moi, Joséphine Balsamo. »

Serment dont Raoul sentait lui-même pour l'instant la prétention et la témérité. Au fond Joséphine Balsamo l'intimidait encore, et il n'était pas loin d'éprouver contre elle une certaine irritation, comme un enfant qui voudrait être l'égal et qui doit se soumettre à plus fort que lui.

Deux jours durant, il se confina dans la petite chambre qu'il occupait au rez-de-chaussée de son auberge, et dont la fenêtre donnait sur une cour plantée de pommiers. Journées de méditation et d'attente, et qu'il fit suivre d'un après-midi de promenade à travers la campagne normande, c'est-à-dire aux lieux mêmes où il était possible qu'il rencontrât Joséphine Balsamo.

Il supposait bien, en effet, que la jeune femme, toute meurtrie encore par l'horrible épreuve, ne retournerait pas à son logement de Paris. Vivante, il fallait que ceux qui l'avaient tuée, la crussent morte. Et, d'autre part, aussi bien pour se venger d'eux que pour atteindre avant eux l'objectif qu'ils s'étaient proposé, il ne fallait pas qu'elle s'éloignât du champ de bataille.

Le soir de ce troisième jour il trouva sur la table de sa chambre un bouquet de fleurs d'avril : pervenches, narcisses, primevères, coucous. Il questionna l'aubergiste. On n'avait vu personne.

« C'est elle », pensa-t-il en embrassant les fleurs qu'elle venait de cueillir.

Quatre jours consécutifs il se posta au fond de la cour, derrière une remise. Lorsqu'un pas résonnait à l'entour, son cœur battait. Déçu chaque fois, il en éprouvait une réelle douleur.

Mais le quatrième jour, à cinq heures, entre les

arbres et les fourrés qui garnissaient le talus de la cour, il se produisit un froissement d'étoffe. Une robe passa. Raoul fit un mouvement pour s'élancer et, aussitôt, se contint et domina sa colère.

Il reconnaissait Clarisse d'Etigues.

Elle avait à la main un bouquet de fleurs exactement pareil à l'autre. Elle franchit légèrement l'intervalle qui la séparait du rez-de-chaussée, et, tendant le bras par la fenêtre, elle déposa la gerbe.

Lorsqu'elle revint sur ses pas, Raoul la vit de face et fut frappé de sa pâleur. Ses joues avaient perdu leurs teintes fraîches, et ses yeux cernés révélaient son chagrin et les longues heures de l'insomnie.

« Je souffrirai beaucoup pour toi », avait-elle dit, sans prévoir cependant que sa souffrance commencerait si tôt, et que le jour même où elle se donnait à Raoul serait un jour d'adieu et d'inexplicable abandon.

Il se souvint de la prédiction et, s'irritant contre elle du mal qu'il lui faisait, furieux d'être trompé dans son espoir et que la porteuse de fleurs fût Clarisse et non point celle qu'il attendait, il la laissa partir.

Pourtant, c'est à Clarisse — à Clarisse qui détruisait ainsi elle-même sa dernière chance de bonheur — qu'il dut la précieuse indication dont il avait besoin pour s'orienter dans la nuit. Une heure plus tard, il constatait qu'une lettre était attachée à la barre et, l'ayant décachetée, il lut :

« Mon chéri, est-ce fini déjà ? Non, n'est-ce pas ? Je pleure sans raison ?... Il n'est pas possible que tu en aies déjà assez de ta Clarisse ?

« Mon chéri, ce soir, ils prennent tous le train et ne seront de retour que demain très tard. Tu viendras, n'est-ce pas ? Tu ne me laisseras pas pleurer encore ?... Viens, mon chéri... »

Pauvres lignes désolées... Raoul n'en fut pas attendri. Il pensait au voyage annoncé et se rappelait cette accusation de Beaumagnan : « Sachant par moi que nous devions bientôt visiter de fond en comble une propriété voisine de Dieppe, elle s'y est rendue en hâte... »

N'était-ce pas cela le but de l'expédition ? Et n'y aurait-il pas là, pour Raoul, une occasion de se mêler à la lutte et de tirer des événements tout le parti qu'ils comportaient ?

Le soir même, à sept heures, habillé comme un pêcheur de la côte, méconnaissable sous la couche d'ocre qui rougissait son visage, il montait dans le même train que le baron d'Etigues et Oscar de Bennetot, changeant comme eux deux fois, et descendant à une petite station où il coucha.

Le lendemain matin, d'Ormont, Rolleville et Roux d'Estiers venaient chercher leurs deux amis en voiture, Raoul s'élança derrière eux.

A une distance de dix kilomètres, la voiture s'arrêta en vue d'un long manoir délabré qu'on appelle le château de Gueures. S'approchant de la grille ouverte, Raoul constata que, dans le parc, grouillait tout un peuple d'ouvriers qui retournaient la terre des allées et des pelouses.

Il était dix heures. Sur le perron, les entrepreneurs reçurent les cinq associés. Raoul entra sans être remarqué, se mêla aux ouvriers, et les interrogea. Il apprit ainsi que le château de Gueures venait d'être acheté par le marquis de Rolleville et que les travaux d'aménagement avaient commencé le matin.

Raoul entendit un des entrepreneurs qui répondait au baron :

« Oui, monsieur, les instructions sont données. Ceux de mes hommes qui trouveront, en fouillant le sol, des pièces de monnaie, des objets de métal, fer, cuivre, etc., ont ordre de les apporter contre récompense. »

Il était évident que tous ces bouleversements n'avaient point d'autre raison que la découverte de quelque chose. Mais la découverte de quoi ? se demandait Raoul.

Il se promena dans le parc, fit le tour du manoir, pénétra dans les caves.

A onze heures et demie, il n'avait encore abouti à aucun résultat, et la nécessité d'agir s'imposait cependant à son esprit avec une force croissante. Tout retard laissait aux autres des chances d'autant plus grandes, et il risquait de se heurter à un fait accompli.

A ce moment, le groupe des cinq amis se tenait derrière le manoir, sur une longue esplanade qui dominait le parc. Un petit mur à balustrade la bordait, marqué de place en place par douze piliers de briques qui servaient de socles à d'anciens vases de pierre, presque tous cassés.

Une équipe d'ouvriers armés de pics se mit à démolir le mur. Raoul les regardait faire, pensivement, les mains dans ses poches, la cigarette aux lèvres, et sans se soucier que sa présence pût paraître anormale en ces lieux.

Godefroy d'Etigues roulait du tabac dans une feuille de papier. N'ayant pas d'allumettes, il s'approcha de Raoul et lui demanda du feu.

Raoul tendit sa cigarette, et, pendant que l'autre allumait la sienne, tout un plan s'échafauda en son esprit, un plan spontané, très simple, dont les moindres détails lui apparaissaient dans leur succession logique. Mais il fallait se hâter.

Raoul ôta son béret, ce qui laissa échapper les mèches d'une chevelure soignée qui n'était certes pas celle d'un matelot.

Le baron d'Etigues le regarda avec attention et, subitement éclairé, fut saisi de colère.

« Encore vous ! Et déguisé ! Qu'est-ce que c'est que cette nouvelle manigance, et comment avez-vous l'audace de me relancer jusqu'ici ? Je vous ai répondu de la façon la plus catégorique, un mariage entre ma fille et vous est impossible. »

Raoul lui happa le bras et, impérieusement :

« Pas de scandale ! Nous y perdrions tous les deux. Amenez-moi vos amis. »

Godefroy voulut se rebiffer.

« Amenez-moi vos amis, répéta Raoul. Je viens vous rendre service. Que cherchez-vous ? Un chandelier, n'est-ce pas ?

— Oui, fit le baron, malgré lui.

— Un chandelier à sept branches, c'est bien cela. Je connais la cachette. Plus tard je vous donnerai d'autres indications qui vous seront utiles pour l'œuvre que vous poursuivez. Alors nous parlerons de Mlle d'Etigues. Qu'il ne soit pas question d'elle aujourd'hui... Appelez vos amis. Vite. »

Godefroy hésitait, mais les promesses et les assurances de Raoul faisaient impression sur lui. Il appela ses amis qui le rejoignirent aussitôt.

« Je connais ce garçon, dit-il, et, d'après lui, on arriverait peut-être à trouver... »

Raoul lui coupa la parole.

« Il n'y a pas de peut-être, monsieur. Je suis du pays. Tout gamin, je jouais dans ce château avec les enfants d'un vieux jardinier qui en était le gardien, et qui souvent nous a montré un anneau scellé au mur d'une des caves. « Il y a une « cachette, là, disait-il, j'y ai vu mettre des anti- « quailles, flambeaux, pendules... »

Ces révélations surexcitèrent les amis de Godefroy.

Bennetot objecta rapidement :

« Les caves ? Nous les avons visitées.

— Pas bien, affirma Raoul. Je vais vous conduire. »

On y arrivait par un escalier qui descendait de l'extérieur au sous-sol. Deux grandes portes ouvraient sur quelques marches, après lesquelles commençait une série de salles voûtées.

« La troisième à gauche, dit Raoul qui, au

cours de ses recherches, avait étudié l'emplacement. Tenez... celle-ci... »

Il les fit entrer tous les cinq dans un caveau obscur où il fallait se baisser.

« On n'y voit goutte, se plaignit Roux d'Estiers.

— En effet, dit Raoul. Mais voilà des allumettes et j'ai aperçu un bout de bougie sur les marches de l'escalier. Un instant... J'y cours. » Il referma la porte du caveau, fit tourner la clef, l'enleva, et s'éloigna en criant aux captifs :

« Allumez toujours les sept branches du chandelier. Vous le trouverez sous la dernière dalle, enveloppé soigneusement dans des toiles d'araignée... »

Il n'était pas dehors qu'il entendit le bruit des coups que les cinq amis frappaient furieusement contre la porte, et il pensa que cette porte, branlante et vermoulue, ne résisterait guère plus que quelques minutes. Mais ce répit lui suffisait.

D'un bond il sauta sur l'esplanade, prit une pioche des mains d'un ouvrier, et courut au neuvième pilier dont il fit sauter le vase. Ensuite il attaqua un chapiteau de ciment, tout fendillé, qui recouvrait les briques, et qui tomba aussitôt en morceaux. Dans l'espace que l'agencement des briques laissait inoccupé, il y avait un mélange de terre et de cailloux d'où Raoul put extraire sans peine une tige de métal rongé, qui était bien une branche de ces grands chandeliers liturgiques que l'on voit sur certains autels.

Un groupe d'ouvriers faisait cercle autour de lui, et ils s'exclamèrent en voyant l'objet que brandissait Raoul. Pour la première fois depuis le matin, une découverte était effectuée.

Peut-être Raoul eût-il gardé son sang-froid et, emportant la tige de métal, eût-il feint de rejoindre les cinq amis afin de la leur remettre. Mais, précisément à cette même minute, des cris s'élevèrent à l'angle du manoir, et Rolleville, suivi des autres, surgit en vociférant :

« Au voleur ! Arrêtez-le ! Au voleur ! »

Raoul piqua une tête dans le groupe des ouvriers et s'enfuit. C'était absurde, comme toute sa conduite depuis un moment d'ailleurs, car enfin, s'il avait voulu gagner la confiance du baron et de ses amis, il n'aurait pas dû les emprisonner dans une cave ni leur dérober ce qu'ils cherchaient. Mais Raoul, en réalité, combattait pour Joséphine Balsamo, et n'avait d'autre but que de lui offrir un jour ou l'autre le trophée qu'il venait de conquérir. Il se sauva donc à toutes jambes.

Le chemin de la grille principale étant défendu, il longea une pièce d'eau, se débarrassa de deux hommes qui voulaient le saisir et, suivi à vingt mètres de toute une horde d'agresseurs qui hurlaient comme des forcenés, déboucha dans un potager que ceignaient de toutes parts des murailles d'une hauteur désespérante.

« Zut, pensa-t-il, je suis bloqué. Ça va être l'hallali, la curée... Quelle chute ! »

Le potager, sur la gauche, était dominé par l'église du village, et le cimetière de l'église se continuait, à l'intérieur du potager, par un tout petit espace clos qui servait jadis de sépulture aux châtelains de Gueures. De fortes grilles l'entouraient. Des ifs s'y pressaient. Or, à la seconde même où Raoul dévalait le long de cet enclos, une porte fut entrebâillée, un bras se tendit et barra la route, une main saisit la main du jeune homme, et Raoul, stupéfait, se vit attiré dans le massif obscur par une femme qui referma aussitôt la porte au nez des assaillants.

Il devina, plutôt qu'il ne reconnut, Joséphine Balsamo.

« Venez », dit-elle, en s'enfonçant au milieu des ifs.

Une autre porte était ouverte dans le mur et donnait la communication avec le cimetière du village.

Au chevet de l'église, une vieille berline démodée, comme on n'en rencontrait déjà plus à cette époque que dans les campagnes, stationnait attelée de deux petits chevaux maigres et peu soignés. Sur le siège, un cocher à barbe grisonnante, dont le dos très voûté bombait sous une blouse bleue.

Raoul et la comtesse s'y engouffrèrent. Personne ne les avait vus.

Elle dit au cocher :

« Léonard, route de Luneray et de Doudeville. Vivement ! »

L'église était à l'extrémité du village. En prenant la route de Luneray, on évitait ainsi l'agglomération des maisons. Une longue côte s'offrait, qui montait sur le plateau. Les deux bidets efflanqués l'enlevèrent à une allure de grands trotteurs qui grimpent la montée d'un hippodrome.

Quant à l'intérieur de cette berline, d'une si mauvaise apparence, il était spacieux, confortable, protégé contre les regards indiscrets par des grillages de bois, et si intime que Raoul tomba à genoux et donna libre cours à son exaltation amoureuse.

Il suffoquait de joie. Que la comtesse fût offensée ou non, il estimait que cette seconde rencontre, se produisant dans des conditions si particulières, et après la nuit du sauvetage, établissait entre eux des relations qui lui permettaient de brûler quelques étapes et de commencer l'entretien par une déclaration en règle.

Il la fit d'un trait, et d'une façon allègre qui eût désarmé la plus farouche des femmes.

« Vous ? C'est vous ? Quel coup de théâtre ! A l'instant où la meute allait me déchirer, voilà que Joséphine Balsamo jaillit de l'ombre et me sauve à mon tour. Ah ! que je suis heureux, et combien je vous aime ! Je vous aime depuis des années... depuis un siècle ! Mais oui, j'ai cent ans d'amour en moi... un vieil amour jeune comme vous... et beau comme vous êtes belle !... Vous êtes si belle !... On ne peut pas vous regarder sans être ému... C'est une joie et, en même temps, on éprouve du désespoir à penser que, quoi qu'il arrive, on ne pourra jamais étreindre tout ce qu'il y a de beauté en vous. L'expression de votre regard, de votre sourire, tout cela restera toujours insaisissable... »

Il frissonna et murmura :

« Oh ! vos yeux se sont tournés vers moi ! Vous ne m'en voulez donc pas ? Vous acceptez que je vous dise mon amour ? »

Elle entrouvrit la portière :

« Si je vous priais de descendre ?

— Je refuserais.

— Et si j'appelais le cocher à mon secours ?

— Je le tuerais.

— Et si je descendais moi-même ?

— Je continuerais ma déclaration sur la route. »

Elle se mit à rire.

« Allons, vous avez réponse à tout. Restez. Mais assez de folies ! Racontez-moi plutôt ce qui vient de vous arriver et pourquoi ces hommes vous poursuivaient. »

Il triompha :

« Oui, je vous raconterai tout, puisque vous ne me repoussez pas... puisque vous acceptez mon amour.

— Mais je n'accepte rien, dit-elle en riant. Vous m'accablez de déclarations, et vous ne me connaissez même pas.

— Je ne vous connais pas !

— Vous m'avez à peine vue, la nuit, à la clarté d'une lanterne.

— Et le jour qui précéda cette nuit, je ne vous ai pas vue ? Je n'ai pas eu le temps de vous admirer, durant cette abominable séance de la Haie d'Etigues ? »

Elle l'observa soudain sérieuse.

« Ah ! vous avez assisté ?...

— J'étais là, dit-il, avec une ardeur pleine d'enjouement. J'étais là, et je sais qui vous êtes ! Fille de Cagliostro, je vous connais. Bas les masques ! Napoléon Ier vous tutoyait... Vous avez trahi Napoléon III, servi Bismarck, et suicidé le brave général Boulanger ! Vous prenez des bains dans la fontaine de Jouvence. Vous avez cent ans... et je vous aime. »

Elle gardait un pli soucieux qui marquait légèrement son front pur, et elle répéta :

« Ah ! vous étiez là... je le supposais bien. Les misérables, comme ils m'ont fait souffrir !... Et vous avez entendu leurs accusations odieuses ?...

— J'ai entendu des choses stupides, s'écria-t-il, et j'ai vu une bande d'énergumènes qui vous haïssent comme on hait tout ce qui est beau. Mais tout cela n'est que démence et absurdité. N'y pensons pas aujourd'hui. Pour moi, je ne veux me souvenir que des miracles charmants qui naissent sous vos pas comme des fleurs. Je veux croire à votre jeunesse éternelle. Je veux croire que vous ne seriez pas morte si je ne vous avais pas sauvée. Je veux croire que mon amour est surnaturel, et que c'est par enchantement que vous êtes sortie tout à l'heure du tronc d'un if. »

Elle hocha la tête, rassérénée.

« Pour visiter le jardin de Gueures j'avais déjà

passé par cette ancienne porte dont la clef était sur la serrure, et, sachant qu'on devait le fouiller ce matin, j'étais à l'affût.

— Miracle, vous dis-je ! Et n'en est-ce pas un que ceci ? Depuis des semaines et des mois, peut-être davantage, on cherche dans ce parc un chandelier à sept branches, et, pour le découvrir en quelques minutes, au milieu de cette foule et malgré la surveillance de nos adversaires, il m'a suffi de vouloir et de penser au plaisir que vous auriez. »

Elle parut stupéfaite :

« Quoi ? Que dites-vous ?... Vous auriez découvert ?...

— L'objet lui-même, non, mais une des sept branches du chandelier. La voici. »

Joséphine Balsamo s'empara de la tige de métal et l'examina fiévreusement. C'était une tige ronde, assez forte, légèrement ondulée et dont le métal disparaissait sous une couche épaisse de vert-de-gris. L'une des extrémités, un peu aplatie, portait sur une de ses faces une grosse pierre violette, arrondie en cabochon.

« Oui, oui, murmura-t-elle... Aucun doute possible. La branche a été sciée au ras du socle. Oh ! vous ne sauriez croire combien je vous suis reconnaissante !... »

Raoul fit en quelques phrases pittoresques le récit de la bataille. La jeune femme n'en revenait pas.

« Quelle idée avez-vous eue ? Pourquoi cette

inspiration de démolir le neuvième pilier plutôt qu'un autre ? Le hasard ?

— Nullement, affirma-t-il. Une certitude. Onze piliers sur douze étaient construits avant la fin du XVIIe siècle. Le neuvième, depuis.

— Comment le saviez-vous ?

— Parce que les briques des onze autres sont de dimensions abandonnées depuis deux cents ans, et que les briques du numéro neuf sont celles que l'on emploie encore aujourd'hui. Donc, le numéro neuf a été démoli, puis refait. Pourquoi, sinon pour y cacher cet objet ? »

Joséphine Balsamo garda un long silence. Puis elle prononça lentement :

« C'est extraordinaire... Je n'aurais jamais cru que l'on pût réussir de la sorte... et si vite !... là où nous avions tous échoué... Oui, en effet, ajouta-t-elle, voilà un miracle...

— Un miracle d'amour », répéta Raoul.

La voiture filait avec une rapidité inconcevable, souvent par des chemins détournés qui évitaient les traversées de villages. Ni les montées ni les descentes ne rebutaient l'ardeur endiablée des deux petits chevaux maigres. A droite et à gauche, des plaines glissaient et passaient comme des images.

« Beaumagnan était là ? demanda la comtesse.

— Non, dit-il, heureusement pour lui.

— Heureusement ?

— Sans quoi, je l'étranglais. Je déteste ce sombre personnage.

— Moins que moi, fit-elle d'une voix dure.

— Mais vous ne l'avez pas toujours détesté, dit-il, incapable de contenir sa jalousie.

— Mensonges, calomnies, affirma Joséphine Balsamo, sans hausser le ton. Beaumagnan est un imposteur et un déséquilibré, d'un orgueil maladif, et c'est parce que j'ai repoussé son amour qu'il a voulu ma mort. Tout cela, je l'ai dit l'autre jour, et il n'a pas protesté... il ne pouvait pas protester... »

Raoul tomba de nouveau à genoux, dans un transport d'enthousiasme.

« Ah ! les douces paroles, s'écria-t-il. Alors vous ne l'avez jamais aimé ? Quelle délivrance ! Mais aussi bien, était-ce admissible ? Joséphine Balsamo s'éprendre d'un Beaumagnan... »

Il riait et battait des mains.

« Ecoutez, je ne veux plus vous appeler ainsi. Joséphine, ce n'est pas un joli nom. Josine, voulez-vous ? C'est cela, je vous appellerai Josine comme vous appelaient Napoléon et votre maman Beauharnais. Convenu, n'est-ce pas ? Vous êtes Josine... ma Josine...

— Du respect, d'abord, dit-elle, en souriant de son enfantillage, je ne suis pas votre Josine.

— Du respect ! Mais j'en suis débordant. Comment ! Nous sommes enfermés l'un près de l'autre... vous êtes sans défense, et je reste prosterné devant vous comme devant une idole. Et j'ai peur ! Et je tremble ! Si vous me donniez votre main à baiser, je n'oserais pas !... »

VI

POLICIERS ET GENDARMES

Tout le trajet ne fut qu'une longue adoration. Peut-être bien la comtesse de Cagliostro eut-elle raison de ne pas mettre Raoul à l'épreuve en lui tendant sa main à baiser. Mais, en vérité, s'il avait fait le serment de conquérir la jeune femme, et s'il était résolu à le tenir, il gardait à ses côtés une attitude et des pensées de vénération qui lui laissaient tout juste assez de hardiesse pour l'accabler de discours amoureux.

Ecoutait-elle ? Parfois oui, comme on écoute un enfant qui vous raconte joliment son affection. Mais, parfois, elle s'enfermait dans un silence lointain qui décontenançait Raoul.

A la fin, il s'écria :

« Ah ! parlez-moi, je vous en prie. J'essaie de plaisanter pour vous dire des choses que je n'oserais pas vous dire avec trop de sérieux. Mais, au fond, j'ai peur de vous, et je ne sais pas ce que je dis. Je vous en prie, répondez-moi.

Quelques mots seulement, qui me rappellent à la réalité.

— Quelques mots seulement ?

— Oui, pas davantage.

— Eh bien, voici. La station de Doudeville est toute proche et le chemin de fer vous attend. »

Il croisa les bras d'un air indigné.

« Et vous ?

— Moi ?

— Oui, qu'allez-vous devenir toute seule ?

— Mon Dieu, dit-elle, je tâcherai de m'arranger comme je l'ai fait jusqu'ici.

— Impossible ! Vous ne pouvez plus vous passer de moi. Vous êtes entrée dans une bataille où mon aide vous est indispensable. Beaumagnan, Godefroy d'Etigues, le prince d'Arcole, autant de bandits qui vous écraseront.

— Ils me croient morte.

— Raison de plus. Si vous êtes morte, comment voulez-vous agir ?

— Ne craignez rien. J'agirai sans qu'ils me voient.

— Mais combien plus facilement par mon intermédiaire ! Non, je vous en prie, et cette fois je parle gravement, ne repoussez pas mon aide. Il est des choses qu'une femme ne peut pas accomplir seule. Par le simple fait que vous poursuivez le même but que ces hommes, et que vous êtes en guerre avec eux, ils ont réussi à monter contre vous le complot le plus ignoble. Ils vous ont accusée de telle sorte, et avec des arguments si solides en apparence, qu'un moment j'ai vu en vous la sorcière et la criminelle que Beaumagnan accablait de sa haine et de son mépris.

« Ne m'en veuillez pas. Dès que vous leur avez tenu tête, j'ai compris mon erreur. Beaumagnan et ses complices ne furent plus en face de vous que des bourreaux odieux et lâches. Vous les dominiez de toute votre dignité et, aujourd'hui, il ne reste plus trace dans mon souvenir de toutes leurs calomnies. Mais il faut accepter que je vous aide. Si je vous ai froissée en vous disant mon amour, il n'en sera plus question. Je ne demande rien que de me dévouer à vous, comme on se consacre à ce qui est très beau et très pur. »

Elle céda. Le bourg de Doudeville fut dépassé. Un peu plus loin, sur la route d'Yvetot, la voiture s'engagea dans une cour de ferme bordée de hêtres et plantée de pommiers, et s'y arrêta.

« Descendons, dit la comtesse. Cette cour appartient à une brave femme, la mère Vasseur, dont l'auberge est à quelque distance et que j'ai eue comme cuisinière. Je viens parfois me reposer chez elle deux ou trois jours. Nous y déjeunerons... Léonard, on part dans une heure. »

Ils reprirent la grand-route. Elle avançait d'un pas léger, semblable au pas d'une toute jeune fille. Elle portait une robe grise qui lui serrait la taille, et un chapeau mauve à brides de velours et à bouquets de violettes. Raoul d'Andrésy marchait un peu en arrière pour ne pas la quitter des yeux.

Après le premier tournant s'élevait une petite

bâtisse blanche coiffée d'un toit de chaume, et précédée d'un jardin de curé où les fleurs foisonnaient. On entrait de plain-pied dans une salle de café qui occupait toute la façade.

« Une voix d'homme, observa Raoul, en montrant une des portes qui marquaient le mur du fond.

— C'est précisément la pièce où elle me sert à déjeuner. Elle s'y trouve sans doute avec quelques paysans. »

Elle n'avait pas achevé que cette porte s'ouvrit et qu'une femme assez âgée, ceinte d'un tablier de cotonnade et chaussée de sabots, apparut.

A la vue de Joséphine Balsamo, elle sembla bouleversée, et ferma la porte derrière elle, en bégayant de façon incompréhensible.

« Qu'y a-t-il ? » demanda Joséphine Balsamo d'une voix inquiète.

La mère Vasseur tomba assise et balbutia :

« Allez-vous-en... sauvez-vous... vite...

— Mais pourquoi ? parlez donc ! expliquez-vous... »

On entendit ces quelques mots :

« La police... on vous cherche... On a fouillé la chambre où j'ai mis vos malles... On attend les gendarmes... Sauvez-vous, ou vous êtes perdue. »

A son tour, la comtesse chancela et fut prise d'une défaillance qui la contraignit à s'appuyer contre un buffet. Ses yeux rencontrèrent ceux de Raoul et le supplièrent, comme si elle se sentait perdue, en effet, et qu'elle implorât son secours.

Il était confondu. Il prononça :

« Que vous importent les gendarmes ? Ce n'est pas vous qu'ils cherchent... Alors ?

— Si, si, c'est elle, répéta la mère Vasseur... on la cherche... sauvez-la. »

Très pâle, sans apercevoir encore la signification exacte d'une scène dont il devinait la gravité tragique, il saisit le bras de la comtesse, l'entraîna vers la sortie et la poussa dehors.

Mais, ayant franchi le seuil la première, elle recula avec effroi et murmura :

« Les gendarmes !... ils m'ont vue !... »

Tous deux rentrèrent en hâte. La mère Vasseur tremblait de tous ses membres et chuchotait stupidement :

« Les gendarmes... la police...

— Silence, fit à voix basse Raoul qui demeurait fort calme. Silence ! je réponds de tout. Combien sont-ils de la police ?

— Deux.

— Et deux gendarmes. Donc rien à faire par la force, on est cerné. Où se trouvent les malles qu'ils ont visitées ?

— Au-dessus.

— Et l'escalier qui conduit au-dessus ?

— Ici.

— Bien. Restez là, vous, et tâchez de ne pas vous trahir. Encore une fois, je réponds de tout ! »

Il reprit la main de la comtesse et se dirigea vers la porte désignée. L'escalier était une sorte d'échelle de perroquet qui conduisait à une chambre mansardée où l'on avait répandu toutes les robes et tout le linge que pouvaient contenir des malles. Quand ils y parvinrent, les deux policiers rentraient dans le café, et lorsque Raoul, à pas sourds, se fut approché de la fenêtre pratiquée au milieu du chaume, il avisa les deux gendarmes qui descendaient de cheval et attachaient leurs montures aux piliers du jardin.

Joséphine Balsamo ne bougeait pas. Raoul remarqua sa figure décomposée que l'angoisse contractait et vieillissait.

Il lui dit :

« Vite ! il faut que vous changiez de vêtements. Mettez une de vos autres robes... une noire de préférence. »

Il retourna vers la fenêtre, d'où il vit au-dessous de lui les policiers et les gendarmes qui s'entretenaient dans le jardin. Quand elle eut fini de s'habiller, il saisit la robe grise qu'elle venait de quitter et s'en revêtit. Il était mince, de taille svelte : la robe dont il baissa la jupe afin de recouvrir ses pieds lui allait à merveille, et il semblait si ravi de ce déguisement et si tranquille, que la jeune femme parut se rassurer.

« Ecoutez-les », dit-il.

On distinguait nettement la conversation que tenaient les quatre hommes au seuil de la salle, et ils entendirent l'un d'eux — un des gendarmes sans doute — qui demandait d'une grosse voix traînante :

« Vous êtes bien certains qu'elle habitait là, à l'occasion ?

— Sûrs et certains. La preuve... deux de ses malles qu'elle y a laissées en dépôt, et dont l'une porte son nom : Mme Pellegrini. Et puis, la mère Vasseur est une brave femme, n'est-ce pas ?

— Plus brave que la mère Vasseur, il n'y en a pas ; on la connaît dans toute la région !

— Eh bien ! la mère Vasseur déclare que cette dame Pellegrini venait de temps à autre passer quelques jours chez elle.

— Parbleu ! entre deux coups de cambriole.

— Tout juste.

— Alors ce serait une bonne capture que la dame Pellegrini ?

— Excellente. Vols qualifiés. Escroqueries. Recel. Bref tout le diable et son train... sans compter des tas de complices.

— On a son signalement ?

— Oui et non.

— On a deux portraits qui sont tout différents. L'un d'eux est jeune, l'autre vieux. Quant à l'âge, c'est marqué entre trente et soixante. »

Ils éclatèrent de rire, puis la grosse voix reprit : « Mais vous êtes sur la piste ?

— Oui et non. Il y a quinze jours elle opérait à Rouen et à Dieppe. Là on perd sa trace. On la retrouve sur la grande ligne du chemin de fer, et on la perd de nouveau. A-t-elle continué vers Le Havre ou bifurqué vers Fécamp ? Impossible de le savoir. Disparition totale. Nous pataugeons.

— Et ici, pourquoi êtes-vous venus ?

— Le hasard. Un employé de la gare, qui avait roulotté les malles jusque-là, s'est souvenu de ce nom de Pellegrini, inscrit sur l'une d'elles à un endroit caché par une étiquette qui s'était décollée.

— Vous avez interrogé d'autres voyageurs, des clients de l'auberge ?

— Oh ! les clients sont rares ici.

— Il y a toujours bien une dame que nous avons avisée tout à l'heure en arrivant.

— Une dame ?

— Pas d'erreur. Nous étions encore à cheval quand elle est sortie de la maison, par cette porte. Même qu'elle y est rentrée d'un coup, comme si elle ne voulait pas être vue.

— Impossible !... une dame dans l'auberge ?...

— Une particulière en gris. Pour ce qui serait de la reconnaître, non. Mais la couleur de la robe, oui... Et le chapeau aussi... un chapeau avec des fleurs violettes... »

Les quatre hommes se turent.

Toute cette conversation, Raoul et la jeune femme l'avaient écoutée sans un mot, les yeux dans les yeux. A chaque preuve nouvelle, le visage de Raoul devenait plus dur. Elle, pas une fois, ne protesta.

« Ils viennent... ils viennent... prononça-t-elle sourdement.

— Oui, dit-il. C'est le moment d'agir... Sinon, ils montent et vous trouvent dans cette chambre. »

Elle avait gardé son chapeau. Il le lui enleva et s'en coiffa, rabattant un peu les ailes pour bien dégager les fleurs violettes, et nouant les brides autour de son cou, ce qui lui masquait le visage. Puis il donna ses dernières instructions.

« Je vais vous ouvrir le chemin. Dès qu'il sera

libre, vous vous en irez tranquillement par la route jusqu'à la cour de ferme où votre voiture est garée. Prenez-y place, et que Léonard ait les guides en main...

— Et vous ? dit-elle.

— Je vous rejoins dans vingt minutes.

— S'ils vous arrêtent ?

— Ils ne m'arrêteront pas, et vous non plus. Mais pas de précipitation. Ne courez pas. Du sang-froid. »

Il s'était approché de la fenêtre. Il se pencha. Les hommes entraient. Il enjamba le rebord, sauta dans le jardin, poussa un cri comme s'il apercevait des gens qui l'effrayaient et s'enfuit à toutes jambes.

Aussitôt, derrière lui, des clameurs.

« C'est elle !... Une robe grise !... Du violet au chapeau ! Halte, ou je fais feu... »

D'un bond il franchit la route et s'engagea dans les terres labourées, au sortir desquelles il escalada le talus d'une ferme qu'il traversa en biais. De nouveau, un talus. Puis des champs. Puis un sentier qui longeait une autre ferme entre deux haies de ronces.

Il se retourna : les assaillants, un peu distancés, ne pouvaient le voir. En une seconde il se débarrassa de la robe et du chapeau et les jeta au milieu des fourrés. Ensuite il mit sa casquette de matelot, alluma une cigarette, et s'en revint, les mains dans ses poches.

Au coin de la ferme, les deux policiers surgirent et se heurtèrent à lui, tout essoufflés.

« Hé ! le matelot ?... Vous avez rencontré une femme, hein ? une femme en gris ? »

Il affirma :

« Bien sûr... une femme qui courait, n'est-ce pas ?... une vraie folle...

— C'est ça... Et alors ?

— Elle est entrée dans la ferme.

— Comment ?

— La barrière...

— Il y a longtemps ?

— Pas vingt secondes. »

Les hommes s'en allèrent en hâte, Raoul continua son chemin, salua d'un petit bonjour amical les gendarmes qui arrivaient, et, d'un pas nonchalant, gagna la route un peu au-delà de l'auberge et tout près du tournant.

Cent mètres plus loin c'étaient les hêtres et les pommiers de la cour où la voiture attendait.

Léonard était sur son siège, le fouet en main. Joséphine Balsamo, à l'intérieur, tenait la portière ouverte.

Il ordonna :

— « Vers Yvetot, Léonard. Comment, objecta la comtesse, mais nous allons passer devant l'auberge !

— L'essentiel, c'est que l'on ne nous voie pas sortir d'ici. Or, la route est déserte. Profitons-en... Au petit trot, Léonard... Une allure de corbillard qui retourne à vide. »

Ils passèrent en effet devant l'auberge. A ce moment les policiers et les gendarmes revenaient à travers champs. L'un d'eux agitait la robe grise et le chapeau. Les autres gesticulaient.

« Ils ont trouvé vos affaires, dit-il, et savent à quoi s'en tenir. Ce n'est plus vous qu'ils cherchent, c'est moi, le matelot rencontré. Quant à la voiture, ils n'y font même pas attention. Et si on leur disait que nous sommes dans cette berline, vous la dame Pellegrini, et moi le matelot complice, ils éclateraient de rire.

— Ils vont interroger la mère Vasseur.

— Qu'elle se débrouille ! »

Quand ils eurent perdu le groupe de vue, Raoul pressa l'allure de l'attelage...

« Oh ! oh ! dit-il, comme les deux chevaux s'élançaient au premier coup de fouet, les pauvres bêtes n'iront pas loin. Depuis le temps qu'elles trottent !

— Depuis ce matin, dit-elle, depuis Dieppe, où j'ai couché cette nuit.

— Et nous allons ?

— Jusqu'aux bords de la Seine.

— Fichtre ! Seize ou dix-sept lieues dans une journée à ce train-là ! C'est fabuleux. »

Elle ne répondit pas.

Entre les deux vitres d'avant il y avait un mince filet de glace dans lequel il pouvait la voir. Elle avait mis une robe plus foncée et une toque légère d'où tombait un voile assez épais qui lui enveloppait toute la tête. Elle le dénoua et tira d'un vide-poches placé au-dessous du filet de glace un petit sac en cuir qui contenait un vieux miroir à manche et à monture d'or, et des objets de toilette, bâton de rouge, brosses...

Ayant pris le miroir, elle y contempla longuement son visage fatigué et vieilli.

Puis elle y versa quelques gouttes d'une mince fiole et frotta la surface mouillée avec un chiffon de soie. Et de nouveau elle se regarda.

Raoul ne comprit pas d'abord et ne remarqua que l'expression sévère des yeux et cette mélancolie de la femme devant son image abîmée.

Dix minutes, quinze minutes se passèrent ainsi dans le silence et dans l'effort visible d'un regard où toute la pensée et toute la volonté se concentraient. Ce fut le sourire qui le premier apparut, hésitant, timide comme un rayon de soleil hivernal. Au bout d'un instant, il devint plus hardi et révéla son action par de petits détails qui surgissaient aux yeux étonnés de Raoul. Le coin de la bouche remonta davantage. La peau s'imprégna de couleur. La chair sembla se raffermir. Les joues et le menton retrouvèrent leur pur dessin, et toute la grâce illumina la belle et tendre figure de Joséphine Balsamo.

Le miracle était accompli.

« Miracle ? se dit Raoul. Non. Ou, tout au plus, miracle de volonté. Influence d'une pensée claire et tenace qui n'accepte pas la déchéance, et qui rétablit la discipline là où il y avait désordre et fléchissement. Pour le reste, flacon, élixir merveilleux, simple comédie. »

Il prit le miroir qu'elle avait reposé et l'examina. C'était évidemment l'objet décrit au cours de la réunion d'Etigues, celui dont la comtesse de Cagliostro se servait devant l'impératrice Eugénie. Les bords en étaient guillochés, la plaque d'or par-derrière toute meurtrie de coups.

Sur la poignée, une couronne de comte, une date (1783), et la liste des quatre énigmes. Raoul, qui éprouvait le besoin de la blesser, ricana :

« Votre père vous a légué un miroir précieux. Grâce à ce talisman on se remet des émotions les plus désagréables.

— Il est de fait, dit-elle, que j'ai perdu la tête. Cela m'arrive rarement, et j'ai tenu bon dans des circonstances plus graves que celle-ci.

— Oh ! oh ! plus graves... », dit-il avec un doute ironique.

Ils n'échangèrent plus une seule parole. Les chevaux continuaient à trotter d'un même rythme égal. Les grandes plaines de Caux, toujours semblables et toujours diverses, déroulaient de vastes horizons plantés de fermes et de bosquets.

La comtesse de Cagliostro avait baissé son voile. Raoul sentit que cette femme, qui était si proche de lui deux heures plus tôt, et à laquelle il offrait si joyeusement son amour, s'éloignait tout à coup, jusqu'à devenir une étrangère. Plus de contact entre eux. L'âme mystérieuse s'entourait de ténèbres épaisses et ce qu'il en pouvait apercevoir était si différent de ce qu'il avait imaginé !

Ame de voleuse... âme furtive et inquiète, ennemie du grand jour... était-ce possible ! Comment admettre que ce visage naïf comme celui d'une vierge ignorante, que ce regard aussi limpide que l'eau d'une source, ne fussent qu'une apparence mensongère ?

Il était déçu au point que, en traversant la petite ville d'Yvetot, il ne songeait qu'à s'enfuir. Il manqua de décision, ce qui redoubla sa colère. Le souvenir de Clarisse d'Etigues lui vint à l'esprit, et, par revanche, il évoqua un moment la douce et tendre jeune fille qui s'était abandonnée si noblement.

Mais Joséphine Balsamo ne lâchait pas sa proie. Si flétrie qu'elle lui parût, si déformée que fût l'idole, elle était là ! Une odeur enivrante se dégageait d'elle. Il frôlait ses vêtements. D'un geste il pouvait prendre sa main et baiser cette chair parfumée. Elle était toute la passion, tout le désir, toute la volupté, tout le mystère troublant de la femme. Et de nouveau le souvenir de Clarisse d'Etigues s'évanouit.

« Josine ! Josine ! » murmura-t-il, si bas qu'elle ne l'entendit point.

A quoi bon d'ailleurs crier son amour et sa peine ? Pouvait-elle lui rendre la confiance perdue et retrouver à ses yeux le prestige qu'elle n'avait plus ?

On approchait de la Seine. Au haut de la côte qui descend à Caudebec, ils tournèrent à gauche, parmi les collines boisées qui dominent la vallée de Saint-Wandrille. Ils longèrent les ruines de la célèbre abbaye, suivirent le cours d'eau qui la baigne, parvinrent en vue du fleuve, et prirent la route de Rouen.

Un instant plus tard, la voiture stoppait, et Léonard repartait aussitôt, après avoir déposé les deux voyageurs sur la lisière d'un petit bois d'où l'on découvrait la Seine. Une prairie toute frissonnante de roseaux les en séparait.

Joséphine Balsamo offrit la main à son compagnon et lui dit :

« Adieu, Raoul. Un peu plus loin, vous trouverez la station de La Mailleraie.

— Et vous ? demanda-t-il.

— Oh ! moi, mon domicile est tout proche.

— Je ne vois pas...

— Si. Cette péniche que l'on devine là-bas, entre les branches.

— Je vous conduis. »

Une digue étroite coupait la prairie au milieu des roseaux. La comtesse s'y engagea, suivie de Raoul.

Ils arrivèrent ainsi sur un terre-plein, et tout près de la péniche que masquait encore un rideau de saules. Personne ne pouvait les voir ni les entendre. Ils étaient seuls sous le grand ciel bleu. Là s'écoulèrent entre eux quelques-unes de ces minutes dont on garde toujours le souvenir et qui influent sur toute la destinée.

« Adieu, dit encore Joséphine Balsamo. Adieu... »

Il hésitait devant cette main tendue pour l'adieu suprême.

« Vous ne voulez pas me serrer la main ? demanda-t-elle.

— Oui... oui... murmura-t-il. Mais pourquoi se quitter ?

— Parce que nous n'avons plus rien à nous dire.

— Plus rien, en effet, et cependant nous n'avons rien dit. »

Il finit par prendre entre ses mains la main tiède et souple, et il prononça :

« Les paroles de ces hommes... leurs accusations dans l'auberge, est-ce donc la vérité ? »

Il souhaitait une explication, même mensongère, qui lui eût permis de conserver un doute, mais elle parut surprise et riposta :

« Qu'est-ce que cela peut vous faire ?

— Comment ?

— Oui, on croirait vraiment que ces révélations peuvent influer sur votre conduite.

— Que voulez-vous dire ?

— Mon Dieu, rien que de très simple. Je veux dire que j'aurais compris votre émoi devant la confirmation des crimes monstrueux dont Beaumagnan et le baron d'Etigues m'ont accusée faussement et bêtement, mais il n'en est pas question aujourd'hui.

— Tout de même, je me souviens de leurs accusations.

— De leurs accusations contre celle dont je leur ai donné le nom, contre la marquise de Belmonte. Mais il ne s'agit pas de crimes, et, ce que le hasard vous a divulgué tantôt, que vous importe ? »

Il fut interloqué par cette demande inattendue.

Elle souriait en face de lui, très à l'aise, et elle reprit, un peu ironique à son tour :

« Sans doute est-ce le vicomte Raoul d'Andrésy qui est choqué dans ses idées ? Le vicomte Raoul d'Andrésy doit avoir évidemment des conceptions morales, la délicatesse d'un gentilhomme...

— Et quand cela serait ? dit-il, quand j'éprouverais quelque désillusion...

— A la bonne heure ! fit-elle. Voilà le grand mot lâché ! Vous êtes déçu. Vous couriez après un beau rêve et tout s'évanouit. La femme vous apparaît telle qu'elle est. Répondez franchement puisque nous en sommes aux explications loyales. Vous êtes déçu, hein ? »

Il dit le mot, d'un ton sec.

« Oui. »

Il y eut un silence. Elle le regardait profondément, et elle chuchota :

« Je suis une voleuse, n'est-ce pas ? Voilà ce que vous voulez dire. Une voleuse ?

— Oui. »

Elle sourit et prononça :

« Et vous ? »

Et, comme il se rebiffait, elle le saisit rudement à l'épaule, et lui jeta avec un tutoiement impérieux :

« Et toi, mon petit ? Qu'est-ce que tu es ? Car enfin, il faudrait bien étaler ton jeu aussi. Qui es-tu ?

— Je m'appelle Raoul d'Andrésy.

— Des blagues ! Tu t'appelles Arsène Lupin. Ton père, Théophraste Lupin, qui cumulait le métier de professeur de boxe et de savate avec la profession plus lucrative d'escroc, fut condamné et emprisonné aux Etats-Unis où il mourut. Ta mère reprit son nom de jeune fille et vécut en parente pauvre chez un cousin éloigné, le duc de Dreux-Soubise. Un jour, la duchesse constata la disparition d'un joyau de la plus grande valeur historique, qui n'était autre que le fameux collier de la reine Marie-Antoinette. Malgré toutes les recherches on ne sut jamais qui était l'auteur de ce vol, exécuté avec une hardiesse et une habileté diaboliques. Moi, je le sais. C'était toi. Tu avais six ans. »

Raoul écoutait, pâle de fureur et la mâchoire contractée. Il murmura :

« Ma mère était malheureuse, humiliée, j'ai voulu l'affranchir.

— En volant ?

— J'avais six ans.

— Aujourd'hui, tu en as vingt, ta mère est morte, tu es solide, intelligent, plein d'énergie. Comment vis-tu ?

— Je travaille.

— Oui, dans la poche des autres. »

Elle ne lui laissa pas le temps de protester.

« Ne dis rien, Raoul. Je connais ta vie jusqu'en ses moindres détails et je pourrais te raconter sur toi des choses de cette année, et d'autres plus anciennes, car je te suis depuis bien longtemps, et tout ce que je te dirais ne serait certainement pas plus beau que ce que tu as entendu tout à l'heure, dans l'auberge. Policiers ? Gendarmes ?

Perquisitions ? Poursuites ?... tu as passé par tout cela, toi aussi, et n'as pas vingt ans ! Alors est-ce bien la peine de se le reprocher ? Non, Raoul. Puisque je connais ta vie, et puisque le hasard te montre un coin de la mienne, jetons tous deux un voile là-dessus. L'acte de voler n'est pas beau : détournons les yeux et taisons-nous. »

Il demeura silencieux. Une grande lassitude l'envahissait. Il voyait tout à coup l'existence sous un jour de brume et de détresse où plus rien n'avait de couleur, plus rien de beauté ni de grâce. Il avait envie de pleurer.

« Pour la dernière fois, Raoul, adieu, dit-elle.

— Non... non... balbutia-t-il.

— Il le faut, mon petit. Je ne te ferais que du mal. Ne cherche pas à mêler ta vie à la mienne. Tu as de l'ambition, de l'énergie, et de telles qualités que tu peux choisir ta route. »

Elle dit plus bas :

« Celle que je suis n'est pas la bonne, Raoul.

— Pourquoi la suivez-vous, Josine ? Voilà justement ce qui m'effraie.

— Il est trop tard.

— Pour moi aussi, alors !

— Non, tu es jeune. Sauve-toi. Echappe au destin qui te menace.

— Mais vous, vous, Josine ?...

— Moi, c'est ma vie.

— Vie affreuse, dont vous souffrez.

— Si tu le crois, pourquoi veux-tu la partager ?

— Parce que je vous aime.

— Raison de plus pour me fuir, mon petit.

Tout amour est condamné d'avance entre nous. Tu rougirais de moi, et je me défierais de toi.

— Je vous aime.

— Aujourd'hui. Mais demain ? Raoul, obéis à l'ordre que je t'ai donné sur ma photographie, dès la première nuit de notre rencontre : « Ne cherchez pas à me revoir. » Va-t'en.

— Oui, oui, dit Raoul d'Andrésy, d'une voix lente. Vous avez raison. Mais c'est terrible de penser que tout sera fini entre nous avant même que j'aie eu le temps d'espérer... et que vous ne vous souviendrez pas de moi.

— On n'oublie pas celui qui vous a sauvé deux fois.

— Non, mais vous oublierez que je vous aime. »

Elle hocha la tête.

« Je ne l'oublierai pas », dit-elle. Et, cessant de le tutoyer, elle ajouta avec émotion :

« Votre enthousiasme, votre élan... tout ce qu'il y a en vous de sincère et de spontané... et d'autres choses que je ne démêle pas encore... tout cela me touche infiniment. »

Ils gardaient leurs deux mains l'une dans l'autre, et leurs yeux ne se quittaient pas. Raoul frémissait de tendresse. Elle lui dit doucement :

« Quand on se sépare pour toujours, on doit se rendre ce que l'on s'est donné. Rendez-moi mon portrait, Raoul ?

— Non, non, jamais, fit-il.

— Alors, moi, dit-elle avec un sourire qui le

grisa, je serai plus honnête et je vous rendrai loyalement ce que vous m'avez donné.

— Quelle chose, Josine ?

— La première nuit... dans la grange... tandis que je dormais, Raoul, vous vous êtes penché sur moi et j'ai senti vos lèvres sur les miennes. »

De ses mains croisées derrière le cou de Raoul, elle attirait la tête du jeune homme, et leurs bouches s'unirent.

« Ah ! Josine, dit-il éperdu... faites de moi ce que vous voulez, je vous aime... je vous aime... »

Ils marchèrent du côté de la Seine. Les roseaux se balançaient au-dessus d'eux. Leurs vêtements froissaient les longues feuilles minces que la brise agitait. Ils allaient vers le bonheur, sans autres pensées que celles qui font tressaillir les amants dont les mains se croisent.

« Un mot encore, Raoul, lui dit-elle en l'arrêtant. Un mot. Je sens qu'avec vous je serai violente, exclusive. Il n'y a pas d'autre femme dans votre vie ?

— Aucune.

— Ah ! dit-elle, amèrement, un mensonge déjà !

— Un mensonge ?

— Et Clarisse d'Etigues ? Oui, vous aviez des rendez-vous dans la campagne. On vous a vus. »

Il s'irrita. Vieille histoire... un flirt sans importance.

« Vous le jurez ?

— Je le jure.

— Tant mieux, dit-elle d'une voix sombre.

Tant mieux pour elle. Et que jamais elle ne se glisse entre nous ! Sans quoi... »

Il l'entraîna.

« Je n'aime que vous, Josine, je n'ai jamais aimé que vous. Ma vie commence aujourd'hui. »

VII

LES DÉLICES DE CAPOUE

La *Nonchalante* était une péniche semblable à toutes les autres, assez vieille, de peinture défraîchie, mais bien astiquée et bien entretenue par un ménage de mariniers qu'on appelait M. et Mme Delâtre. A l'extérieur, on ne voyait pas grand-chose de ce que pouvait transporter la *Nonchalante,* quelques caisses, de vieux paniers, des barriques, voilà tout. Mais si l'on se glissait sous le pont à l'aide de l'échelle, il était facile de constater qu'elle ne transportait absolument rien.

Tout l'intérieur était distribué en trois menues pièces confortables et reluisantes, deux cabines séparées par un salon. C'est là que Raoul et Joséphine Balsamo vécurent pendant un mois. Les époux Delâtre, personnages muets et hargneux, avec qui, plusieurs fois, Raoul essaya vainement de lier conversation, s'occupaient du ménage et de la cuisine. De temps à autre un petit remorqueur venait chercher la *Nonchalante* et lui faisait remonter une boucle de la Seine.

Toute l'histoire du joli fleuve se déroulait ainsi en paysages charmants où ils allaient se promener en se tenant par la taille... La forêt de Brotonne, les ruines de Jumièges, l'abbaye de Saint-Georges, les collines de la Bouille, Rouen, Pont-de-l'Arche...

Semaines de bonheur intense ! Raoul y dépensa des trésors de gaieté et d'enthousiasme. Les spectacles merveilleux, les belles églises gothiques, les couchers de soleil et les clairs de lune, tout lui était prétexte à déclarations enflammées.

Josine, plus silencieuse, souriait comme dans un rêve heureux. Chaque jour la rapprochait davantage de son amant. Si elle avait obéi d'abord à un caprice, elle subissait maintenant la loi d'un amour qui lui faisait battre le cœur et lui apprenait la souffrance de trop aimer.

Du passé, de sa vie secrète, jamais un mot. Une fois cependant, il y eut, à ce sujet, quelques propos échangés. Comme Raoul la plaisantait sur ce qu'il appelait le miracle de son éternelle jeunesse, elle répondit :

« Un miracle, c'est ce qu'on ne comprend pas. Exemple : Nous parcourons vingt lieues en un jour... tu cries au miracle. Mais, avec un peu d'attention, tu te serais rendu compte que la distance a été couverte, non par deux, mais par quatre chevaux, Léonard ayant dételé et changé de bêtes à Doudeville dans la cour de la ferme, où un relais était préparé.

— Bien joué, s'écria le jeune homme ravi.

— Autre exemple. Personne au monde ne sait que tu te nommes Lupin. Or te dirai-je que, la nuit même où tu m'as sauvée de la mort, je te connaissais sous ton vrai nom ?... Miracle ? Nullement. Tu comprends bien que tout ce qui touche au comte de Cagliostro m'intéresse, et qu'il y a quatorze ans, quand j'ai entendu parler de la disparition du collier de la Reine, chez la duchesse de Dreux-Soubise, j'ai fait une enquête minutieuse, qui me permit d'abord de remonter jusqu'au jeune Raoul d'Andrésy, ensuite jusqu'au jeune Lupin, fils de Théophraste Lupin. Plus tard, je retrouvai ta trace dans plusieurs affaires. J'étais fixée. »

Raoul réfléchit quelques secondes, puis prononça très sérieusement :

« A cette époque, ma Josine, ou bien tu avais une dizaine d'années, et il est prodigieux qu'une enfant de cet âge réussisse une enquête où tout le monde échoua ; ou bien tu avais le même âge qu'aujourd'hui, ce qui est encore plus prodigieux, ô fille de Cagliostro ! »

Elle fronça le sourcil. La plaisanterie semblait lui être désagréable.

« Ne parlons jamais de cela, veux-tu, Raoul ?

— Regrettable ! dit Raoul un peu vexé d'avoir été découvert en tant qu'Arsène Lupin, et qui désirait une revanche. Rien au monde ne me passionne plus que le problème de ton âge et de tes divers exploits depuis un siècle. J'ai là-dessus quelques idées personnelles qui ne manquent pas d'intérêt. »

Elle l'observa, curieuse malgré tout. Raoul profita de son hésitation, et il reprit aussitôt d'un ton légèrement gouailleur :

« Mon argumentation s'appuie sur deux axiomes : 1° comme tu l'as dit, il n'y a pas de miracle ; 2° tu es la fille de ta mère. »

Elle sourit :

« Cela débute bien.

— Tu es la fille de ta mère, répéta Raoul, ce qui signifie qu'il y a d'abord eu une comtesse de Cagliostro. A vingt-cinq ou trente ans, celle-là éblouit de sa beauté le Paris de la fin du Second Empire, et intrigua la cour de Napoléon III. Avec l'aide de son soi-disant frère qui l'accompagnait (frère, ami ou amant, n'importe !), elle avait machiné toute l'histoire de la filiation Cagliostro, et préparé les faux documents dont la police se servit pour renseigner Napoléon III sur la fille de Joséphine de Beauharnais et de Cagliostro. Expulsée, elle passa en Italie, en Allemagne, puis disparut... pour ressusciter vingt-quatre ans plus tard, sous les traits identiques de son adorable fille, deuxième comtesse de Cagliostro, ici présente. Nous sommes bien d'accord ? »

Josine ne répondit point, impassible. Il continua :

« Entre la mère et la fille, ressemblance parfaite... si parfaite que l'aventure recommence tout naturellement. Pourquoi deux comtesses ? Il n'y en aura qu'une seule, l'unique, la vraie, celle qui a hérité des secrets de son père Joseph Balsamo, comte de Cagliostro. Et lorsque Beaumagnan fait son enquête, il en arrive inévitablement à retrouver les documents qui ont déjà égaré la police de Napoléon, et la série des portraits et miniatures, qui attestent l'unité de la toujours jeune femme, et qui font remonter son origine jusqu'à la Vierge de Bernardino Luini à qui le hasard l'a si étrangement assimilée.

« D'ailleurs, il y a un témoin : le prince d'Arcole. Le prince d'Arcole a vu jadis la comtesse de Cagliostro. Il l'a conduite à Modane. Il la revoit à Versailles. Quand il l'aperçoit, un cri lui échappe : « C'est elle ! Et elle a le même âge ! »

« Sur quoi tu l'accables sous un monde de preuves : le récit des quelques mots échangés à Modane entre ta mère et lui, récit que tu as lu dans le journal très minutieux que ta mère tenait de ses moindres actions. Ouf ! Voilà le fonds et le tréfonds de l'aventure. Et c'est très simple. Une mère et une fille qui se ressemblent, et dont la beauté évoque une image de Luini. Un point, c'est tout. Il y a bien la marquise de Belmonte. Mais je suppose que la ressemblance de cette dame avec toi est assez vague, et qu'il a fallu la bonne volonté et le cerveau détraqué du sieur Beaumagnan pour vous confondre toutes deux. En résumé, rien de dramatique, une intrigue amusante et bien menée. J'ai dit. »

Raoul se tut. Il lui sembla que Joséphine Balsamo avait un peu pâli et que sa figure se contractait. A son tour, elle devait être vexée, et cela le fit rire.

« J'ai touché juste, hein ? » dit-il.

Elle se déroba.

« Mon passé m'appartient, dit-elle, et mon âge n'importe à personne. Tu peux croire ce qui te plaît à ce propos. »

Il se jeta sur elle et l'embrassa furieusement.

« Je crois que tu as cent quatre ans, Joséphine Balsamo, et rien n'est plus délicieux que le baiser d'une centenaire. Quand je pense que tu as peut-être connu Robespierre, et peut-être Louis XVI. »

L'incident ne se renouvela pas. Raoul d'Andrésy sentait si nettement l'irritation de Joséphine Balsamo à la moindre tentative indiscrète qu'il n'osa plus la questionner. D'ailleurs ne savait-il pas la vérité exacte ?

Certes, il la savait, et aucun doute ne demeurait en son esprit. Néanmoins, la jeune femme conservait tout un prestige mystérieux qu'il subissait malgré lui et dont il éprouvait quelque rancune.

A la fin de la troisième semaine, Léonard refit son apparition. Un matin, Raoul avisa la berline aux deux petits chevaux efflanqués de la comtesse qui s'en allait.

Elle ne revint que le soir. Léonard transporta sur la *Nonchalante* des ballots ficelés dans des serviettes, qu'il laissa glisser par une trappe dont Raoul ignorait l'existence.

La nuit, Raoul, ayant réussi à ouvrir la trappe, visita les ballots. Ils contenaient d'admirables dentelles et des chasubles précieuses.

Le surlendemain, nouvelle expédition. Résultat : une magnifique tapisserie du XVIᵉ siècle.

Ces jours-là Raoul s'ennuyait fort. Aussi, à Mantes, se trouvant encore seul, il loua une bicyclette et roula quelque temps à travers la campagne. Après avoir déjeuné, il aperçut, au sortir d'une petite ville, une vaste maison dont le jardin était rempli de gens. Il s'approcha. On vendait aux enchères de beaux meubles et des pièces d'argenterie.

Désœuvré, il fit le tour de la maison. Un des pignons se dressait dans une partie déserte du jardin, et au-dessus d'un bosquet feuillu. Sans trop savoir à quelle impulsion il obéissait, Raoul, avisant une échelle, la dressa, monta et enjamba le rebord d'une fenêtre ouverte.

Il y eut un léger cri à l'intérieur. Raoul aperçut Joséphine Balsamo, qui se reprit aussitôt et lui dit d'un ton très naturel :

« Tiens, c'est vous, Raoul ? Je suis en train d'admirer une collection de petits livres reliés... Des merveilles ! Et d'une rareté ! »

Ce fut tout. Raoul examina les livres et empocha trois elzévirs, tandis que la comtesse, à l'insu de Raoul, faisait main basse sur les médailles d'une vitrine.

Ils redescendirent l'escalier. Dans le tumulte de la foule, personne ne remarqua leur départ.

A trois cents mètres de distance la voiture attendait.

Dès lors, à Pontoise, à Saint-Germain, à Paris, où la *Nonchalante,* amarrée en face même de la préfecture de police, continuait à leur servir de logis, ils « opérèrent » ensemble.

Si le caractère renfermé et l'âme énigmatique de la Cagliostro ne se démentaient pas dans l'accomplissement de ces besognes, la nature primesautière de Raoul reprenait peu à peu le dessus, et chaque fois l'opération finissait en éclats de rire.

« Tant qu'à faire, disait-il, puisque j'ai tourné le dos au sentier de la vertu, prenons les choses allégrement, et non pas sur le mode funèbre... comme toi, ma Josine. »

A chaque épreuve, il se découvrait des talents imprévus et des ressources qu'il ignorait. Parfois, dans un magasin, aux courses, au théâtre, sa compagne entendait un petit claquement de langue joyeux, et elle voyait alors aux mains de son amant une montre, à sa cravate une épingle nouvelle. Et toujours le même sang-froid, toujours la sérénité de l'innocent que nul danger ne menace.

Ce qui ne l'empêchait pas d'obéir aux multiples précautions exigées par Joséphine Balsamo. Ils ne sortaient de la péniche qu'habillés en gens du peuple. Dans une rue proche, la vieille berline, attelée d'un seul cheval, les recueillait. Ils y changeaient de vêtements. La Cagliostro ne quittait jamais une dentelle à larges fleurs brodées qui lui servait de voilette.

Tous ces détails, et combien d'autres ! renseignaient Raoul sur la vie réelle de sa maîtresse. Il ne doutait pas maintenant qu'elle ne fût à la tête d'une bande organisée de complices avec qui elle correspondait par l'intermédiaire de Léonard, et il ne doutait pas non plus qu'elle ne poursuivît l'affaire du chandelier aux sept branches, et qu'elle ne surveillât les manœuvres de Beaumagnan et de ses amis.

Existence double, qui, très souvent, indisposait Raoul contre Joséphine Balsamo, ainsi qu'elle-même l'avait prévu. Oubliant ses propres actes, il lui en voulait d'en accomplir qui n'étaient pas conformes aux idées qu'il gardait, malgré tout, sur l'honnêteté. Une maîtresse voleuse et chef de bande, cela l'offusquait. Il y eut des chocs entre eux, à propos de questions insignifiantes. Leurs deux personnalités, si fortes et si marquées, se heurtaient.

Aussi, lorsqu'un incident les jeta tout à coup en pleine bataille, bien que dressés contre des ennemis communs, ils apprirent tout ce qu'un amour comme le leur, peut, à certaines minutes, contenir de rancune, d'orgueil et d'hostilité.

Cet incident, qui mit fin à ce que Raoul appelait les délices de Capoue, ce fut la rencontre inopinée qu'ils firent un soir de Beaumagnan, du baron d'Etigues et de Bennetot. Les trois amis entraient au théâtre des Variétés.

« Suivons-les », dit Raoul.

La comtesse hésitait. Il insista.

« Comment ! une pareille occasion s'offre à nous, et nous n'en profiterions pas ! »

Ils entrèrent tous deux et s'installèrent dans une baignoire obscure. A ce moment, au fond d'une autre baignoire située près de la scène, ils eurent le temps d'apercevoir, avant que l'ouvreuse relevât le grillage, la silhouette de Beaumagnan et de ses deux acolytes.

Un problème s'offrait. Pourquoi Beaumagnan, homme d'église et d'habitudes en apparence rigides, se fourvoyait-il dans un théâtre des boulevards, où, précisément, on jouait une revue très décolletée et sans le moindre intérêt pour lui ?

Raoul posa la question à Joséphine Balsamo qui ne répondit point, et cette indifférence affectée montra bien à Raoul que la jeune femme se séparait de lui en l'occurrence, et qu'elle ne voulait décidément pas de sa collaboration pour tout ce qui concernait l'inexplicable affaire.

« Soit, lui dit-il, d'un ton net, où il y avait du défi ; soit, chacun de son côté et chacun pour soi. On verra qui s'adjugera le gros lot. »

Sur la scène, des théories de femmes levaient la jambe en cadence, tandis que défilaient les actualités. La commère, une belle fille peu habillée, qui représentait « La Cascadeuse », justifiait son sobriquet par des cascades de faux bijoux qui ruisselaient tout autour d'elle. Un bandeau de pierres multicolores lui ceignait le front. Des lampes électriques s'allumaient dans ses cheveux.

Deux actes furent joués. La baignoire d'avant-scène gardait son treillage hermétiquement clos, sans qu'on pût même deviner la présence des trois amis. Mais, au dernier entracte, Raoul, se promenant du côté de cette baignoire, constata que la porte en était légèrement entrouverte. Il regarda. Personne. S'étant informé, il apprit que les trois messieurs avaient quitté le théâtre au bout d'une demi-heure !

« Plus rien à faire ici, dit-il en rejoignant la comtesse, ils ont filé. »

A ce moment, le rideau se relevait. La commère parut de nouveau sur la scène. Sa coiffure plus dégagée permit de mieux voir le bandeau qu'elle portait au front depuis le début. C'était un ruban de tissu d'or où de gros cabochons, tous différents de couleur, se trouvaient fixés. Il y en avait sept.

« Sept ! pensa Raoul. Voilà qui explique la venue de Beaumagnan. »

Tandis que Joséphine Balsamo s'apprêtait, il apprit par une ouvreuse que la commère de la revue, Brigitte Rousselin, habitait une ancienne maison de Montmartre, d'où chaque jour, avec une vieille femme de chambre très dévouée, du nom de Valentine, elle descendait pour assister aux répétitions de la prochaine pièce.

Le lendemain matin, à onze heures, Raoul émergeait de la *Nonchalante*. Il déjeunait dans un restaurant de Montmartre et, à midi, enfilant une rue escarpée et tortueuse, il passait devant une petite maison étroite, précédée d'une cour que clôturait un mur, et appuyée à un immeuble de rapport dont le dernier étage — les fenêtres sans rideaux suffisaient à l'indiquer — n'avait pas de locataire.

Raoul bâtit aussitôt, avec son habituelle rapidité de conception, un de ces plans qu'il exécutait ensuite presque mécaniquement.

Il flâna de long en large, comme un homme qui a un rendez-vous. Soudain, voyant que la concierge de l'immeuble balayait le trottoir, il se glissa derrière cette femme, grimpa les étages, fractura la porte de l'appartement vide, ouvrit sur le côté une des fenêtres qui dominait le toit de la maison voisine, s'assura que personne ne pouvait l'apercevoir, et sauta.

Tout près, une lucarne bâillait. Il se laissa tomber dans un grenier encombré d'objets hors d'usage, et d'où l'on ne descendait que par une trappe, qui fonctionnait mal et qu'il put tout juste soulever pour passer la tête. De là il dominait le palier du second étage et, en partie, la cage de l'escalier. Il n'y avait pas d'échelle.

Au-dessous, c'est-à-dire au premier étage, deux voix de femmes échangeaient des paroles. Se penchant le plus possible, Raoul écouta, et se rendit compte, d'après certains propos, que la jeune commère de la revue était en train de déjeuner dans son boudoir, et que sa compagne, seule domestique de la maison, rangeait, tout en la servant, la chambre et le cabinet de toilette.

« Fini, s'écria Brigitte Rousselin, en regagnant sa chambre. Ah ! ma bonne Valentine, quelle joie ! Pas de répétition aujourd'hui ! Je me recouche jusqu'au moment de sortir... »

Cette journée de repos gênait un peu les calculs de Raoul, qui espérait, en l'absence de Brigitte Rousselin, effectuer tranquillement une visite domiciliaire. Il patienta néanmoins, comptant sur le hasard.

Quelques minutes s'écoulèrent. Brigitte fredonnait des airs de la revue lorsqu'un coup de timbre retentit dans la cour.

« Bizarre, dit-elle. Je n'attends pourtant personne aujourd'hui. Cours donc voir, Valentine. »

La servante descendit. On perçut le claquement de la porte refermée, et elle remonta en disant :

« C'est du théâtre... un secrétaire du directeur qui apporte cette lettre.

— Donne. Tu as fait entrer dans le salon ?

— Oui. »

Raoul apercevait au premier étage la jupe de la jeune actrice. La servante tendit l'enveloppe qui fut aussitôt déchirée, et Brigitte lut à demi-voix :

« Ma petite Rousselin, confiez donc à mon secrétaire le bandeau de pierres que vous mettez sur le front. J'en ai besoin pour en faire prendre le modèle. C'est urgent. Vous le retrouverez ce soir au théâtre. »

En entendant ces quelques phrases, Raoul avait tressailli :

« Tiens ! tiens ! pensait-il, le bandeau de pierres ! les sept cabochons. Est-ce que le directeur est aussi sur la piste ? Et Brigitte Rousselin va-t-elle obéir ? »

Il fut rassuré. La jeune femme murmurait :

« Pas possible. J'ai promis déjà ces pierres.

— C'est ennuyeux, objecta la servante, le directeur ne sera pas content.

140

— Que veux-tu ? J'ai promis, et l'on doit me les payer fort cher.

— Alors que répondre ?

— Je vais lui écrire », décida Brigitte Rousselin.

Elle retourna dans son boudoir et, un instant après, remettait une enveloppe à la servante.

« Tu le connais, ce secrétaire ? Tu l'as vu au théâtre ?

— Ma foi non, c'est un nouveau.

— Qu'il dise bien au directeur que je suis au regret, et que je lui expliquerai la chose ce soir à lui-même. »

Valentine repartit. De nouveau, il se passa un temps assez long. Brigitte s'était mise au piano et faisait des exercices de chant, qui couvrirent sans doute le bruit de la porte principale, car Raoul ne l'entendit point.

Il éprouvait, de son côté, une certaine gêne, troublé par l'incident qui ne lui semblait pas très clair. Ce secrétaire qu'on ne connaissait pas, cette demande de bijoux, tout cela sentait le piège et la combinaison louche.

Cependant il se rassura. Une ombre avait franchi la portière, se dirigeant vers le boudoir.

« Valentine qui remonte, se dit Raoul. Mon impression était fausse. L'homme a filé. »

Mais tout à coup, au milieu d'une ritournelle, le piano s'arrêta net, le tabouret sur lequel la chanteuse était assise fut repoussé brusquement et tomba, et elle articula avec une certaine inquiétude :

« Qui êtes-vous ?... Ah ! le secrétaire, n'est-ce pas ? Le nouveau secrétaire... Mais que voulez-vous donc, monsieur ?...

— M. le directeur, fit la voix de l'homme, m'a ordonné de rapporter les bijoux. Il faut que j'insiste...

— Mais je lui ai répondu... balbutia Brigitte de plus en plus anxieuse... La femme de chambre a dû vous remettre la lettre... Pourquoi n'est-elle pas remontée avec vous ? Valentine ! »

Elle appela plusieurs fois, d'un ton de détresse.

« Valentine !... Ah ! vous me faites peur, monsieur... Vos yeux... »

La porte fut fermée brutalement. Raoul perçut un bruit de chaises, le fracas d'une lutte, puis un grand cri :

« Au secours ! »

Ce fut tout. D'ailleurs, à la seconde précise où il avait eu l'intuition du danger que courait Brigitte Rousselin, il s'était efforcé de soulever la trappe un peu plus et de se frayer un passage. Il lui fallut pour cela perdre un temps précieux. Après quoi il se laissa tomber, dégringola le second étage et se trouva en face de trois portes closes.

Au hasard, il se rua sur l'une d'elles, et pénétra dans une pièce où il y avait le plus grand désordre. N'y voyant personne, il courut à travers la pièce jusqu'au cabinet de toilette, puis jusqu'à la chambre où il pensait bien que la lutte s'était poursuivie.

Aussitôt, en effet, il avisa dans la demi-

142

obscurité, car les rideaux de la fenêtre étaient presque fermés, un homme à genoux, et, gisant sur le tapis, une femme que cet homme tenait à la gorge des deux mains. Des râles de douleur se mêlaient à d'abominables jurons.

« Dieu de Dieu, te tairas-tu. Ah ! cré bon sang, tu refuses les bijoux ! Eh bien, ma petite... »

L'attaque de Raoul qui se jeta sur lui avec une violence irrésistible, lui fit lâcher prise. Tous deux ils roulèrent contre la cheminée, où Raoul se heurta le front assez fort pour en éprouver quelques secondes de défaillance.

L'assassin du reste était plus lourd que lui, et le duel ne pouvait pas être long entre ce mince adolescent et cet homme, que l'on devinait massif et de musculature puissante. De fait, au bout d'un instant, l'un des deux se dégagea, tandis que l'autre demeurait étendu et poussait de faibles soupirs. Mais celui qui se relevait n'était autre que Raoul.

« Un joli coup, hein, monsieur ? ricana-t-il. Il me vient des instructions posthumes d'un sieur Théophraste Lupin, chapitre des méthodes japonaises. Ça vous expédie une bonne minute dans un monde meilleur et rend inoffensif comme un petit mouton. »

Il se pencha sur la jeune actrice, et, l'ayant saisie dans ses bras, la coucha sur le lit. Il vit tout de suite que l'effroyable étreinte du meurtrier n'avait pas eu les conséquences que l'on pouvait craindre. Brigitte Rousselin respirait à son aise. Aucune blessure n'était visible. Mais

143

elle tremblait de tous ses membres et regardait avec des yeux de folle.

« Vous ne souffrez pas, mademoiselle ? fit-il doucement. Non, n'est-ce pas ? Ce ne sera rien. Et surtout n'ayez pas peur. Vous n'avez plus rien à redouter de lui et, pour plus de sûreté... »

Vivement, il écarta les rideaux, arracha les cordons de tirage et lia les poignets inertes de l'homme. Mais, un peu de jour ayant pénétré dans la pièce, il tourna l'assassin vers la fenêtre afin d'examiner son visage.

Un cri lui échappa. Il était confondu. Et il murmura avec stupeur :

« Léonard... Léonard... »

Jamais il n'avait eu l'occasion de voir bien en face cet homme, en général courbé sur le siège de la voiture, enfouissant sa tête entre les épaules, et dissimulant sa taille au point que Raoul le croyait presque bossu et malingre.

Mais il connaissait son profil osseux qu'allongeait une barbe grisonnante, et il n'eut pas le moindre doute : c'était Léonard, le factotum et le bras droit de Joséphine Balsamo.

Il acheva de le ligoter, le bâillonna solidement, lui enveloppa la tête d'une serviette et le traîna ensuite dans le boudoir, où il l'attacha aux pieds d'un lourd divan. Puis il s'en revint vers la jeune femme qui continuait à gémir.

« C'est fini, dit-il. Vous ne le verrez plus. Reposez-vous. Moi, je vais m'occuper de votre servante et savoir ce qu'elle est devenue. »

De ce côté, il n'était pas inquiet, et, comme il

le supposait, il découvrit Valentine au rez-de-chaussée, en un coin, du salon exactement dans le même état où il venait de laisser Léonard, c'est-à-dire réduite à l'impuissance et au silence. C'était une femme de tête. Une fois délivrée, et sachant son agresseur incapable de nuire, elle ne s'affola pas, et se conforma aux ordres de Raoul qui lui disait :

« Je suis un agent de la police secrète. J'ai sauvé votre maîtresse. Allez la rejoindre et soignez-la. Pour moi, je vais interroger cet homme et me rendre compte s'il n'a pas de complices. »

Raoul la poussa dans l'escalier, avec la hâte de demeurer seul et de réfléchir aux idées confuses qui le harcelaient. Idées si pénibles que, par moments, il essayait presque de s'y soustraire et que, s'il avait écouté son instinct, laissant au hasard le soin de débrouiller la situation, il eût abandonné le champ de bataille et se serait enfui par la maison voisine.

Mais une vision trop nette des choses qu'il fallait faire s'établissait en lui pour qu'il n'y dût pas obéir. Toute sa volonté croissante de chef, qui sait se résoudre et garder son sang-froid dans les circonstances les plus tragiques, l'obligeait à l'action. Il traversa la cour, et d'un geste très lent manœuvra la serrure de la porte principale qu'il put ainsi entrebâiller légèrement.

Par la fente, il risqua un coup d'œil : de l'autre côté de la rue, un peu plus bas, la vieille berline stationnait.

Sur le siège, un domestique tout jeune, qu'il

avait vu plusieurs fois avec Léonard et qui s'appelait Dominique, gardait le cheval.

Mais, à l'intérieur de la voiture, n'y avait-il pas un autre complice ? Et quel était ce complice ?

Raoul ne referma pas la porte. Ses soupçons se confirmaient, et maintenant rien au monde ne l'eût empêché d'aller jusqu'au bout. Il remonta donc au premier étage et s'inclina sur le prisonnier.

Un détail l'avait frappé, durant la lutte : un gros sifflet de bois retenu par une chaînette s'était échappé de l'une des poches de Léonard, et celui-ci, malgré le péril, l'avait rattrapé d'un mouvement machinal comme s'il eût craint de perdre cet instrument. Et la question se posait ainsi dans l'esprit de Raoul : le sifflet devait-il servir en cas de péril pour éloigner le complice ? ou bien, au contraire, était-ce un signal pour appeler le complice lorsque toute la besogne serait faite ?

Raoul adopta cette hypothèse, plus peut-être par intuition que par raisonnement. Il ouvrit donc la fenêtre, juste le temps nécessaire pour donner un coup de sifflet.

Et, posté derrière les rideaux de tulle, il attendit.

Son cœur sautait dans sa poitrine. Jamais encore il n'avait souffert de cette âpre et mauvaise souffrance. Au fond il ne doutait pas de ce qui était sur le point d'advenir, et il connaissait la silhouette qui allait apparaître au cadre de la porte. Mais il voulait espérer quand même, contre toute évidence. Il n'admettait pas, il ne consentait pas à admettre que dans cette affaire ténébreuse, l'assassin Léonard eût comme complice...

Le lourd battant fut poussé.

« Ah ! » fit Raoul avec désespoir.

Joséphine Balsamo entrait.

Elle entra paisiblement, avec autant de désinvolture que si elle rendait visite à une amie. Dès l'instant où Léonard avait sifflé, la voie était libre, et elle n'avait qu'à se présenter. Enveloppée de sa voilette, elle traversa légèrement la cour et pénétra dans la maison.

Du coup Raoul avait reconquis toute sa tranquillité. Son cœur se calma. Il était prêt à combattre ce deuxième adversaire, comme il avait combattu le premier, avec des armes différentes, mais tout aussi efficaces. Il appela Valentine à mi-voix et lui dit :

« Quoi qu'il arrive, pas un mot. Il y a contre Brigitte Rousselin un complot que je veux déjouer. Voici l'un des complices. Le silence absolu, n'est-ce pas ? »

La servante proposa :

« Je peux aider, monsieur... courir chez le commissaire...

— A aucun prix. L'affaire, si elle était connue, risquerait de tourner mal pour votre maîtresse. Je réponds de tout, mais à condition qu'aucun bruit ne vienne de cette chambre, aucun !

— Bien, monsieur. »

Raoul ferma les deux portes de communication. Ainsi la pièce où se trouvait Brigitte Rousselin et celle où la partie allait se jouer entre Josine et lui étaient nettement séparées. Comme il le désirait, aucun bruit ne pouvait passer de l'une à l'autre.

A ce moment, Joséphine Balsamo débouchait du palier. Elle le vit.

Et elle reconnut aux vêtements le corps ficelé de Léonard.

Raoul immédiatement eut la notion exacte de ce que Joséphine Balsamo pouvait, à certaines minutes graves, avoir d'empire sur elle-même. Loin de s'effarer en constatant la présence inattendue de Raoul et le désordre d'une pièce où Léonard était captif, elle commença par réfléchir, dominant ses nerfs de femme et l'agitation qui la secouait, et il était facile de comprendre qu'elle se demandait :

« Qu'est-ce que cela veut dire ? Que fait Raoul ici ? Qui donc a ligoté Léonard ? »

A la fin, retirant sa voilette, elle demanda simplement, car c'était là, en toute certitude, ce qui la tourmentait le plus :

« Pourquoi me regardes-tu ainsi, Raoul ? »

Il mit un certain temps à lui répondre. Les mots qu'il allait prononcer étaient effrayants et il la dévisageait pour ne pas perdre un seul tressaillement de ses muscles ni un seul clignotement de ses yeux. Il murmura :

« Brigitte Rousselin a été assassinée.

— Brigitte Rousselin ?

— Oui, l'actrice d'hier soir, celle au bandeau

de pierreries, et tu n'oseras pas dire que tu ne sais pas qui est cette femme, *puisque tu es ici, chez elle,* et puisque tu as chargé Léonard de t'avertir, aussitôt la besogne faite. »

Elle parut bouleversée.

« Léonard ? Ce serait Léonard ?

— Oui, affirma-t-il. C'est lui qui a tué Brigitte. Je l'ai surpris qui la tenait au cou de ses deux mains. »

Il la vit qui tremblait, et elle tomba assise en balbutiant :

« Ah ! le misérable !... le misérable... est-il possible qu'il ait fait cela ? »

Et, plus bas encore, avec une épouvante qui croissait à chaque mot :

« Il a tué... il a tué... Est-ce possible ! Il m'avait pourtant juré que jamais il ne tuerait !... il me l'avait juré... Oh ! je ne veux pas croire... »

Etait-elle sincère, ou jouait-elle la comédie ? Léonard avait-il agi sous le coup d'une folie subite, ou d'après les instructions qui lui ordonnaient le crime quand la ruse échouait ? Questions redoutables que Raoul se posait sans pouvoir y répondre.

Joséphine Balsamo releva la tête, observa Raoul de ses yeux pleins de larmes, puis brusquement se jeta vers lui, les mains jointes.

« Raoul... Raoul... pourquoi me regardes-tu ainsi ? Non... non.. n'est-ce pas ? tu ne m'accuses pas ? Ah ! ce serait terrible... Tu pourrais croire que je savais ?... que j'ai commandé ou permis ce crime abominable ?... Non... Jure-moi que tu ne crois pas. Oh ! Raoul... mon Raoul... »

Un peu brutalement, il la contraignit à s'asseoir. Ensuite il repoussa Léonard dans l'ombre. Et, après avoir fait quelques pas de long en large, il revint vers la Cagliostro et la saisit à l'épaule :

« Ecoute-moi, Josine, prononça-t-il lentement, d'une voix qui était celle d'un accusateur, et même d'un adversaire beaucoup plus que d'un amant, écoute-moi. Si, d'ici une demi-heure, tu n'as pas fait la pleine clarté sur toute cette affaire, et sur les machinations secrètes qui la compliquent, j'agis envers toi comme envers une ennemie mortelle, de gré ou de force je t'éloigne de cette maison, et sans la moindre hésitation je vais dénoncer au plus proche commissariat de police le crime que ton complice Léonard vient de commettre sur la personne de Brigitte Rousselin... Après quoi, tu te débrouilleras. Veux-tu parler ? »

VIII

DEUX VOLONTÉS

L<small>A</small> guerre était déclarée, et elle l'était au moment choisi par Raoul, alors qu'il avait toutes les chances pour lui, et que Joséphine Balsamo, prise au dépourvu, faiblissait sous une attaque qu'elle n'aurait jamais supposée aussi violente et aussi implacable.

Bien entendu une femme de sa trempe ne pouvait consentir à la défaite. Elle voulut résister. Elle n'admit pas que le tendre et délicieux amant qu'était Raoul d'Andrésy pût ainsi du premier coup s'ériger en maître et lui imposer la rude étreinte de sa volonté. Elle recourut aux câlineries, aux pleurs, aux promesses, à tous les artifices de la femme. Raoul se montra sans pitié.

« Tu parleras ! J'en ai assez, des ténèbres. Tu peux t'y complaire, moi pas. Il me faut la grande clarté...

— Mais sur quoi ? s'écria-t-elle, exaspérée. Sur ma vie ?

— Ta vie t'appartient, dit Raoul, cache ton passé si tu as peur de l'étaler sous mes yeux. Je sais bien que tu resteras toujours une énigme pour moi et pour tout le monde, et que jamais ton pur visage ne me renseignera sur ce qui s'agite au fond de ton âme. Mais ce que je veux connaître c'est le côté de ta vie qui touche à la mienne. Nous avons un but commun. Montre-moi le chemin que tu suis. Sinon, je risque de me heurter au crime, et je ne veux pas ! »

Il frappa du poing.

« Tu entends, Josine. Je ne veux pas tuer ! Voler, oui. Cambrioler, soit ! Mais tuer, non, mille fois non !

— Je ne le veux pas non plus, dit-elle.

— Peut-être, mais tu fais tuer.

— Mensonge !

— Alors parle. Explique-toi. »

Elle se tordait les mains. Elle protestait et gémissait :

« Je ne peux pas... je ne peux pas...

— Pourquoi ? Qui t'empêche de m'apprendre ce que tu sais de l'affaire, ce que t'a révélé Beaumagnan ?

— J'aimerais mieux ne pas te mêler à tout cela, murmura-t-elle, ne pas t'opposer à cet homme. »

Il éclata de rire.

« Tu as peur pour moi, peut-être ? Ah ! le bon prétexte ! Rassure-toi, Josine. Je ne crains pas Beaumagnan. Il y a un autre adversaire que je redoute bien plus que lui.

— Qui ?

— Toi, Josine. »

Il répéta durement :

« Toi, Josine. Et c'est pour cette raison que je veux la lumière. Quand je te verrai bien en face, je n'aurai plus peur. Es-tu décidée ? »

Elle secoua la tête.

« Non, dit-elle, non. »

Raoul s'emporta.

« C'est-à-dire que tu te défies de moi. L'affaire est belle : tu veux la garder tout entière. Soit. Partons. Dehors tu jugeras mieux la situation. »

Il la prit dans ses bras et la jeta sur son épaule, comme il l'avait fait, le premier soir, au pied de la falaise. Et, ainsi chargé, il se dirigea vers la porte.

« Arrête », dit-elle.

Ce coup de force, accompli avec une aisance incroyable, acheva de la dompter. Elle sentit qu'il ne fallait pas le provoquer davantage.

« Que veux-tu savoir ? dit-elle, une fois qu'il l'eût assise de nouveau.

— Tout, répliqua-t-il, et d'abord le motif de ta présence ici, et la raison pour laquelle ce misérable a tué Brigitte Rousselin. »

Elle déclara :

« Le bandeau de pierreries...

— Elles n'ont pas de valeur ! Ce sont des pierres quelconques, faux grenats, fausses topazes, béryls, opales...

— Oui, mais il y en a sept.

— Et après ? devait-il la tuer ? C'était si

simple d'attendre et de fouiller les chambres à la première occasion.

— Evidemment, mais il paraît que d'autres étaient sur la piste.

— D'autres ?

— Oui, ce matin, à la première heure, sur mes ordres, Léonard s'est enquis de cette Brigitte Rousselin dont j'avais remarqué le diadème hier soir, et il est venu me dire que des gens rôdaient autour de cette maison.

— Des gens ? Qui serait-ce ?

— Des émissaires de la Belmonte.

— Cette femme qui est mêlée à l'affaire ?

— Oui, on la retrouve partout.

— Et après ? répéta Raoul, était-ce une raison pour tuer ?

— Il aura perdu la tête. J'avais eu tort de lui dire : « Il me faut ce bandeau à tout prix. »

— Tu vois, tu vois, s'écria Raoul, nous sommes à la merci d'une brute qui perd la tête et qui tue bêtement, stupidement. Allons, il faut en finir. Je pense plutôt que les gens qui rôdaient ce matin avaient été envoyés par Beaumagnan. Or, tu n'es pas de taille à te mesurer avec Beaumagnan. Laisse-moi prendre la direction. Si tu veux réussir, c'est par moi, par moi seul que tu réussiras. »

Josine faiblit. Raoul affirmait sa supériorité d'un ton de telle conviction qu'elle en eut, pour ainsi dire, l'impression physique. Elle le vit plus grand qu'il n'était et plus puissant, mieux doué que tous les hommes qu'elle avait connus, armé d'un esprit plus subtil, d'un regard plus aigu, de moyens d'action plus divers. Elle s'inclina devant cette volonté implacable et devant cette énergie qu'aucune considération ne pouvait fléchir.

« Soit, prononça-t-elle. Je parlerai. Mais pourquoi parler ici ?

— Ici, et pas ailleurs, articula Raoul, sachant bien que si la Cagliostro se ressaisissait, il n'obtiendrait rien.

— Soit, dit-elle encore, accablée, soit, je cède, puisque notre amour est en jeu, et que tu sembles en faire si peu de cas. »

Raoul éprouva un sentiment profond d'orgueil. Pour la première fois, il prit conscience de l'ascendant qu'il exerçait sur les autres, et de la puissance vraiment extraordinaire avec laquelle il imposait ses décisions.

Certes la Cagliostro n'était pas en possession de toutes ses ressources. Le meurtre supposé de Brigitte Rousselin avait en quelque sorte désagrégé son pouvoir de résistance, et le spectacle de Léonard enchaîné ajoutait à sa détresse nerveuse. Mais, comme il avait, lui, saisi rapidement l'occasion qui se présentait, et profité de tous ses avantages pour établir, par la menace et par la peur, par la force et par la ruse, sa victoire définitive !

Maintenant, il était le maître. Il avait contraint Joséphine Balsamo à se rendre, et discipliné en même temps son propre amour. Baisers, caresses, manœuvres de séduction, ensorcellement de la passion, envoûtement du désir, il ne craignait plus rien, puisqu'il avait été jusqu'à la limite même de la rupture.

Il enleva le tapis qui recouvrait le guéridon et le jeta sur Léonard, puis il revint et prit place auprès de Josine.

« J'écoute. »

Elle lui jeta un coup d'œil où se révélaient de la rancune et de la colère impuissante et elle murmura :

« Tu as tort. Tu profites d'une défaillance passagère pour exiger de moi un récit que je t'aurais fait un jour ou l'autre de plein gré. C'est une humiliation inutile, Raoul. »

Il répéta durement :

« J'écoute. »

Alors elle dit :

« Tu l'auras voulu. Finissons-en, et le plus vite possible. Je te fais grâce de tous les détails pour aller droit au but. Ce ne sera ni long ni compliqué. Un simple rapport. Donc, il y a vingt-quatre ans, durant les mois qui ont précédé la guerre de 1870 entre la France et la Prusse, le cardinal de Bonnechose, archevêque de Rouen et sénateur, en tournée de confirmation dans le pays de Caux, fut surpris par un orage effroyable et dut se réfugier au château de Gueures, qu'habitait alors son dernier propriétaire, le chevalier des Aubes. Il y dîna. Le soir, comme il se retirait dans la chambre qu'on lui avait préparée, le chevalier des Aubes, un vieillard de près de quatre-vingt-dix ans, tout cassé, mais ayant encore bien sa tête, sollicita de lui une audience particulière qui fut immédiatement accordée, et qui dura fort longtemps. Voici le résumé des étranges révélations qu'entendit alors le cardinal de Bonnechose, résumé qu'il écrivit plus tard, et auquel je ne changerai pas un seul mot.

« Le voici. Je le sais par cœur :

« Monseigneur, expliqua le vieux chevalier, je
« ne vous étonnerai point si je vous dis que mes
« premières années s'écoulèrent au milieu de la
« grande tourmente révolutionnaire. A l'époque
« de la Terreur, j'avais douze ans, j'étais orphelin
« et j'accompagnais chaque jour ma tante des
« Aubes à la prison voisine, où elle distribuait des
« menus secours et soignait les malades. On y
« avait enfermé toutes sortes de pauvres gens que
« l'on jugeait et condamnait au petit bonheur, et
« c'est ainsi, pour ma part, que j'eus l'occasion de
« fréquenter un brave homme dont personne ne
« connaissait le nom, et dont personne ne savait
« pourquoi ni sur quelle dénonciation il avait été
« arrêté. Les politesses que je lui rendis et ma
« piété lui inspiraient confiance. Je gagnai son
« affection, et, le soir du jour où il avait été jugé
« à son tour, et condamné, il me dit :

« — Mon enfant, demain, dès l'aurore, les
« gendarmes me conduiront à l'échafaud, et je
« mourrai sans qu'on sache qui je suis. Ainsi l'ai-
« je voulu. A toi-même, je ne le dirai pas. Mais
« les événements exigent que je te fasse certaines
« confidences, et que je te demande de les écouter
« comme un homme et, plus tard, d'en tenir
« compte avec la loyauté et le sang-froid d'un

« homme. La mission dont je te charge est d'une
« importance considérable. Je suis convaincu, mon
« enfant, que tu sauras te mettre à la hauteur
« d'une pareille tâche, et garder, quoi qu'il arrive,
« un secret d'où dépendent les intérêts les plus
« graves. »

« Il m'apprit ensuite, continua le chevalier des
« Aubes, qu'il était prêtre, et, comme tel, déposi-
« taire de richesses incalculables transformées en
« pierres précieuses d'une si grande pureté que la
« plus haute valeur se trouvait atteinte, pour
« chacune d'elles, sous le volume le plus réduit.
« Au fur et à mesure de leur acquisition, ces
« pierres avaient été mises de côté au fond de la
« cachette la plus originale qui soit. En un coin
« du pays de Caux, dans un espace libre, où tout
« le monde pouvait se promener, émergeait un de
« ces énormes cailloux qui servaient et qui servent
« encore à marquer la limite de certains domaines,
« champs, vergers, prairies, bois, etc. Cette borne
« de granit enfoncée presque entièrement dans le
« sol, et environnée de broussailles, était percée à
« son extrémité supérieure de deux ou trois ouver-
« tures naturelles, bouchées par de la terre, où
« poussaient de menues plantes et des fleurs
« sauvages.

« C'est là, par une quelconque de ces ouvertures
« dont on enlevait chaque fois la motte de terre
« pour la remettre soigneusement en place, c'est
« là, dans cette tirelire en plein air, que l'on glis-
« sait les magnifiques pierres précieuses. Actuel-
« lement les cavités étant remplies et aucune

« cachette n'ayant été choisie, on enfermait depuis
« quelques années les pierres nouvellement acqui-
« ses dans un coffret en bois des Iles, que le prêtre
« avait lui-même enterré au pied de la borne,
« quelques jours avant son arrestation.

« Il m'indiqua fort exactement l'endroit et me
« communiqua une formule composée d'un mot
« unique, lequel, en cas d'oubli, désignait l'empla-
« cement d'une façon rigoureuse.

« Je dus alors promettre que, aussitôt le retour
« de temps plus paisibles, c'est-à-dire à une date
« qu'il estima très justement éloignée de vingt ans,
« j'irais d'abord m'assurer que tout était bien en
« place, et qu'à partir de cette date j'assisterais
« chaque année à la grand-messe célébrée le
« dimanche de Pâques dans l'église du village de
« Gueures.

« Un dimanche de Pâques, en effet, j'aperce-
« vrais à côté du bénitier un homme vêtu de noir.
« Dès que j'aurais dit mon nom à cet homme, il
« devait me conduire non loin d'un chandelier en
« cuivre à sept branches qu'on n'allumait qu'aux
« jours de fête. Je devais, moi, répondre aussitôt
« à son geste en lui confiant la formule d'em-
« placement.

« C'étaient là entre nous les deux signes de
« reconnaissance. Après quoi je le guiderais
« jusqu'à la borne de granit.

« Je promis sur mon salut éternel que je me
« conformerais aveuglément aux instructions
« données ! Le lendemain, le digne prêtre montait
« sur l'échafaud.

« Monseigneur, bien que très jeune, je tins
« religieusement mon serment de discrétion. Ma
« tante des Aubes étant morte, je fus enrôlé
« comme enfant de troupe et fis, par la suite,
« toutes les guerres du Directoire et de l'Empire.
« A la chute de Napoléon, âgé de trente-trois ans,
« cassé de mon grade de colonel, je me rendis
« d'abord à la cachette où j'aperçus facilement la
« borne de granit, puis, le dimanche de Pâques
« 1816, à l'église de Gueures où je vis, sur l'autel,
« le chandelier de cuivre. Ce dimanche-là l'homme
« vêtu de noir n'était pas devant le bénitier.

« Je m'y rendis le dimanche de Pâques suivant,
« et chaque dimanche du reste, car, entre-temps,
« j'avais acheté le château de Gueures qui se
« trouvait en vente et, de la sorte, comme un
« soldat scrupuleux, je montais la garde auprès
« du poste que l'on m'avait assigné. Et j'atten-
« dais.

« Monseigneur, voilà cinquante-cinq ans que
« j'attends. Personne n'est venu, et jamais je n'ai
« entendu parler de quoi que ce fût qui ait le
« moindre rapport avec cette histoire. La borne
« n'a pas bougé. Le chandelier est allumé aux
« jours prescrits par le sacristain de Gueures.
« Mais l'homme vêtu de noir n'est pas venu au
« rendez-vous.

« Que devais-je faire ? A qui m'adresser ? Ten-
« ter une démarche auprès de l'autorité ecclé-
« siastique ? Demander une audience au roi de
« France ? Non, ma mission était strictement

« définie. Je n'avais pas le droit de l'interpréter à
« ma façon.

« Je me tus. Mais quels débats de conscience !
« Quels scrupules douloureux ! Quelle angoisse à
« l'idée que je pouvais mourir et emporter dans
« la tombe un secret aussi formidable !

« Monseigneur, depuis ce soir, tous mes doutes
« et tous mes scrupules se sont dissipés. Votre
« venue fortuite dans ce château me semble une
« manifestation indéniable de la volonté divine.
« Vous êtes, à la fois, le pouvoir religieux et
« le pouvoir temporel. Comme archevêque, vous
« représentez l'Eglise. Comme sénateur, vous
« représentez la France. Je ne risque pas de me
« tromper en vous faisant des révélations qui inté-
« ressent l'une et l'autre. Désormais, c'est à vous
« de choisir, Monseigneur ! Agissez. Négociez. Et
« lorsque vous m'aurez dit entre les mains de qui
« doit être remis le dépôt sacré, je vous donnerai
« toutes les indications nécessaires. »

« Le cardinal de Bonnechose avait écouté sans
interrompre. Il ne put se retenir d'avouer au
chevalier des Aubes que l'histoire le laissait un
peu incrédule. Sur quoi, le chevalier sortit et
revint au bout d'un instant avec un petit coffret
en bois des Iles.

« — Voici le coffret dont il me fut parlé, et que
« j'ai trouvé là-bas. Il m'a paru plus sage de le
« prendre chez moi. Emportez-le, Monseigneur,
« et faites estimer les quelque cent pierres pré-
« cieuses qu'il renferme. Vous croirez alors que
« mon histoire est véridique et que le digne prê-

« tre n'a pas eu tort de faire allusion à des riches-
« ses incalculables puisque la borne de granit
« contient, selon son affirmation, dix mille pierres
« aussi belles que celles-ci. »

« L'insistance du chevalier et les preuves qu'il
avançait décidèrent le cardinal, qui s'engagea dès
lors à poursuivre l'affaire et à mander le vieillard
auprès de lui aussitôt qu'une solution pourrait
intervenir.

« L'entretien prit fin sur cette promesse, que
l'archevêque avait le ferme propos de tenir, mais
dont les événements retardèrent l'exécution. Ces
événements, tu les connais, ce fut d'abord la
déclaration de guerre entre la France et la Prusse
et les désastres qui s'ensuivirent. Les lourdes
charges de son poste l'absorbèrent. L'Empire
s'écroula. La France fut envahie. Et les mois
passèrent.

« Lorsque Rouen fut menacé, le cardinal, dési-
reux d'expédier en Angleterre certains documents
auxquels il attachait de l'importance eut l'idée de
joindre à l'envoi le coffret du chevalier. Le
4 décembre, veille du jour où les Allemands
allaient entrer dans la ville, un domestique de
confiance, le sieur Jaubert, conduisit lui-même
un cabriolet qui fila par la route du Havre où
Jaubert devait s'embarquer.

« Deux jours plus tard, le cardinal apprenait
que le cadavre de Jaubert avait été trouvé dans
un ravin de la forêt de Rouvray, à dix kilomètres
de Rouen. On rapportait au cardinal la valise des
documents. Quant au cabriolet et au cheval,

disparus, ainsi que le coffret en bois des Iles. Les renseignements recueillis établissaient que l'infortuné domestique avait dû tomber dans une reconnaissance de cavalerie allemande, qui s'était aventurée au-delà de Rouen pour piller les voitures des riches bourgeois en fuite vers Le Havre.

« La malchance continua. Au début de janvier, le cardinal reçut un émissaire du chevalier des Aubes. Le vieillard n'avait pu survivre à la défaite de son pays. Avant de mourir, il avait griffonné ces deux phrases, presque illisibles :

« Le mot de la formule qui désigne l'emplacement est gravé au fond du coffret... J'ai caché le chandelier de cuivre dans mon jardin. »

« Ainsi, il ne restait plus rien de l'aventure. Le coffret étant volé, aucune preuve ne permettrait d'affirmer que le récit du chevalier des Aubes contenait la moindre parcelle de vérité. Personne n'avait même vu les pierres. Etaient-elles vraies ? Mieux que cela : existaient-elles autrement que dans l'imagination du chevalier ? Et le coffret ne servait-il pas simplement d'écrin à quelques bijoux de théâtre et à quelques cailloux de couleur ?

« Le doute envahit peu à peu l'esprit du cardinal, un doute assez tenace pour qu'il se résolût, en fin de compte, à garder le silence. Le récit du chevalier des Aubes devait être considéré comme une divagation de vieillard. Il eût été dangereux de répandre de telles billevesées. Donc il se tut. Mais...

— Mais, répéta Raoul d'Andrésy que de telles billevesées semblaient intéresser prodigieusement...

— Mais, répondit Joséphine Balsamo, avant de prendre une résolution définitive il avait écrit ces quelques pages, ce mémoire relatif à son entretien du château de Gueures et aux incidents qui suivirent, mémoire qu'il oublia de brûler ou qu'on égara, et qui, quelques années après sa mort, fut trouvé dans un de ses livres de théologie, quand on vendit sa bibliothèque aux enchères.

— Trouvé par qui ?

— Par Beaumagnan. »

Joséphine Balsamo avait raconté cette histoire en tenant la tête baissée, et d'une voix un peu monotone, comme une leçon qu'on récite. En relevant les yeux, elle fut frappée par l'expression de Raoul.

« Qu'est-ce que tu as ? dit-elle.

— Cela me passionne. Pense donc, Josine, pense donc que, de proche en proche, par les confidences de trois vieillards qui se sont transmis le flambeau, nous remontons à plus d'un siècle, et que, de là, nous nous rattachons à une légende, que dis-je, à un secret formidable qui date du Moyen Age. La chaîne ne s'est pas rompue. Tous les maillons sont en place. Et, dernier anneau de cette chaîne, voilà que Beaumagnan apparaît. Qu'a-t-il fait, Beaumagnan ? Faut-il le déclarer

164

digne de son rôle, ou l'en déposséder ? Dois-je m'associer à lui ou lui arracher le flambeau ? »

L'exaltation de Raoul convainquit la Cagliostro qu'il ne lui permettrait pas de s'interrompre. Elle hésitait cependant, car les paroles les plus importantes peut-être, en tout cas les plus graves, puisqu'il s'agissait de son rôle, n'avaient pas été prononcées. Mais il lui dit :

« Continue, Josine. Nous sommes sur une route magnifique. Marchons ensemble, et nous toucherons ensemble la récompense qui est à portée de nos mains. »

Elle continua :

« Beaumagnan s'explique d'un mot : c'est un ambitieux. Dès le début, il a mis sa vocation religieuse, qui est réelle, au service de son ambition, qui est démesurée, et l'une et l'autre l'ont conduit à se glisser dans la Compagnie de Jésus où il occupe un poste considérable. La découverte du mémoire le grisa. Les vastes horizons s'ouvraient devant lui. Il parvint à convaincre certains de ses supérieurs, les enflamma pour la conquête des richesses, et il obtint qu'on fit jouer en faveur de son entreprise toutes les influences dont les jésuites disposent.

« Aussitôt il groupa autour de lui une douzaine de hobereaux plus ou moins honorables et plus ou moins endettés, auxquels il ne dévoila qu'une partie de l'affaire, et qu'il organisa en une véritable association de conspirateurs prêts à toutes les besognes. Chacun eut son champ d'action, chacun sa sphère d'investigations. Beaumagnan les tenait par l'argent dont il est prodigue.

« Deux années de recherches minutieuses aboutirent à ces résultats qui ne sont pas négligeables. Tout d'abord on sut que le prêtre décapité s'appelait le frère Nicolas, trésorier de l'abbaye de Fécamp. Ensuite à force de fouiller les archives secrètes et les vieux cartulaires, on découvrit des correspondances curieuses échangées jadis entre tous les monastères de France, et il parut établi que, depuis un temps très reculé, il y avait une circulation d'argent qui était comme une dîme payée bénévolement par toutes les institutions religieuses, et recueillie par les seuls monastères du pays de Caux. Cela semblait constituer un trésor commun, une réserve inépuisable en vue d'assauts possibles à soutenir ou de croisades à entreprendre. Un conseil de trésorerie, composé de sept membres, gérait ces richesses, mais seul l'un d'eux en connaissait l'emplacement.

« La Révolution avait détruit tous ces monastères. Mais les richesses existaient. Le frère Nicolas en avait été le dernier gardien. »

Un grand silence prolongea les paroles de Joséphine Balsamo. La curiosité de Raoul n'avait pas été déçue, et il éprouvait une vive émotion.

Il murmura avec un enthousiasme contenu :

« Que tout cela est beau ! Quelle magnifique aventure ! J'ai toujours eu la certitude que le passé avait légué au présent de ces trésors fabuleux dont la recherche prend inévitablement la forme d'un insoluble problème. Comment en serait-il autrement ? Nos ancêtres ne disposaient pas comme nous des coffres-forts et des caves de la Banque de France. Ils étaient obligés de choisir des cachettes naturelles où ils entassaient l'or et les bijoux, et dont ils transmettaient le secret par quelque formule mnémotechnique qui était comme le chiffre de la serrure. Qu'un cataclysme survînt, le secret était perdu, et perdu le trésor si péniblement accumulé. »

Son effervescence croissait et il scanda joyeusement :

« Celui-là ne le sera pas, Joséphine Balsamo, et c'est l'un des plus fantastiques. Si le frère Nicolas a dit vrai, et tout l'atteste, si les dix mille pierres précieuses ont été glissées dans l'étrange tirelire, c'est à quelque chose comme un milliard de francs qu'il faudrait évaluer ces biens de main-morte légués par le Moyen Age[1], tout cet effort de millions et de millions de moines, cette gigantesque offrande de tout le peuple chrétien et des grandes époques de fanatisme, tout cela qui est dans les flancs de la borne de granit, au milieu d'un verger normand ! Est-ce admirable ?

« Et ton rôle dans l'aventure, Joséphine Balsamo ? Qu'as-tu donc apporté ? Tiens-tu de Cagliostro quelque indication spéciale ?

— Quelques mots seulement, dit-elle. Sur la liste que je possède des quatre énigmes révélées par lui, il a écrit, en face de celle-ci et de « La

_____

1. Il est hors de doute que la fameuse légende du Milliard des Congrégations trouve ici son origine.

Fortune des Rois de France[1] » cette note : « *Entre Rouen, Le Havre et Dieppe. (Aveux de Marie-Antoinette.)* »

— Oui, oui, reprit Raoul sourdement, le pays de Caux... l'estuaire du vieux fleuve au bord duquel ont prospéré les rois de France et les moines... C'est bien là que sont cachées les économies de dix siècles de religion... Les deux coffres sont là, non loin l'un de l'autre, naturellement, et c'est là que je les trouverai. »

Puis, se tournant vers Josine :

« Alors tu cherchais aussi ?

— Oui, mais sans données précises...

— Et une autre femme cherchait comme toi ? dit-il en la regardant au fond des yeux, celle qui a tué les deux amis de Beaumagnan ?

— Oui, dit-elle, la marquise de Belmonte qui est, je le suppose, une descendante de Cagliostro.

— Et tu n'as rien découvert ?

— Rien, jusqu'au jour où j'ai rencontré Beaumagnan.

— Lequel voulait venger le meurtre de ses amis ?

— Oui, dit-elle.

— Et Beaumagnan, peu à peu, t'a confié ce qu'il savait ?

— Oui.

— De lui-même ?

— De lui-même...

— C'est-à-dire que tu as deviné qu'il poursui-

---

1. Voir *L'Aiguille creuse* (Aventures d'Arsène Lupin).

vait le même but que toi, et tu as profité de l'amour que tu lui inspirais pour l'amener aux confidences.

— Oui, dit-elle franchement.

— C'était jouer gros jeu.

— C'était jouer ma vie. En décidant de me tuer, il a voulu certes s'affranchir de l'amour dont il souffrait, puisque je n'y répondais pas, mais aussi et surtout il a eu peur des révélations qu'il m'avait faites. Je suis devenue soudain, pour lui, l'ennemie qui pouvait atteindre le but avant lui.

« Le jour où il s'est aperçu de la faute commise, j'étais condamnée.

— Cependant ses découvertes se réduisaient à quelques données historiques, assez vagues somme toute ?

— A cela seulement.

— Et la branche du chandelier que j'ai sortie du pilastre fut le premier élément de vérité positive.

— Le premier.

— Du moins je le suppose. Car, depuis votre rupture, rien ne prouve qu'il n'ait avancé, lui, de quelques pas.

— De quelques pas ?

— Oui, d'un pas tout au moins. Hier soir Beaumagnan est venu au théâtre. Pourquoi ? Sinon pour cette raison que Brigitte Rousselin portait sur son front un bandeau composé de *sept pierres*. Il a voulu se rendre compte de ce que cela signifiait, et sans doute est-ce lui, ce matin, qui a fait surveiller la maison de Brigitte.

— En admettant qu'il en soit ainsi, nous ne pouvons rien savoir.

— Nous pouvons le savoir, Josine.

— Comment ? Par qui ?

— Par Brigitte Rousselin. »

Elle tressaillit.

« Brigitte Rousselin...

— Certes, dit-il tranquillement, il suffit de l'interroger.

— Interroger cette femme ?

— Je parle d'elle et non d'une autre.

— Mais alors... mais alors... elle vit donc ?

— Parbleu ! » dit-il.

Il se leva de nouveau et pivota deux ou trois fois sur ses talons, petit tournoiement qu'il fit suivre d'une esquisse de danse qui tenait du cancan et de la gigue.

« Je t'en supplie, comtesse de Cagliostro, ne me lance pas des regards furieux. Si je n'avais pas provoqué en toi une secousse nerveuse assez forte pour démolir ta résistance, tu ne soufflais pas mot de l'aventure, et où en serions-nous ? Un jour ou l'autre Beaumagnan étouffait le milliard, et Joséphine se mordait les pouces. Allons, un joli sourire au lieu de cet œil chargé de haine. »

Elle chuchota :

« Tu as eu l'audace !... tu as osé !... Et toutes ces menaces, tout ce chantage pour me contraindre à parler, c'était de la comédie ? Ah ! Raoul, je ne te pardonnerai jamais.

— Mais si, mais si, dit-il d'un ton badin, tu pardonneras. Simple petite blessure d'amour-propre, qui n'a rien à voir avec notre amour, ma chérie ! Entre gens qui s'aiment comme nous, cela n'existe pas. Un jour c'est l'un qui égratigne, le lendemain c'est l'autre... jusqu'à l'instant où l'accord est parfait sur tous les points.

— A moins qu'on ne rompe auparavant, fit-elle entre ses dents.

— Rompre ? parce que je t'ai soulagée de quelques confidences ? Rompre ?... »

Mais Joséphine gardait un air si déconcerté que, soudain, Raoul, pris d'un fou rire, dut interrompre ses explications. Il sautait d'un pied sur l'autre, et tout en gambadant, gémissait :

« Dieu ! que c'est drôle ! Madame est fâchée !... Alors, quoi ? plus moyen de se jouer des petits tours ?... Pour un rien, la moutarde vous monte au nez !... Ah ! ma bonne Joséphine, ce que tu m'auras fait rire ! »

Elle ne l'écoutait plus. Sans s'occuper de lui, elle enleva la serviette qui encapuchonnait Léonard et coupa les liens.

Léonard bondit vers Raoul, avec une allure de bête déchaînée.

« N'y touche pas ! » ordonna-t-elle.

Il s'arrêta net, les poings tendus contre le visage de Raoul, qui murmura les larmes aux yeux :

« Allons bon, voilà le sbire... un diable qui sort de sa boîte... »

Hors de lui, l'homme frémissait :

« On se retrouvera, mon petit monsieur... On se

retrouvera... mon petit monsieur... fût-ce dans cent ans...

— Tu comptes donc par siècles aussi, toi ! ricana Raoul, comme ta patronne...

— Va-t'en, exigea la Cagliostro en poussant Léonard jusqu'à la porte... Va-t'en... Tu emmèneras la voiture... »

Ils échangèrent quelques mots rapides en une langue que Raoul ne comprenait pas. Puis, quand elle fut seule avec le jeune homme, elle se rapprocha et lui dit d'une voix âpre :

« Et maintenant ?

— Maintenant ?

— Oui, tes intentions ?

— Mais tout à fait pures, Joséphine, des intentions angéliques.

— Assez de blagues. Que veux-tu faire ? Comment comptes-tu agir ? »

Devenu sérieux, il répondit :

« J'agirai différemment de toi, Josine, qui t'es toujours défiée. Je serai ce que tu n'as pas été, un ami loyal qui rougirait de te porter préjudice.

— C'est-à-dire ?

— C'est-à-dire que je vais poser à Brigitte Rousselin les quelques questions indispensables, et les poser de manière que tu entendes. Cela te convient ?

— Oui, dit-elle, toujours irritée.

— En ce cas, reste ici. Ce ne sera pas long. Le temps presse.

— Le temps presse ?

— Oui, tu vas comprendre, Josine. Ne bouge pas. »

Aussitôt Raoul ouvrit les deux portes de communication et les laissa entrebâillées afin que le moindre mot pût être perçu par elle, et se dirigea vers le lit où Brigitte Rousselin reposait sous la garde de Valentine.

La jeune actrice lui sourit. Malgré tout son effroi, et bien qu'elle ne saisît rien de ce qui se passait, elle avait, en voyant son sauveur, une impression de sécurité et de confiance qui la détendait.

« Je ne vous fatiguerai pas, dit-il... Une minute ou deux seulement. Vous êtes en état de répondre ?

— Oh ! certes.

— Eh bien ! voilà. Vous avez été victime d'une sorte de fou que la police surveillait et que l'on va interner. Donc, plus le moindre péril. Mais je voudrais éclaircir un point.

— Interrogez.

— Qu'est-ce que c'est que ce bandeau de pierreries ? De qui le tenez-vous ? »

Il sentit qu'elle hésitait. Cependant, elle avoua :

« Ce sont des pierres... que j'ai trouvées dans un vieux coffret.

— Un vieux coffret de bois ?

— Oui, tout fendu et qui n'était pas même fermé. Il était caché sous de la paille, dans le grenier de la petite maison que ma mère habite en province.

— Où ?

— A Lillebonne, entre Rouen et Le Havre.

— Je sais. Et ce coffret provenait ?...

— Je l'ignore. Je ne l'ai pas demandé à maman.

— Vous avez trouvé les pierres comme elles sont maintenant ?

— Non, elles étaient montées en bagues sur de gros anneaux d'argent.

— Et ces anneaux ?

— Je les avais encore hier dans ma boîte de maquillage au théâtre.

— Vous ne les avez donc plus ?

— Non, je les ai cédés à un monsieur qui est venu me féliciter dans ma loge et qui les a vus par hasard.

— Il était seul ?

— Avec deux messieurs. C'est un collectionneur. Je lui ai promis de lui rapporter les sept pierres aujourd'hui à trois heures afin qu'il reconstitue les bagues. Il doit me les racheter un bon prix.

— Ces anneaux portent des inscriptions à l'intérieur ?

— Oui... des mots en caractères anciens, auxquels je n'ai pas fait attention. »

Raoul réfléchit et conclut d'une voix un peu grave :

« Je vous conseille de garder le secret le plus absolu sur tous ces événements. Sinon, l'affaire pourrait avoir des conséquences fâcheuses, non pas pour vous, mais pour votre mère. Il est assez étonnant qu'elle dissimule chez elle des bagues, sans valeur évidemment, mais d'un grand intérêt historique. »

Brigitte Rousselin s'effara :

« Je suis toute prête à les rendre.

— Inutile. Conservez les pierres. Moi, je vais exiger en votre nom la restitution des anneaux. Où demeure ce monsieur ?

— Rue de Vaugirard.

— Son nom ?

— Beaumagnan.

— Bien. Un dernier conseil, mademoiselle. Quittez cette maison. Elle est trop isolée. Et pendant quelque temps (mettons un mois) allez vivre à l'hôtel avec votre femme de chambre. Vous n'y recevrez personne. C'est convenu ?

— Oui, monsieur. »

Dehors, Joséphine Balsamo s'accrocha au bras de Raoul d'Andrésy. Elle semblait très agitée et bien loin de toute idée de vengeance et de rancune. A la fin, elle lui dit :

« J'ai compris, n'est-ce pas ? Tu vas chez lui ?

— Chez Beaumagnan.

— C'est de la démence.

— Pourquoi ?

— Chez Beaumagnan ! Et à une heure où tu sais qu'il est chez lui, avec les deux autres.

— Deux plus un égale trois.

— N'y va pas, je t'en prie.

— Et après ? Crois-tu qu'ils me mangeront ?

— Beaumagnan est capable de tout.

— C'est donc un anthropophage ?

— Oh ! ne ris pas, Raoul !

— Ne pleure pas, Josine. »

Il sentit qu'elle était sincère et que, par un retour de tendresse féminine, elle oubliait leur désaccord, et tremblait pour lui.

« N'y va pas, Raoul, répéta-t-elle. Je connais le logis de Beaumagnan. Les trois bandits se jetteraient sur toi, que personne ne pourrait te secourir.

— Tant mieux, dit-il, car personne ne pourrait les secourir non plus, eux.

— Raoul, Raoul, tu plaisantes, et cependant... »

Il la pressa contre lui.

« Ecoute, Josine, j'arrive bon dernier au milieu d'une affaire colossale où je me trouve en présence de deux organisations puissantes, la tienne et celle de Beaumagnan qui, toutes les deux, naturellement, se refusent à m'accueillir, moi, troisième larron... de sorte que si je n'emploie pas les grands moyens, je risque de demeurer Gros-Jean comme devant. Laisse-moi donc m'arranger avec notre ennemi, Beaumagnan, de la même manière que je me suis arrangé avec mon amie Joséphine Balsamo. Je ne me suis pas trop mal pris, n'est-ce pas, et tu ne peux pas nier que j'aie quelques cordes à mon arc ?... »

C'était la blesser de nouveau. Elle dégagea son

bras, et ils marchèrent l'un près de l'autre, en silence.

Au fond de lui, Raoul se demandait si son adversaire le plus implacable n'était pas cette femme au doux visage qu'il aimait si ardemment et de qui il était si ardemment aimé.

IX

LA ROCHE TARPÉIENNE

« Monsieur Beaumagnan, c'est ici ? »

A l'intérieur, le battant d'un judas avait été tiré, et le visage d'un vieux domestique se collait à la grille.

« C'est ici. Mais monsieur ne reçoit pas.

— Allez lui dire que c'est de la part de Mlle Brigitte Rousselin. »

Le logis de Beaumagnan, qui occupait le rez-de-chaussée, formait hôtel avec le premier étage. Pas de concierge. Pas de sonnette. Un marteau de fer qu'on heurtait contre une porte massive munie d'un guichet de prison.

Raoul attendit plus de cinq minutes. La visite d'un jeune homme, alors qu'on prévoyait celle de la jeune actrice, devait intriguer les trois personnages.

« On demande à monsieur de donner sa carte », revint dire le domestique.

Raoul donna sa carte.

Nouvelle attente. Puis un bruit de verrous tirés et de chaîne décrochée, et Raoul fut conduit à travers un large vestibule bien ciré, semblable à un parloir de couvent, et dont les murs suintaient.

On passa devant plusieurs portes. La dernière était doublée d'un vantail capitonné de cuir.

Le vieux serviteur ouvrit et referma derrière le jeune homme, qui se trouva seul en face de ses trois ennemis, car pouvait-il appeler autrement ces trois hommes dont deux, tout au moins, guettaient son entrée, debout, dans des postures de boxeurs qui vont déclencher leur attaque ?

« C'est lui ! c'est bien lui ! cria Godefroy d'Etigues, soulevé de rage. Beaumagnan, c'est lui, notre homme de Gueures, celui qui a volé la branche du chandelier. Ah ! il en a de l'aplomb ! Que venez-vous faire aujourd'hui ? Si c'est pour la main de ma fille... »

Raoul répondit en riant :

« Mais enfin, monsieur, vous ne pensez donc qu'à cela ? J'éprouve pour Mlle Clarisse les mêmes sentiments profonds, je garde au fond de moi le même espoir respectueux. Mais, pas plus aujourd'hui que le jour de Gueures, le but de ma visite n'est matrimonial.

— Alors, votre but ?... mâchonna le baron.

— Le jour de Gueures, c'était de vous enfermer dans une cave. Aujourd'hui... »

Beaumagnan dut intervenir, sans quoi Godefroy d'Etigues s'élançait sur l'intrus.

« Restons-en là, Godefroy. Asseyez-vous, et que

monsieur veuille bien nous dire la raison de sa visite. »

Lui-même, il s'assit devant son bureau. Raoul s'installa.

Avant de parler, il prit le temps d'examiner ses interlocuteurs dont les visages lui semblaient changés depuis la réunion de la Haie d'Etigues. En particulier, le baron avait vieilli. Ses joues s'étaient creusées et l'expression de ses yeux avait, à certaines minutes, quelque chose de hagard qui frappa le jeune homme. L'idée fixe, le remords donnent cette fièvre et cette inquiétude que Raoul crut discerner également sur le visage tourmenté de Beaumagnan.

Cependant celui-ci restait plus maître de lui. Si le souvenir de Josine morte le hantait, cela devait être plutôt à la manière d'un débat de conscience où l'on juge ses actes et où l'on se confirme dans son droit. Drame tout intérieur qui n'affectait pas l'apparence même de l'homme et ne pouvait compromettre son équilibre que par saccades et aux minutes de crise.

« Ces minutes-là, se dit Raoul, c'est à moi de les créer si je veux réussir. Lui ou moi, il faut que l'un des deux flanche. »

Et, comme Beaumagnan reprenait :

« Que désirez-vous ? Le nom de Mlle Rousselin vous a servi pour pénétrer chez moi. Dans quelle intention ?... »

Il répondit hardiment :

« Dans l'intention, monsieur, de poursuivre l'entretien que vous avez commencé hier soir, avec elle, au théâtre des Variétés. »

L'attaque était directe. Mais Beaumagnan ne se déroba pas.

« J'estime, dit-il, que cet entretien ne pouvait se continuer qu'avec elle, et c'est elle seule que j'attendais.

— Une raison sérieuse a retenu Mlle Rousselin, dit Raoul.

— Une raison très sérieuse ?

— Oui. Elle a été victime d'une tentative de meurtre.

— Hein ? Que dites-vous ? On a essayé de la tuer ? Et pourquoi ?

— Pour lui prendre les sept pierres, de même que vous et ces messieurs lui aviez pris les sept anneaux. »

Godefroy et Oscar de Bennetot s'agitèrent sur leurs chaises. Beaumagnan se contint, mais il observait avec étonnement ce tout jeune homme, dont l'intervention inexplicable prenait cette allure de défi et d'arrogance. En tout cas, l'adversaire lui semblait d'étoffe un peu mince, et on le sentit au ton négligent de sa riposte :

« Voilà deux fois, monsieur, que vous vous mêlez de ce qui ne vous regarde pas, et d'une manière qui nous obligera sans doute à vous donner la leçon que vous méritez. Une première fois, à Gueures, après avoir attiré mes amis dans un guet-apens, vous vous êtes emparé d'un objet qui nous appartenait, ce qui, en langage ordinaire, s'appelle tout uniment un vol qualifié.

Aujourd'hui, votre agression est encore plus choquante, puisque vous venez nous insulter en face, sans le moindre prétexte, et tout en sachant fort bien que nous n'avons pas volé ces bagues, mais qu'elles nous ont été cédées. Pouvez-vous nous dire les motifs de votre conduite ?

— Vous savez fort bien également, répondit Raoul, qu'il n'y a eu de mon côté ni vol ni agression, mais simplement l'effort de quelqu'un qui poursuit le même but que vous.

— Ah ! vous poursuivez le même but que nous ? interrogea Beaumagnan avec quelque moquerie. Et quel est ce but, s'il vous plaît ?

— La découverte des dix mille pierres précieuses cachées au creux d'une borne de granit. »

Du coup, Beaumagnan fut démonté, et, par son attitude et son silence gêné, il le laissa voir assez maladroitement. Sur quoi, Raoul renforça son attaque :

« Alors, n'est-ce pas, comme nous cherchons tous deux le trésor fabuleux des anciens monastères, il arrive que nos chemins se croisent, ce qui produit un choc entre nous. Toute l'affaire est là. »

Le trésor des monastères ! La borne de granit ! Les dix mille pierres précieuses ! Chacun de ces mots frappait Beaumagnan comme une massue. Ainsi donc on devait encore compter avec ce rival ! La Cagliostro disparue, il surgissait un autre compétiteur dans la course aux millions !

Godefroy d'Etigues et Bennetot roulaient des regards féroces et bombaient leurs bustes d'athlètes prêts à la lutte. Beaumagnan, lui, se raidissait pour recouvrer un sang-froid dont il sentait l'impérieuse nécessité.

« Légendes ! dit-il, tout en essayant d'assurer sa voix et de retrouver le fil de ses idées. Commérages de bonne femme ! Contes à dormir debout ! Et c'est à cela que vous perdez votre temps ?

— Je ne le perds pas plus que vous, répliqua Raoul, qui ne voulait point que Beaumagnan se remît d'aplomb et qui ne manquait pas une occasion de l'étourdir. Pas plus que vous dont tous les actes tournent autour de ce trésor... pas plus que ne le perdait le cardinal de Bonnechose dont la relation n'était pourtant pas un commérage de bonne femme. Pas plus que la douzaine d'amis dont vous êtes le chef et l'inspirateur.

— Seigneur Dieu, fit Beaumagnan qui affecta l'ironie, ce que vous êtes bien renseigné !

— Beaucoup mieux que vous ne pouvez le croire !

— Et de qui tenez-vous ces renseignements ?

— D'une femme !

— Une femme ?

— Joséphine Balsamo, comtesse de Cagliostro.

— La comtesse de Cagliostro ! s'écria Beaumagnan, bouleversé. Vous l'avez donc connue ! »

Le plan de Raoul se réalisait soudain. Il lui avait suffi de jeter dans le débat le nom de Cagliostro pour mettre l'adversaire en désarroi, et ce désarroi était tel que Beaumagnan, imprudence inexplicable, parlait de la Cagliostro comme d'une personne qui n'était plus vivante.

« Vous l'avez connue ? Où ? Quand ? Que vous a-t-elle dit ?

— Je l'ai connue au début de l'hiver dernier, comme vous, monsieur, répondit Raoul, aggravant son offensive. Et, tout cet hiver, jusqu'au moment où j'ai eu la joie de rencontrer la fille du baron d'Etigues, je l'ai vue à peu près chaque jour.

— Vous mentez, monsieur, proféra Beaumagnan. Elle n'a pu vous voir chaque jour. Elle aurait prononcé votre nom devant moi ! J'étais assez de ses amis pour qu'elle ne gardât pas un secret de ce genre !

— Elle gardait celui-là.

— Infamie ! Vous voulez faire croire qu'il y a eu entre elle et vous une intimité impossible ! C'est faux, monsieur. On peut reprocher à Joséphine Balsamo bien des choses : sa coquetterie, sa fourberie, mais pas cela, pas un acte de débauche.

— L'amour n'est pas la débauche, fit Raoul, tranquillement :

— Que dites-vous ? de l'amour ? Joséphine Balsamo vous aimait ?

— Oui, monsieur. »

Beaumagnan était hors de lui. Il brandissait son poing devant le visage de Raoul. A son tour on dut le calmer, mais il tremblait de fureur et la sueur lui coulait du front.

« Je le tiens, pensa Raoul tout joyeux. Sur la question du crime et des remords, il ne bronche pas. Mais il est encore rongé par l'amour et je le conduirai où je voudrai. »

Une ou deux minutes s'écoulèrent. Beaumagnan s'épongeait la figure. Il avala un verre d'eau, et, se rendant compte que l'ennemi, si mince qu'il fût, n'était pas de ceux dont on se débarrasse en un tournemain, il reprit :

« Nous nous égarons, monsieur. Vos sentiments personnels pour la comtesse de Cagliostro n'ont rien à voir avec ce qui nous occupe aujourd'hui. Je reviens donc à ma première question : que venez-vous faire ici ?

— Rien que de très simple, répondit Raoul, et une brève explication suffira. A l'égard des richesses religieuses du Moyen Age, richesses que, personnellement, vous voulez faire entrer dans les caisses de la Société de Jésus — voici où nous en sommes : ces offrandes, canalisées à travers toutes les provinces, étaient envoyées aux sept principales abbayes de Caux et constituaient une masse commune gérée par ce qu'on pourrait appeler sept administrateurs délégués, dont un seul connaissait l'emplacement du coffre-fort et le chiffre de la serrure. Chaque abbaye possédait une bague épiscopale ou pas- torale qu'elle transmettait, de génération en génération, à son propre délégué. Comme symbole de sa mission, le comité des sept était représenté par un chandelier à sept branches, dont chaque branche portait, souvenir de la liturgie hébraïque et du temple de Moïse, une pierre de la même couleur et de la même matière que la bague à laquelle elle correspondait. Ainsi la branche que j'ai trouvée à Gueures porte une pierre rouge, un faux grenat, qui était la pierre représentative de telle abbaye, et d'autre part nous savons que le frère Nicolas, dernier administrateur en chef des monastères cauchois, était un moine de l'abbaye de Fécamp. Nous sommes d'accord ?

— Oui.

— Donc, il suffit de connaître le nom des sept abbayes pour connaître sept emplacements où des recherches aient des chances d'aboutir. Or, sept noms sont inscrits à l'intérieur des sept anneaux que Brigitte Rousselin vous a cédés hier soir au théâtre. Ce sont ces sept anneaux que je vous demande d'examiner.

— C'est-à-dire, scanda Beaumagnan, que nous avons cherché pendant des années et des années, et que vous, du premier coup, vous prétendez parvenir au même but que nous ?

— C'est exactement cela.

— Et si je refuse ?

— Pardon, refusez-vous ? Je ne répondrai qu'à une réponse formelle.

— Evidemment, je refuse. Votre demande est absolument insensée, et, de la façon la plus catégorique, je refuse.

— Alors je vous dénonce. »

Beaumagnan parut abasourdi. Il observa Raoul comme s'il eût affaire à un fou.

« Vous me dénoncez... Qu'est-ce que c'est que cette nouvelle histoire ?

— Je vous dénonce tous les trois,

— Tous les trois ? ricana-t-il. Mais à quel propos, mon petit monsieur ?

— Je vous dénonce tous les trois comme les assassins de Joséphine Balsamo, comtesse de Cagliostro. »

Il n'y eut pas la moindre protestation. Pas un geste de révolte. Godefroy d'Etigues et son cousin Bennetot s'effondrèrent un peu plus sur leurs chaises. Beaumagnan était livide et son ricanement s'achevait en une grimace affreuse.

Il se leva, donna un tour de clef à la serrure et mit la clef dans sa poche, ce qui eut pour effet de rendre quelque ressort à ses deux acolytes. Le coup de force que semblait annoncer l'acte de leur chef les ranimait.

Raoul eut l'audace de plaisanter :

« Monsieur, dit-il, quand un conscrit arrive au régiment, on le plante à cheval sans étriers, jusqu'à ce qu'il tienne d'aplomb.

— Ce qui signifie ?...

— Ceci : je me suis juré de ne jamais porter de revolver sur moi, jusqu'au jour où je saurais faire face à toutes les situations avec le seul secours de mon cerveau. Donc, vous êtes avertis : je n'ai pas d'étriers... ou plutôt, je n'ai pas de revolver. Vous êtes trois, tous trois armés, et je suis seul. Donc...

— Donc, assez de mots, déclara Beaumagnan, d'une voix menaçante. Des faits. Vous nous accusez d'avoir assassiné la Cagliostro ?

— Oui.

— Vous avez des preuves pour soutenir cette accusation ahurissante ?

— J'en ai.

— J'écoute.

— Voici. Il y a quelques semaines, j'errais autour du domaine de la Haie d'Etigues, espérant que le hasard me permettrait de voir Mlle d'Etigues, quand j'ai aperçu une voiture conduite par un de vos amis. Cette voiture est entrée dans le domaine. Moi également. Une femme, Joséphine Balsamo, a été transportée dans la salle de l'ancienne tour, où vous étiez tous réunis en soi-disant tribunal. Son procès a été instruit de la façon la plus déloyale et la plus perfide. Vous étiez l'accusateur public, monsieur, et vous avez poussé la fourberie et la vanité jusqu'à laisser croire que cette femme avait été votre maîtresse. Quant à ces deux messieurs, ils ont joué le rôle de bourreaux.

— La preuve ! La preuve ! grinça Beaumagnan, dont la figure devenait méconnaissable.

— J'étais là, couché dans l'embrasure d'une ancienne fenêtre, au-dessus de votre tête, monsieur.

— Impossible ! balbutia Beaumagnan. Si c'était vrai, vous auriez tenté d'intervenir et de la sauver.

— La sauver de quoi ? demanda Raoul qui ne voulait justement rien révéler du sauvetage de la Cagliostro. J'ai cru, comme vos autres amis, que vous la condamniez à la claustration dans une maison de fous anglaise. Je suis donc parti en même temps que les autres. J'ai couru jusqu'à Etretat. J'ai loué une barque, et, le soir, j'ai ramé au-devant de ce yacht anglais que vous aviez annoncé et dont j'avais l'intention d'effrayer le capitaine.

« Fausse manœuvre, et qui a coûté la vie à la malheureuse. Ce n'est que plus tard que j'ai compris votre ruse ignoble et que j'ai pu reconstituer votre crime dans toute son horreur, la descente de vos deux complices par l'Escalier du Curé, la barque trouée et la noyade. »

Tout en écoutant avec une frayeur visible, les trois hommes avaient rapproché leurs chaises peu à peu. Bennetot écarta la table qui faisait comme un rempart au jeune homme. Raoul avisa la face atroce de Godefroy d'Etigues et le rictus qui lui tordait la bouche.

Un signe de Beaumagnan, et le baron braquait un revolver et brûlait la cervelle de l'imprudent...

Et peut-être fut-ce précisément cette imprudence inexplicable qui retardait l'ordre de Beaumagnan. Il chuchota, l'air redoutable :

« Je vous répéterai, monsieur, que vous n'aviez pas le droit d'agir comme vous l'avez fait et de vous mêler de ce qui ne vous concerne pas. Mais je me refuse à mentir et à nier ce qui fut. Seulement... seulement je me demande, puisque vous avez surpris un tel secret, comment vous osez être là et nous provoquer ? C'est de la démence !

— Pourquoi donc, monsieur ? fit Raoul avec candeur.

— Parce que votre existence est entre nos mains. »

Il haussa les épaules.

« Mon existence est à l'abri de tout danger.

— Nous sommes trois cependant et d'humeur peu accommodante sur un point qui touche d'aussi près notre sécurité.

— Je ne cours pas plus de risques entre vous trois, affirma Raoul, que si vous étiez mes défenseurs.

— En êtes-vous absolument certain ?

— Oui, puisque vous ne m'avez pas encore tué après tout ce que j'ai dit.

— Et si je m'y décidais ?

— Une heure plus tard, vous seriez arrêtés tous les trois.

— Allons donc !

— Comme j'ai l'honneur de vous le dire. Il est quatre heures cinq. Un de mes amis se promène aux environs de la Préfecture de police. Si, à quatre heures trois quarts, je ne l'ai pas rejoint, il avertit le chef de la Sûreté.

— Des blagues ! Des balivernes ! s'écria Beaumagnan qui semblait reprendre espoir. Je suis connu. Dès qu'il aura prononcé mon nom, on lui rira au nez, à votre ami.

— On l'écoutera.

— En attendant... », murmura Beaumagnan qui se tourna vers Godefroy d'Etigues.

L'ordre de mort allait être donné. Raoul éprouva la volupté du péril. Quelques secondes encore, et le geste dont il avait retardé l'exécution

190

par son extraordinaire sang-froid, serait accompli.

« Un mot encore, dit-il.

— Parlez, gronda Beaumagnan, mais à la condition que ce mot soit une preuve contre nous. Je ne veux plus d'accusations. De cela et de ce que la justice peut penser, je m'en charge. Mais je veux une preuve, qui me montre que je ne perds pas mon temps en discutant avec vous. Une preuve immédiate, sinon... »

Il s'était levé de nouveau. Raoul se dressa devant lui, et, les yeux dans les yeux, tenace, autoritaire, il articula :

« Une preuve... Sinon, c'est la mort, n'est-ce pas ?

— Oui.

— Voici ma réponse. Les sept anneaux, tout de suite. Sans quoi...

— Sans quoi ?

— Mon ami remet à la police la lettre que vous avez écrite au baron d'Etigues pour lui indiquer le moyen de s'emparer de Joséphine Balsamo, et pour le contraindre à l'assassinat. »

Beaumagnan joua la surprise.

« Une lettre ? Des conseils d'assassinat ?

— Oui, précisa Raoul... une lettre en quelque sorte déguisée, et dont il suffisait de négliger les phrases inutiles. »

Beaumagnan éclata de rire,

« Ah ! oui, je sais... je me rappelle... un griffonnage...

— Un griffonnage qui constitue contre vous la preuve irrécusable que vous réclamiez.

— En effet..., en effet, je l'avoue, dit Beaumagnan, toujours ironique. Seulement je ne suis pas un collégien, et je prends mes précautions. Or cette lettre me fut rendue par le baron d'Etigues dès le début de la réunion.

— La copie vous fut rendue, mais j'ai gardé l'original que j'ai trouvé dans une rainure du bureau à cylindre dont se sert le baron. C'est cet original que mon ami remettra à la police. »

Le cercle formé autour de Raoul se desserra. Les visages féroces des deux cousins n'avaient plus d'autre expression que celle de la peur et de l'angoisse. Raoul pensa que le duel était fini, et fini sans qu'il y eût réellement combat. Quelques froissements d'épée, quelques feintes. Pas de corps à corps. L'affaire avait été si bien menée, il avait par des manœuvres adroites si bien acculé Beaumagnan à une situation si tragique que, dans l'état d'esprit où il se trouvait, Beaumagnan ne pouvait plus juger sainement les choses et discerner les points faibles de l'adversaire.

Car enfin, cette lettre, Raoul affirmait bien qu'il en possédait l'original. Mais sur quoi s'appuyait-il pour l'affirmer ? Sur rien. De sorte que Beaumagnan qui exigeait une preuve irréfutable et palpable avant de céder, tout à coup, par une anomalie singulière, mais à quoi les manœuvres de Raoul avaient abouti, se contentait de l'unique affirmation de Raoul.

De fait, il lâcha pied brusquement, sans marchandage et sans tergiversation. Il ouvrit le tiroir, prit les sept anneaux, et dit simplement :

« Qui m'assure que vous ne vous servirez plus de cette lettre contre nous ?

— Vous avez ma parole, monsieur, et d'ailleurs, entre nous, les circonstances ne se représentent jamais de la même façon. La prochaine fois, vous saurez prendre l'avantage.

— N'en doutez pas, monsieur », dit Beaumagnan avec une rage contenue.

Raoul saisit les anneaux d'une main fébrile. Chacun d'eux, en effet, portait à l'intérieur un nom. Sur un bout de papier, rapidement, il inscrivit les sept noms d'abbayes :

Fécamp,

Saint-Wandrille,

Jumièges,

Valmont,

Cruchet-le-Valasse,

Montivilliers,

Saint-Georges-de-Boscherville.

Beaumagnan avait sonné, mais il retint le domestique dans le couloir, et s'approchant de Raoul :

« A tout hasard, une proposition... Vous connaissez nos efforts. Vous savez exactement où nous en sommes et que le but, en définitive, n'est pas éloigné.

— C'est mon avis, dit Raoul.

— Eh bien ! seriez-vous disposé — je parle

sans ambages — à prendre place au milieu de nous ?

— Au même titre que vos amis ?

— Non. Au même titre que moi. »

L'offre était loyale, Raoul le sentit et fut flatté de l'hommage qu'on lui rendait. Peut-être eût-il accepté s'il n'y avait pas eu Joséphine Balsamo. Mais tout accord était impossible entre elle et Beaumagnan.

« Je vous remercie, dit Raoul, mais pour des raisons particulières, je dois refuser.

— Donc ennemi ?

— Non, monsieur, concurrent.

— Ennemi, insista Beaumagnan, et comme tel, exposé à...

— A être traité comme la comtesse de Cagliostro, interrompit Raoul.

— Vous l'avez dit, monsieur. Vous savez que la grandeur de notre but excuse les moyens que nous sommes parfois contraints d'adopter. Si ces moyens se retournent un jour ou l'autre contre vous, vous l'aurez voulu.

— Je l'aurai voulu. »

Beaumagnan rappela le domestique.

« Reconduisez monsieur. »

Raoul fit trois salutations profondes, et s'en alla le long du couloir, jusqu'à la porte au judas qui fut ouverte. Là il dit au vieux serviteur :

« Une seconde, mon ami, veuillez m'attendre. »

Il revint alors vivement vers le bureau où les trois hommes conféraient, et, se plantant sur le seuil, le bouton de la serrure dans la main, sa retraite assurée, il leur jeta d'une voix aimable :

« A propos de cette fameuse lettre si compromettante je dois vous faire un aveu qui vous donnera toute tranquillité, c'est que je n'en ai jamais pris copie, et, par conséquent, que mon ami n'en peut pas posséder l'original. Du reste ne croyez-vous pas que toute cette histoire d'ami qui se promène aux environs de la Préfecture, et qui guette les trois quarts de quatre heures est bien invraisemblable ? Dormez en paix, messieurs, et au plaisir de vous revoir. »

Il ferma la porte au nez de Beaumagnan et gagna la sortie avant que celui-ci eût le temps d'avertir son domestique.

La seconde bataille était gagnée.

Au bout de la rue, Joséphine Balsamo qui l'avait conduit chez Beaumagnan, attendait, la tête penchée hors de la portière d'un fiacre.

« Cocher, dit Raoul, gare Saint-Lazare, au départ des grandes lignes. »

Il sauta dans la voiture et s'écria aussitôt, tout frissonnant de joie, l'intonation conquérante :

« Tiens, chérie, voilà les sept noms indispensables. Voici la liste ! Prends-la.

— Alors ? dit-elle.

— Alors, ça y est. Deuxième victoire en un jour, et quelle victoire, celle-là ! Mon Dieu ! que c'est facile de rouler les gens ! Un peu d'audace, des idées claires, de la logique, la volonté absolue de filer comme une flèche vers le but. Et les obstacles s'abolissent d'eux-mêmes. Beaumagnan est un malin, n'est-ce pas ? Eh bien ! il a flanché comme toi, ma bonne Josine. Hein ? ton élève te fait-il honneur ? Deux maîtres de première classe, Beaumagnan et la fille de Cagliostro, écrasés, pulvérisés par un collégien ! Qu'en dis-tu, Joséphine ? »

Il s'interrompit :

« Tu ne m'en veux pas, chérie, de parler ainsi ?

— Mais non, mais non, dit-elle en souriant.

— Tu n'es plus vexée pour l'histoire de tout à l'heure ?

— Ah ! fit-elle, ne m'en demande pas trop ! Vois-tu, il ne faut pas me blesser dans mon orgueil. J'en ai beaucoup et je suis rancunière. Mais, avec toi, on ne peut pas t'en vouloir bien longtemps. Tu as quelque chose de spécial qui désarme.

— Beaumagnan n'est pas désarmé, lui, fichtre, non !

— Beaumagnan est un homme.

— Eh bien ! je ferai la guerre aux hommes ! Et je crois vraiment que je suis fait pour cela, Josine ! oui, pour l'aventure, pour la conquête, pour l'extraordinaire et le fabuleux. Je sens qu'il n'est point de situation d'où je ne puisse sortir à mon avantage. Alors, n'est-ce pas, Josine, c'est tentant de lutter quand on est sûr de vaincre ? »

Par les rues étroites de la rive gauche, la voiture courait bon train. On franchit la Seine.

« Et je vaincrai, Josine, dès aujourd'hui. J'ai tous les atouts en main. Dans quelques heures, je débarque à Lillebonne. Je déniche la veuve

Rousselin, et, qu'elle veuille ou non, j'examine le coffret en bois des Iles, sur lequel est gravé le mot de l'énigme. Et ça y est ! Avec ce mot-là, et avec le nom des sept abbayes, c'est bien le diable si je ne décroche pas la timbale ! »

Josine riait de son enthousiasme. Il exultait. Il racontait son duel avec Beaumagnan. Il embrassait la jeune femme, faisait des pieds de nez aux passants, ouvrait la glace, insultait le cocher dont le cheval trottait « comme une limace ».

« Au galop donc, vieux bougre ! Comment ! tu as l'honneur de traîner dans ton char le dieu de la Fortune et la reine de la Beauté, et ton coursier ne galope pas ! »

La voiture suivait l'avenue de l'Opéra. Elle coupa par la rue des Petits-Champs et la rue des Capucines. Dans la rue Caumartin le cheval prit le galop.

« Parfait ! cria Raoul. Cinq heures moins douze. Nous arriverons. Bien entendu, tu m'accompagnes à Lillebonne ?

— Pourquoi ? C'est inutile. Que l'un de nous deux y aille, c'est suffisant.

— A la bonne heure, dit Raoul, tu as confiance en moi, et tu sais que je ne trahirai pas, et que la partie est liée entre nous. La victoire de l'un est la victoire de l'autre. »

Mais comme on approchait de la rue Auber, une porte cochère s'ouvrit brusquement sur la gauche, la voiture tourna sans que le train fût ralenti, et pénétra dans une cour.

Trois hommes se présentèrent de chaque côté,

Raoul fut happé brutalement et enlevé avant même d'esquisser un geste de résistance.

Il eut juste le temps de distinguer la voix de Joséphine Balsamo qui, restée dans la voiture, commandait :

« Gare Saint-Lazare, et vivement ! »

Déjà les hommes se précipitaient à l'intérieur d'une maison et le jetaient dans une pièce à moitié obscure dont la porte massive fut barricadée derrière lui.

L'allégresse qui bouillonnait en Raoul était si forte qu'elle ne retomba pas aussitôt. Il continua de rire et de plaisanter, mais avec une rage croissante qui altérait le timbre de sa voix.

« A mon tour !... Bravo, Joséphine... Ah ! quel coup de maître ! Voilà qui est envoyé ! En pleine cible !... Et, vrai, je ne m'y attendais pas. Non, mais ce que ça devait t'amuser, mes chants de triomphe : « Je suis fait pour la conquête ! « pour l'extraordinaire et le fabuleux ! » Idiot, va ! Quand on est capable de pareilles boulettes, on ferme la bouche. Quelle dégringolade ! »

Il se rua sur la porte. A quoi bon ! une porte de prison. Il essaya de grimper vers un petit vasistas qui laissait filtrer une lumière jaunâtre. Mais comment l'atteindre ? D'ailleurs, un léger bruit attira son attention, et, dans la pénombre, il s'aperçut qu'un des murs, à l'angle même du plafond, était percé d'une sorte de meurtrière par où jaillissait le canon d'un fusil braqué en plein sur lui, se déplaçant et s'immobilisant dès que lui-même se déplaçait ou restait immobile.

Toute sa colère se tourna vers le tireur invisible qu'il accabla généreusement d'invectives :

« Canaille ! Misérable ! Descends donc de ton trou pour voir comment je m'appelle. Quel métier tu fais ! Et puis, va dire à ta maîtresse qu'elle ne l'emportera pas en paradis et qu'avant peu... »

Il s'arrêta soudain. Tout ce verbiage lui semblait stupide et, passant de la colère à une résignation subite, il s'étendit sur un lit de fer dressé dans une alcôve qui formait aussi cabinet de toilette.

« Après tout, dit-il, tue-moi si ça te plaît, mais laisse-moi dormir... »

Dormir, Raoul n'y songeait pas. Il s'agissait d'abord d'envisager la situation et d'en tirer les conclusions désagréables qu'elle comportait. Et c'était là chose facile qui se résumait en une phrase : Joséphine Balsamo se substituait à lui pour recueillir les fruits de la victoire qu'il avait préparée.

Mais quels moyens d'action fallait-il qu'elle eût à sa disposition pour avoir réussi en si peu de temps ! Raoul ne doutait pas que Léonard, accompagné d'un autre complice et d'une autre voiture, ne les eût suivis jusque chez Beaumagnan et ne se fût aussitôt concerté avec elle. Sur quoi, Léonard allait tendre le piège de la rue Caumartin, dans un logis spécialement affecté à cet usage, tandis que Joséphine Balsamo attendait.

Que pouvait-il faire, lui, à son âge, et seul, contre de tels ennemis ? D'une part Beaumagnan avec tout un monde de correspondants et d'affidés derrière lui. D'autre part Joséphine Balsamo et toute sa bande si puissamment organisée !

Raoul prit une résolution :

« Que je rentre plus tard dans le bon chemin, comme je l'espère, se dit-il, ou que je m'engage définitivement sur la route des aventures, ce qui est plus probable, je jure que, moi aussi, je disposerai des moyens d'action indispensables. Malheur aux solitaires ! Il n'y a que les chefs qui atteignent le but. J'ai dominé Joséphine, et cependant, c'est elle qui, ce soir, mettra la main sur le coffret précieux, tandis que Raoul gémit sur la paille humide. »

Il en était là de ses réflexions lorsqu'il se sentit envahi d'une torpeur inexplicable qui s'accompagnait d'un malaise général. Il lutta contre ce sommeil insolite. Mais, très rapidement, son cerveau s'emplissait de brume. En même temps il avait des nausées et une impression de pesanteur à l'estomac.

Secouant sa faiblesse, il réussit à marcher. Cela dura peu, l'engourdissement croissant, et tout à coup, il se rejeta sur son matelas, étreint par une pensée effroyable : il se souvenait que, dans la voiture, Joséphine Balsamo avait tiré de sa poche une petite bonbonnière en or dont elle se servait habituellement, et, tout en prenant deux ou trois dragées qu'elle avalait aussitôt, lui en avait offert une, d'un geste machinal.

« Ah ! murmura-t-il, tout couvert de sueur, elle

200

m'a empoisonné... les dragées qui restaient contenaient du poison... »

Ce fut une pensée dont il n'eut pas le loisir de vérifier la justesse. Saisi de vertige, il lui semblait tournoyer au-dessus d'un grand trou dans lequel il finit par tomber en sanglotant.

L'idée de la mort envahit Raoul assez profondément pour qu'il ne fût pas très sûr d'être vivant quand il rouvrit les yeux. Il fit péniblement quelques exercices de respiration, se pinça, parla tout haut. Il vivait ! Les bruits lointains de la rue achevèrent de le renseigner.

« Décidément, se dit-il, je ne suis pas mort. Mais quelle haute opinion j'ai de la femme que j'aime ! Pour un pauvre narcotique qu'elle m'a administré, comme c'était son droit, je l'accuse aussitôt d'être une empoisonneuse. »

Il n'aurait pu dire exactement combien de temps il avait dormi. Un jour ? Deux jours ? Davantage ? Sa tête était lourde, sa raison vacillait et une courbature infinie lui liait les membres.

Le long du mur, il avisa un panier de provisions que l'on avait dû descendre par la meurtrière. Aucun fusil ne paraissait là-haut.

Il avait faim et soif. Il mangea et but. Sa lassitude était telle qu'il ne réagissait plus à l'idée des conséquences que ce repas pouvait entraîner. Narcotique ? Poison ? Qu'importait ! Sommeil passager, sommeil éternel, tout lui était indifférent. Il se coucha de nouveau et, de nouveau, s'endormit pour des heures, pour des nuits et des jours...

A la fin, si accablant que fût son sommeil, Raoul d'Andrésy parvint à prendre conscience de certaines sensations, de même qu'on devine le terme d'un tunnel aux bouffées de lumière qui blanchissent les parois ténébreuses. Sensations plutôt agréables. C'était, sans aucun doute, des rêves, rêves de balancement très doux, que rythmait un bruit égal et continu. Il lui arriva de soulever ses paupières, et alors il apercevait le cadre rectangulaire d'un tableau dont la toile peinte bougeait et se déroulait en paysages constamment renouvelés, éclatants ou sombres, inondés de soleil ou flottant dans un crépuscule doré.

Maintenant il n'avait plus qu'à étendre le bras pour saisir les aliments. Il en goûtait peu à peu et davantage la saveur. Un vin parfumé les accompagnait. Il lui semblait, en le buvant, que de l'énergie coulait en lui. Ses yeux s'emplissaient de clarté. Le cadre du tableau devenait le châssis d'une fenêtre ouverte qui laissait voir une succession de collines, de prairies et de clochers de villages.

Il se trouvait dans une autre pièce, toute petite, qu'il reconnut pour l'avoir habitée déjà. A quelle époque ? Il y avait ses vêtements, son linge, et des livres à lui.

Un escalier en échelle s'y dressait. Pourquoi ne monterait-il pas, puisqu'il en avait la force ? Il lui suffisait de vouloir. Il voulut et il monta. Sa tête souleva une trappe et surgit dans l'espace infini. Un fleuve à droite et à gauche. Il chuchota : « Le pont de la *Nonchalante*... La Seine... La côte des Deux-Amants... »

Il avança de quelques pas.

Josine était là, assise dans un fauteuil d'osier.

Il n'y eut réellement point de transition entre les sentiments de rancune combative et de révolte qu'il éprouvait contre elle, et le sursaut d'amour et de désir qui le secoua des pieds à la tête. Et, même, avait-il jamais ressenti la moindre rancune et la moindre révolte ? Tout se confondit en un immense besoin de la presser dans ses bras.

Ennemie ? Voleuse ? Criminelle, peut-être ? Non. Femme seulement, femme avant tout. Et quelle femme !

Habillée très simplement comme à l'ordinaire, elle portait ce voile impalpable qui tamisait les reflets de ses cheveux et lui donnait une telle ressemblance avec la Vierge de Bernardino Luini. Le cou était nu, d'une teinte chaude et tiède. Ses mains fines s'allongeaient l'une près de l'autre sur ses genoux. Elle contemplait la pente abrupte des Deux-Amants. Et rien ne pouvait paraître plus doux et plus pur que ce visage empreint de l'immobile sourire qui en était l'expression profonde et mystérieuse.

Raoul la touchait presque, au moment où elle l'aperçut. Elle rougit un peu et baissa les paupières, laissant filtrer entre ses longs cils bruns un regard qui n'osait pas se fixer. Jamais adolescente ne montra plus de pudeur et de crainte ingénue, jamais moins d'apprêt et de coquetterie.

Il en fut tout ému. Elle redoutait ce premier

contact entre eux. N'allait-il pas l'outrager ? Se jeter sur elle, la frapper, lui dire d'abominables choses ? Ou bien s'enfuir avec ce mépris qui est pire que tout ? Raoul tremblait comme un enfant. Rien ne comptait pour lui, à la minute actuelle, que ce qui compte éternellement pour les amants, le baiser, l'union des mains et des souffles, la folie des regards qui s'étreignent et des lèvres qui défaillent de volupté.

Il tomba à genoux devant elle.

X

LA MAIN MUTILÉE

La rançon de telles amours, c'est le silence auquel elles sont condamnées. Alors même que les bouches parlent, le bruit des mots échangés n'anime pas le morne silence des pensées solitaires. Chacun poursuit sa propre méditation, sans jamais pénétrer dans la vie même de l'autre. Dialogue désespérant dont Raoul, toujours prêt à s'épancher, souffrait de plus en plus.

Elle aussi, Josine, devait en souffrir, à en juger par certains moments de lassitude extrême, où elle semblait sur le bord même de ces confidences qui rapprochent les amants plus encore que les caresses. Une fois elle se mit à pleurer entre les bras de Raoul, avec tant de détresse qu'il attendit la crise d'abandon. Mais elle se reprit aussitôt, et il la sentit plus lointaine que jamais.

« Elle ne peut pas se confier, pensa-t-il. Elle est de ces êtres qui vivent à part, dans une solitude sans fin. Elle est captive de la sorte d'image qu'elle veut donner d'elle-même, captive de l'énigme qu'elle a élaborée et qui la tient dans ses mailles invisibles. Comme fille de Cagliostro, elle s'est habituée aux ténèbres, aux complications, aux trames, aux intrigues, aux travaux souterrains. Raconter à quelqu'un l'une de ces machinations, c'est lui donner le fil qui le guiderait dans le labyrinthe. Et elle a peur et elle se replie sur elle-même. »

Par contrecoup il se taisait également et se gardait de faire allusion à l'aventure où ils s'étaient engagés et au problème dont ils cherchaient la solution. S'était-elle emparée du coffret ? Connaissait-elle les lettres qui ouvraient la serrure ? Avait-elle plongé sa main au creux de la borne légendaire et puisé à même les mille et mille pierres précieuses ?

Sur cela, sur tout, le silence.

D'ailleurs, dès qu'ils eurent dépassé Rouen, leur intimité se relâcha. Léonard, bien qu'évitant Raoul, reparut. Les conciliabules recommencèrent. La berline et les petits chevaux infatigables, chaque jour, emmenèrent Joséphine Balsamo. Où ? Pour quelles entreprises ? Raoul nota que trois des abbayes se trouvaient à proximité du fleuve : Saint-Georges-de-Boscherville, Jumièges, Saint-Wandrille. Mais alors, si elle s'enquérait de ce côté, c'est que rien n'était encore résolu, et qu'elle avait tout simplement échoué ?

Cette idée le rejeta brusquement vers l'action. De l'auberge où il l'avait laissée près de la Haie d'Etigues, il fit venir sa bicyclette et poussa jusqu'aux environs de Lillebonne qu'habitait la mère de Brigitte. Là il apprit que douze jours auparavant — ce qui correspondait au voyage de Joséphine Balsamo — la veuve Rousselin avait fermé sa maison pour rejoindre, disait-elle, sa fille à Paris. Le soir précédent, selon l'affirmation des voisines, une dame était entrée chez elle.

A dix heures du soir seulement, Raoul revint vers la péniche qui stationnait au sud-ouest de la première boucle après Rouen. Or, un peu avant d'arriver, il dépassa la berline de Josine que traînaient péniblement, comme des bêtes exténuées, les petits chevaux de Léonard. Au bord du fleuve, Léonard sauta, ouvrit la portière, se pencha et reparut avec le corps inerte de Josine, chargé sur son épaule. Raoul accourut. A eux deux ils installèrent la jeune femme dans sa cabine où le ménage des mariniers les rejoignit.

« Soignez-la, fit l'homme rudement. Elle n'est qu'évanouie. Mais « le torchon brûle ». Que personne ne bouge d'ici ! »

Il regagna la voiture et partit.

Toute la nuit Joséphine Balsamo eut le délire, sans que Raoul pût saisir aucun des mots incohérents qui lui échappaient. Le lendemain, l'indisposition était finie. Mais, le soir, Raoul, ayant gagné le village voisin, se procura un journal de Rouen. Il lut, parmi les faits divers de la région :

« Hier après-midi, la gendarmerie de Caudebec, avertie qu'un bûcheron avait entendu des cris de femme appelant au secours et qui sortaient d'un ancien four à chaux situé sur la lisière de la forêt de Maulévrier, mit en campagne un brigadier et un gendarme. Comme ces deux représentants de l'autorité approchaient du verger où se trouve le four à chaux, ils aperçurent, par-dessus le talus, deux hommes qui traînaient une femme vers une voiture fermée près de laquelle il y avait, debout, une autre femme.

« Obligés de contourner le talus, les gendarmes n'arrivèrent à l'entrée du verger qu'après le départ de la voiture. Aussitôt la poursuite commença, poursuite qui aurait dû se terminer par la victoire facile de la maréchaussée. Mais la voiture était attelée de deux chevaux si rapides, et le conducteur devait si bien connaître le pays, qu'il réussit à s'échapper par le lacis de routes encaissées qui montent vers le nord, entre Caudebec et Motteville. D'ailleurs la nuit tombait, et l'on n'a pas encore réussi à établir par où tout ce joli monde s'est sauvé. »

« Et on ne le saura pas, se dit Raoul en toute certitude. Personne autre que moi ne pourra reconstituer les faits, puisque moi seul connais le point de départ et le point d'arrivée. »

Et Raoul, ayant réfléchi, formula ses conclusions.

« Dans l'ancien four à chaux, un fait indéniable : la veuve Rousselin est là, sous la surveillance d'un complice. Joséphine Balsamo et Léonard qui l'ont attirée hors de Lillebonne et enfermée, viennent la voir chaque jour et tentent de lui arracher le renseignement définitif. Hier, sans doute, l'interrogatoire fut un peu violent. La veuve Rousselin crie. Les gendarmes arrivent. Fuite éperdue. On s'échappe. Le long de la route on dépose la captive dans une autre prison préparée d'avance, et c'est une fois de plus le salut. Mais toutes ces émotions ont provoqué chez Joséphine Balsamo une de ces crises nerveuses dont elle est coutumière. Elle s'évanouit. »

Raoul déplia une carte d'état-major. De la forêt de Maulévrier à la *Nonchalante,* le chemin direct mesure une trentaine de kilomètres. C'est aux environs de ce chemin, plus ou moins à droite, plus ou moins à gauche, que la veuve Rousselin est emprisonnée.

« Allons, se dit Raoul, le terrain de la lutte est circonscrit, et l'heure d'entrer en scène ne tardera pas pour moi. »

Dès le lendemain il se mettait à l'ouvrage, flânant sur les routes normandes, interrogeant, et tâchant de relever les points de passage et les points d'arrêt « d'une vieille berline attelée de deux petits chevaux ». Logiquement, fatalement, l'enquête devait aboutir.

Ces journées-là furent peut-être celles où l'amour de Joséphine Balsamo et de Raoul prit son caractère le plus âpre et le plus passionné. La jeune femme qui se savait recherchée par la police, et qui n'avait pas oublié les incidents de l'auberge Vasseur, à Doudeville, n'osait quitter la *Nonchalante* et sillonner le pays de Caux. Aussi Raoul la retrouvait-il entre chacune de ses expéditions, et ils se jetaient aux bras l'un de l'autre avec le désir exaspéré de goûter les joies dont ils pressentaient la fin prochaine.

Joies douloureuses, comme en pourraient avoir deux amants que le destin a séparés. Joies suspectes que le doute empoisonnait. L'un et l'autre ils devinaient leurs desseins secrets, et, quand leurs lèvres étaient unies, chacun savait que l'autre, tout en l'aimant, se conduisait comme s'il l'eût détesté.

« Je t'aime, je t'aime », répétait Raoul éperdument, tandis qu'au fond de lui il cherchait les moyens d'arracher la mère de Brigitte Rousselin aux griffes de la Cagliostro.

Ils se serraient parfois l'un contre l'autre avec la violence de deux adversaires qui se battent. Il y avait de la brutalité dans leurs caresses, de la menace dans leurs yeux, de la haine dans leurs pensées, du désespoir dans leur tendresse. On eût dit qu'ils se guettaient comme pour trouver le point faible où la blessure serait la plus décisive.

Une nuit Raoul se réveilla, avec une sensation de gêne, Josine était venue jusqu'à son lit et le regardait à la lueur d'une lampe. Il frissonna. Non pas que le visage charmant de Josine eût une autre expression que son sourire ordinaire. Mais pourquoi ce sourire sembla-t-il à Raoul si méchant et si cruel ?

« Qu'est-ce que tu as ? dit-il, et que me veux-tu ?

— Rien.. rien... », fit-elle d'un ton distrait et en s'éloignant.

Mais elle revint à Raoul et lui montra une photographie.

« J'ai trouvé ça dans ton portefeuille. Il est incroyable que tu gardes sur toi le portrait d'une femme. Qui est-ce ? »

Il avait reconnu Clarisse d'Etigues, et il répondait en hésitant :

« Je ne sais pas... un hasard...

— Allons, dit-elle brusquement, ne mens pas. C'est Clarisse d'Etigues. Penses-tu que je ne l'aie jamais vue et que j'ignore votre liaison ? Elle a été ta maîtresse, n'est-ce pas ?

— Non, non, jamais, fit-il vivement.

— Elle a été ta maîtresse, répéta-t-elle, j'en ai la conviction, et elle t'aime, et rien n'est rompu entre vous. »

Il haussa les épaules, mais, comme il voulait défendre la jeune fille, Josine l'interrompit.

« Assez là-dessus, Raoul. Tu es prévenu, ça vaut mieux. Je ne tenterai rien pour la rencontrer, mais si jamais les circonstances la mettent sur mon chemin, tant pis pour elle.

— Et tant pis pour toi, Josine, si tu touches à un seul de ses cheveux ! » s'écria Raoul imprudemment.

Elle pâlit. Son menton trembla légèrement, et, posant sa main sur le cou de Raoul, elle balbutia :

« Ainsi tu oses prendre son parti contre moi !... contre moi !... »

Sa main, toute froide, se crispait. Raoul eut l'impression qu'elle allait l'étrangler, et il se leva, d'un bond, hors du lit. A son tour elle s'effara, croyant à une attaque, et elle tira de son corsage un stylet dont la lame brilla.

Ils se contemplèrent ainsi, l'un en face de l'autre, dans cette posture agressive, et c'était si pénible que Raoul murmura :

« Oh ! Josine, quelle tristesse ! est-il croyable que nous en soyons arrivés à ce point ? »

Tout émue également, elle tomba assise, tandis qu'il se précipitait à ses pieds.

« Embrasse-moi, Raoul... embrasse-moi... et ne pensons plus à rien. »

Ils s'étreignirent passionnément, mais il remarqua qu'elle n'avait pas lâché le poignard, et qu'un simple geste eût suffi pour qu'elle le lui plantât dans la nuque.

Le jour même, à huit heures du matin, Raoul quittait la *Nonchalante*.

« Je ne dois rien espérer d'elle, se disait-il. De l'amour, oui, elle m'aime, et sincèrement, et elle voudrait comme moi que cet amour fût sans réserve. Mais cela ne peut pas être. Elle a une âme d'ennemie. Elle se défie de tout et de tous, et de moi tout le premier. »

Au fond, elle demeurait impénétrable pour lui. En dépit de tous les soupçons et de toutes les preuves, et bien que l'esprit du mal fût en elle, il se refusait à admettre qu'elle pût aller jusqu'au crime. L'idée du meurtre ne pouvait s'allier à ce doux visage que la haine ou la colère ne parvenait pas à rendre moins doux. Non, les mains de Josine étaient pures de sang.

Mais il songeait à Léonard, et il ne doutait pas que celui-là ne fût capable de soumettre la mère Rousselin aux plus affreuses tortures.

De Rouen à Duclair, et en avant de cette localité, la route court entre les vergers qui bordent la Seine et la blanche falaise qui domine le fleuve. Des trous sont creusés à même la craie et servent à des paysans ou à des ouvriers pour y abriter leurs instruments, quelquefois pour y loger eux-mêmes. C'est ainsi que Raoul avait enfin noté qu'une de ces grottes était occupée par trois hommes qui tressaient des paniers avec le jonc des rives voisines. Un bout de jardin potager sans clôture la précédait.

Une surveillance attentive et quelques détails suspects permirent à Raoul de supposer que le père Corbut et ses deux fils, tous trois braconniers, maraudeurs et de réputation détestable, étaient au nombre de ces affiliés que Joséphine Balsamo employait un peu partout, et de supposer également que leur grotte comptait parmi ces refuges, auberges, hangars, fours à chaux, etc., dont Joséphine Balsamo avait jalonné le pays.

Présomptions qu'il fallait changer en certitudes, et sans éveiller l'attention. Il chercha donc à tourner la position de l'ennemi, et, montant sur la falaise, s'en revint vers la Seine par un chemin forestier qui aboutissait à une légère dépression. Là, il se laissa glisser, au milieu des fourrés et des ronces, jusqu'au bas de la dépression, à un endroit qui surplombait la grotte de quatre ou cinq mètres.

Il y passa deux jours et deux nuits, se nourrissant de provisions qu'il avait apportées, et dormant à la belle étoile. Invisible parmi la végétation touffue des hautes herbes, il assistait à la vie des trois hommes. Le deuxième jour, une conversation entendue le renseigna : les Corbut avaient bien la garde de la veuve Rousselin que depuis l'alerte de Maulévrier ils tenaient captive au fond de leur repaire.

Comment la délivrer ? Ou comment, tout au moins, arriver près d'elle et obtenir de la malheureuse les indications qu'elle avait sans doute refusées à Joséphine Balsamo ? Se conformant aux habitudes des Corbut, Raoul échafauda et abandonna plusieurs plans. Mais, le matin du troisième jour, il aperçut, de son observatoire, la *Nonchalante* qui descendait la Seine et venait s'amarrer un kilomètre en amont des grottes.

Le soir, à cinq heures, deux personnes franchirent la passerelle et s'acheminèrent le long du fleuve. A sa marche, et malgré son habillement de femme du peuple, il reconnut Joséphine Balsamo. Léonard l'accompagnait.

Ils s'arrêtèrent devant la grotte des Corbut et s'entretinrent avec eux comme avec des gens qu'on rencontre par hasard. Puis, la route étant déserte, ils entrèrent vivement dans le potager. Léonard disparut, sans doute à l'intérieur de la grotte. Joséphine Balsamo resta dehors, assise sur une vieille chaise branlante et à l'abri d'un rideau d'arbustes.

Le vieux Corbut sarclait son jardin. Les fils tressaient leurs joncs au pied d'un arbre.

« L'interrogatoire recommence, pensa Raoul d'Andrésy. Quel dommage de n'y pas assister ! »

Il observait Josine, dont la figure était presque entièrement cachée sous les ailes rabattues d'un grand chapeau de paille vulgaire, comme en portent les paysannes aux jours de chaleur.

Elle ne bougeait pas, un peu courbée, les coudes sur les genoux.

Du temps s'écoula, et Raoul se demandait ce qu'il pourrait bien faire, quand il lui sembla entendre à côté de lui un gémissement, auquel succédèrent des cris étouffés. Oui, cela provenait bien *d'à côté de lui*. Cela frémissait au milieu des touffes d'herbe qui l'entouraient. Comment était-ce possible ?

Il rampa jusqu'au point exact où le bruit paraissait plus fort, et il n'eut pas besoin de longues recherches pour comprendre. Le ressaut de falaise qui terminait la dépression était encombré de pierres éboulées, et, parmi ces pierres, il y avait un petit tas de briques qui s'en distinguait à peine sous la couche uniforme d'humus et de racines. C'étaient les débris d'une cheminée.

Dès lors, le phénomène s'expliquait. La grotte des Corbut devait finir en un cul-de-sac assez enfoncé dans le roc et creusé d'un conduit qui servait jadis de cheminée. Par le conduit et à travers les éboulements, le son filtrait jusqu'en haut.

Il y eut deux cris plus déchirants. Raoul pensa

à Joséphine Balsamo. Se retournant, il put l'apercevoir au bout du petit potager. Toujours assise, penchée, le buste immobile, elle arrachait distraitement les pétales d'une capucine. Raoul supposa, voulut supposer qu'elle n'avait pas entendu. Peut-être même ne savait-elle pas ?...

Malgré tout, Raoul frissonnait d'indignation. Qu'elle assistât ou non à l'effroyable interrogatoire que subissait la malheureuse, n'était-elle pas aussi criminelle ? Et les doutes opiniâtres dont elle bénéficiait jusqu'ici dans l'esprit de Raoul, ne devaient-ils pas céder devant l'implacable réalité ? Tout ce qu'il pressentait contre elle, tout ce qu'il ne voulait pas savoir, était vrai, puisqu'elle commandait, en définitive, la besogne dont se chargeait Léonard et dont elle n'aurait pas pu supporter l'affreux spectacle.

Avec précaution, Raoul écarta les briques et démolit la motte de terre. Quand il eut terminé, les plaintes avaient cessé, mais des bruits de paroles montaient, guère plus distincts que des chuchotements. Il lui fallut donc reprendre son travail et débarrasser l'orifice supérieur du conduit. Alors, s'étant penché, la tête en bas, accroché comme il pouvait aux rugosités des parois, il entendit.

Deux voix se mêlaient : celle de Léonard, et une voix de femme, celle de la veuve Rousselin, sans aucun doute. La malheureuse semblait exténuée, en proie à une épouvante indicible.

« Oui... oui... murmurait-elle... je continue, puisque j'ai promis, mais je suis si lasse !... il faut m'excuser, mon bon monsieur... Et puis ce sont des événements si vieux... vingt-quatre ans ont passé depuis...

— Assez bavardé, bougonna Léonard.

— Oui, reprit-elle... Voilà... C'était donc au moment de la guerre avec la Prusse, il y a vingt-quatre ans... Et comme les Prussiens approchaient de Rouen, où nous habitions, mon pauvre mari, qui était camionneur, reçut la visite de deux messieurs... des messieurs que nous n'avions jamais vus. Ils voulaient filer à la campagne, avec leurs malles, comme beaucoup d'autres, à cette époque, n'est-ce pas ? Alors on fit le prix, et sans plus tarder, car ils étaient pressés, mon mari partit avec eux sur un camion. Par malheur, à cause de la réquisition, on n'avait plus qu'un cheval, et pas bien solide. En outre, il neigeait par paquets... A dix kilomètres de Rouen, il tomba pour ne plus se relever...

« Les messieurs grelottaient de peur, car les Prussiens pouvaient survenir... C'est alors qu'un type de Rouen que mon mari connaissait bien, le domestique de confiance du cardinal de Bonnechose, un nommé M. Jaubert, passa avec sa voiture... Vous voyez ça d'ici... On cause... Les deux messieurs offrent une grosse somme pour lui acheter son cheval. Jaubert refuse. Ils le supplient, ils menacent... et puis voilà qu'ils se jettent sur lui, comme des fous, et qu'ils l'assomment, malgré les supplications de mon mari... Après quoi, ils visitent le cabriolet, y trouvent un coffret qu'ils prennent, attellent au camion le cheval de Jaubert, et l'on s'en va, laissant celui-ci à moitié mort.

— Mort tout à fait, précisa Léonard.

— Oui, mon mari l'a su des mois plus tard, quand il a pu rentrer à Rouen.

— Et, à ce moment, il ne les a pas dénoncés ?

— Oui... sans doute... il aurait peut-être dû, fit la veuve Rousselin avec embarras... seulement...

— Seulement, ricana Léonard, ils avaient acheté son silence, n'est-ce pas ? Le coffret, ouvert devant lui, contenait des bijoux... ils ont donné à votre mari sa part de butin...

— Oui... oui... dit-elle... les bagues... les sept bagues... Mais ce n'est pas pour cela qu'il a gardé le silence... Le pauvre homme était malade... Il est mort presque aussitôt son retour.

— Et ce coffret ?

— Il était resté dans le camion vide. De sorte que mon mari l'avait rapporté avec les bagues. Moi j'ai gardé le silence, comme lui. C'était déjà une vieille histoire, et puis j'ai craint le scandale... On aurait pu accuser mon mari. Autant se taire. Je me suis retirée à Lillebonne avec ma fille, et c'est seulement lorsque Brigitte m'a quittée pour le théâtre qu'elle a pris les bagues... auxquelles, moi, je n'avais jamais voulu toucher... Voilà toute l'affaire, mon bon monsieur, ne m'en demandez pas plus. »

Léonard ricana de nouveau :

« Comment ! toute l'affaire...

— Je n'en sais pas davantage, dit la veuve Rousselin, craintivement...

— Mais ça n'a pas d'intérêt, votre histoire. Si nous bataillons tous deux, c'est pour autre chose... vous le savez bien, morbleu !...

— Quoi ?

— Les lettres gravées à l'intérieur du coffret, sous le couvercle, tout est là...

— Des lettres à moitié effacées, je vous le jure, mon bon monsieur, et que je n'ai jamais songé à lire.

— Soit, je veux bien le croire. Mais alors nous en revenons toujours au même point : ce coffret, qu'est-il devenu ?

— Je vous l'ai dit : on l'a pris chez moi, la veille même du soir où vous êtes venu à Lillebonne, avec une dame... cette dame qui a une grosse voilette.

— On l'a pris... qui ?

— Une personne...

— Une personne qui le cherchait ?

— Non, elle l'a vu par hasard dans un coin du grenier. Ça lui a plu, comme antiquité.

— Le nom de cette personne, voilà cent fois que je vous le demande.

— Je ne peux pas le dire. C'est quelqu'un qui m'a fait beaucoup de bien dans la vie, et ce serait lui faire du mal, beaucoup de mal, je ne parlerai pas...

— Ce quelqu'un serait le premier à vous dire de parler...

— Peut-être... peut-être... mais comment le savoir ? Je ne peux pas le savoir. Je ne peux pas lui écrire... On se voit de temps en temps...

Tenez, on doit se voir jeudi prochain... à trois heures...

— Où ?

— Pas possible... je n'ai pas le droit...

— Quoi ! faut-il recommencer ? » marmotta Léonard, impatienté.

La veuve Rousselin s'effara.

« Non ! non ! Ah ! mon bon monsieur, non ! Je vous en supplie. »

Elle poussa un cri de douleur.

« Ah ! le bandit !... qu'est-ce qu'il me fait ?... Ah ! ma pauvre main...

— Parle donc, sacrebleu !

— Oui, oui... je vous promets... »

Mais la voix de la malheureuse s'éteignait. Elle était à bout de forces. Léonard insista cependant, et Raoul perçut quelques mots bégayés dans l'angoisse... « Oui... voilà... on doit se retrouver jeudi... au vieux phare... Et puis non... je n'ai pas le droit... j'aime mieux mourir... faites ce que vous voudrez... vrai... j'aime mieux mourir... »

Elle se tut. Léonard grogna :

« Eh bien ! quoi ? qu'est-ce qu'elle a, cette vieille entêtée ? Pas morte, j'espère ?... Ah ! bourrique, tu parleras !... Je te donne dix minutes pour en finir !... »

La porte fut ouverte, puis refermée. Sans doute allait-il mettre la Cagliostro au courant des aveux obtenus, et prendre des instructions sur la suite que l'on devait donner à l'interrogatoire. De fait Raoul, s'étant relevé, les vit tous deux au-dessous de lui, assis l'un près de l'autre. Léonard s'exprimait avec agitation. Josine écoutait.

Les misérables ! Raoul les exécrait tous deux, l'un autant que l'autre. Les gémissements de la veuve Rousselin l'avaient bouleversé, et il était tout frémissant de colère et de volonté agressive. Rien au monde ne pourrait l'empêcher de sauver cette femme.

Selon son habitude, il entra en action au même moment où la vision des choses qu'il fallait accomplir se déroulait devant lui dans leur ordre logique. En de pareils cas, l'hésitation risque de tout compromettre. La réussite dépend de l'audace avec laquelle on se précipite à travers des obstacles qu'on ne connaît même point.

Il jeta un coup d'œil sur ses adversaires. Tous les cinq se trouvaient éloignés de la grotte. Vivement il pénétra dans la cheminée, en se tenant debout cette fois. Son intention était de pratiquer aussi doucement que possible un passage au milieu des décombres : mais, presque aussitôt, il fut entraîné par une avalanche, subitement provoquée, de tous les débris en équilibre, et d'un seul coup tomba du haut en bas, dans un fracas de pierres et de briques.

« Fichtre, se dit-il, pourvu qu'ils n'aient rien entendu, dehors ! »

Il prêta l'oreille. Personne ne venait.

L'obscurité était si grande qu'il se croyait encore dans l'âtre de la cheminée. Mais, en étendant les bras, il constata que le conduit aboutissait directement à la grotte, ou plutôt à une sorte de boyau creusé à l'arrière de la grotte, et si exigu que, tout de suite, sa main rencontra une autre main qui lui parut brûlante. Ses yeux s'accoutumant aux ténèbres, Raoul vit des prunelles étincelantes qui se fixaient sur lui, une figure blême et creuse que la peur convulsait.

Ni liens, ni bâillon. A quoi bon ? La faiblesse et l'effroi de la captive rendaient toute évasion impossible.

Il se pencha et lui dit :

« N'ayez aucune crainte. J'ai sauvé de la mort votre fille Brigitte, victime également de ceux qui vous persécutent à cause de ce coffret et des bagues. Je suis sur vos traces depuis votre départ de Lillebonne, et je viens vous sauver aussi, mais à condition que vous ne direz jamais rien de tout ce qui s'est passé. »

Mais pourquoi des explications que la malheureuse était incapable de comprendre ? Sans plus s'attarder, il la prit dans ses bras et la chargea sur son épaule. Puis, traversant la grotte, il poussa doucement la porte qui n'était que fermée, comme il le supposait.

Un peu plus loin, Léonard et Josine continuaient à s'entretenir. Derrière eux, en bas du potager, la route blanche s'allongeait jusqu'au gros bourg de Duclair, et, sur cette route, il y avait des charrettes de paysans qui s'en venaient ou qui s'éloignaient.

Alors, quand il jugea l'instant propice, il ouvrit la porte d'un coup, dégringola la pente du potager, et coucha la veuve Rousselin au revers du talus.

Tout de suite, autour de lui, des clameurs. Les Corbut se ruaient en avant ainsi que Léonard, tous les quatre dans un élan irréfléchi qui les poussait à la bataille. Mais que pouvaient-ils ? Une voiture approchait, dans un sens. Une autre en sens inverse. Attaquer Raoul en présence de tous ces témoins et reprendre de haute lutte la veuve Rousselin, c'était se livrer et attirer contre soi l'inévitable enquête et les représailles de la justice. Ils ne bougèrent pas. C'est ce que Raoul avait prévu.

Le plus tranquillement du monde, il interpella deux religieuses aux larges cornettes dont l'une conduisait un petit break attelé d'un vieux cheval et il leur demanda de secourir une pauvre femme qu'il avait trouvée au bord de la route, évanouie, les doigts écrasés par une voiture.

Les bonnes sœurs, qui dirigeaient à Duclair un asile et une infirmerie, s'empressèrent. On installa la veuve Rousselin dans le break et on l'enveloppa de châles. Elle n'avait pas repris connaissance et délirait, agitant sa main mutilée dont le pouce et l'index étaient tuméfiés et sanguinolents.

Et le break partit au petit trot.

Raoul demeura immobile, tout à l'atroce vision de cette main torturée, et son émoi était tel qu'il ne remarqua pas le manège de Léonard et des trois Corbut qui commençaient un mouvement tournant, et se rabattaient sur lui. Quand il s'en aperçut les quatre hommes l'environnaient et cherchaient à l'acculer vers le potager... Aucun paysan n'était en vue, la situation semblait si favorable à Léonard qu'il sortit son couteau.

« Rentre cela, et laisse-nous, dit Josine. Vous aussi, les Corbut. Pas de bêtises, hein ? »

Elle n'avait pas quitté sa chaise durant toute la scène, et maintenant elle surgissait d'entre les arbustes.

Léonard protesta :

« Pas de bêtises ? La bêtise, c'est de le laisser. Pour une fois qu'on le tient !

— Va-t'en ! exigea-t-elle.

— Mais cette femme... cette femme nous dénoncera !...

— Non. La veuve Rousselin n'a pas d'intérêt à parler. Au contraire. »

Léonard s'éloignant, elle vint tout à côté de Raoul.

Il la regarda longuement, et d'un regard mauvais qui parut la gêner, au point qu'elle plaisanta aussitôt pour interrompre le silence.

« Chacun son tour, n'est-ce pas, Raoul ? Entre toi et moi, le succès passe de l'un à l'autre. Aujourd'hui, tu as le dessus. Demain... Mais qu'y a-t-il donc ? Tu as un air si drôle ! et des yeux si durs... »

Il dit nettement :

« Adieu, Josine. »

Elle pâlit un peu.

« Adieu ? fit-elle. Tu veux dire « au revoir ».

— Non, adieu.

— Alors... alors... cela signifie que tu ne veux plus me revoir ?

— Je ne veux plus te revoir. »

Elle baissa les yeux. Un frisson saccadé agitait ses paupières. Ses lèvres étaient souriantes et, à la fois, infiniment douloureuses.

A la fin elle chuchota :

« Pourquoi, Raoul ?

— Parce que j'ai vu une chose, dit-il, que je ne peux pas... que je ne pourrai jamais te pardonner.

— Quelle chose ?

— La main de cette femme. »

Elle sembla défaillir et murmura :

« Ah ! je comprends... Léonard lui a fait du mal... Je lui avais pourtant défendu... et je croyais qu'elle avait cédé sur de simples menaces.

— Tu mens, Josine. Tu entendais les cris de cette femme comme tu les entendais dans la forêt de Maulévrier. Léonard exécute, mais la volonté du mal, l'intention du meurtre, est en toi, Josine. C'est toi qui as dirigé ton complice vers la petite maison de Montmartre, avec l'ordre de tuer Brigitte Rousselin si elle résistait. C'est toi qui naguère mêlais du poison aux poudres que devait avaler Beaumagnan. C'est toi qui, les années précédentes, toi qui supprimais les deux amis de Beaumagnan, Denis Saint-Hébert et Georges d'Isneauval. »

Elle se révolta.

« Non, non, je ne te permets pas... ce n'est pas vrai, et tu le sais, Raoul. »

Il haussa les épaules.

« Oui, la légende de l'autre femme, créée pour les besoins de la cause... une autre femme qui te ressemble et qui commet des crimes, tandis que toi, Joséphine Balsamo, tu te contentes d'aventures moins brutales ! J'y ai cru, à cette légende. Je me suis laissé embrouiller dans toutes ces histoires de femmes identiques, fille, petite-fille, arrière-petite-fille de Cagliostro. Mais c'est fini, Josine. Si mes yeux se fermaient volontairement pour ne pas voir ce qui m'épouvantait, le spectacle de cette main torturée les a ouverts définitivement sur la vérité.

— Sur des mensonges, Raoul ! sur des interprétations fausses. Je n'ai pas connu les deux hommes dont tu parles. »

Il dit avec lassitude :

« Cela se peut. Il n'est pas tout à fait impossible que je me trompe, mais il est tout à fait impossible que je te voie désormais à travers ce brouillard de mystère qui te cachait. Tu m'apparais telle que tu es, c'est-à-dire comme une criminelle. »

Il ajouta plus bas :

« Comme une malade même. S'il y a un mensonge quelque part, c'est celui de ta beauté. »

Elle se taisait. L'ombre de son chapeau de paille adoucissait encore son doux visage. Les injures de son amant ne l'effleuraient point. Elle était toute séduction et tout enchantement.

Il fut troublé jusqu'au fond de son être. Jamais elle ne lui avait paru si belle et si désirable, et il se demanda si ce n'était pas une folie que de reprendre une liberté qu'il maudirait dès le lendemain. Elle affirma :

« Ma beauté n'est pas un mensonge, Raoul, et tu reviendras parce que c'est pour toi que je suis belle.

— Je ne reviendrai pas.

— Si, tu ne peux plus vivre sans moi, la *Nonchalante* est proche. Je t'y attends demain...

— Je n'y reviendrai pas, dit-il, prêt, une fois de plus, à plier le genou.

— En ce cas, pourquoi trembles-tu ? pourquoi es-tu si pâle ? »

Il comprit que son salut dépendait de son silence, qu'il fallait fuir sans répondre et sans tourner la tête.

Il repoussa les deux mains de Josine, qui s'accrochaient à lui, et s'en alla...

XI

LE VIEUX PHARE

TOUTE la nuit, prenant les chemins qui se présentaient à lui, Raoul pédala, autant pour dépister les recherches que pour s'infliger une fatigue salutaire. Le matin, exténué, il échouait dans un hôtel de Lillebonne.

Il défendit qu'on l'éveillât, ferma sa porte à double tour, et jeta la clef par la fenêtre. Il dormit plus de vingt-quatre heures.

Quand il fut habillé et restauré, il ne pensa plus qu'à se remettre sur sa machine et à retourner vers la *Nonchalante*. La lutte contre l'amour commençait.

Il était très malheureux, et, n'ayant jamais souffert, ayant toujours obéi à ses moindres caprices, il s'irritait contre un désespoir auquel il lui eût été si facile de mettre fin.

« Pourquoi ne pas céder ? se disait-il. En deux heures je suis là-bas. Et qui m'empêche alors de repartir quelques jours plus tard, quand je serai mieux préparé à la rupture ? »

Mais il ne pouvait pas. Vraiment la vision de cette main mutilée l'obsédait et commandait toute sa conduite, en l'obligeant à évoquer toutes les autres actions barbares et odieuses que laissait supposer cette action inconcevable.

Josine avait fait *cela ;* donc Josine avait tué, donc Josine ne reculait pas devant l'œuvre de mort et trouvait simple et naturel de tuer encore, lorsque le crime favorisait ses entreprises. Or Raoul avait peur du crime. C'était une répulsion physique, un soulèvement de tout son instinct. L'idée qu'il pouvait être entraîné, dans un accès d'aberration, à verser le sang lui faisait horreur. Et voilà que, à cette horreur, la plus tragique des réalités associait indissolublement l'image même de la femme qu'il aimait.

Il resta donc, mais au prix de quels efforts ! Que de sanglots il refoula ! Par quels gémissements s'exhala sa révolte impuissante ! Josine lui tendait ses beaux bras et lui offrait le baiser de sa bouche. Comment résister à l'appel de la voluptueuse créature ?

Touché au plus profond de son égoïsme, pour la première fois il eut conscience de la peine infinie qu'il avait dû faire à Clarisse d'Etigues. Il devina ses pleurs. Il imagina la détresse navrante de cette vie déçue. Secoué de remords il lui adressait des discours pleins de tendresse et où il rappelait les heures touchantes de leur amour.

Il fit plus. Sachant que la jeune fille recevait directement les lettres, il osa lui écrire.

« Pardonnez-moi, chère Clarisse. J'ai agi avec vous comme un misérable. Espérons en un avenir meilleur et pensez à moi avec toute l'indulgence de votre cœur généreux. Encore pardon, chère Clarisse, et pardon. — Raoul. »

« Ah ! se disait-il, auprès d'elle comme j'oublierais vite toutes ces vilaines choses ! L'essentiel n'est pas d'avoir des yeux purs et des lèvres douces, mais une âme loyale et grave comme celle de Clarisse ! »

Seulement c'étaient les yeux et le sourire ambigu de Josine qu'il adorait, et, quand il songeait aux caresses de la jeune femme, il se souciait peu qu'elle eût une âme qui ne fût ni loyale ni grave.

Entre-temps, il s'occupait de chercher ce vieux phare auquel la veuve Rousselin avait fait allusion. Etant donné qu'elle habitait Lillebonne, il n'avait pas douté que l'endroit ne fût situé aux environs, et c'était la cause de la direction prise par lui dès le premier soir.

Il ne se trompait pas. Il lui suffit de s'informer pour savoir, d'abord, qu'il y avait un ancien phare désaffecté dans les bois qui ceignent le château de Tancarville, et, ensuite, que le propriétaire de ce phare en avait confié les clefs à la veuve Rousselin qui, chaque semaine et justement le jeudi, allait y mettre un peu d'ordre.

Ces clefs, une simple expédition nocturne les lui procura.

Deux jours le séparaient maintenant de la date à laquelle, en toute certitude, la personne qui possédait le coffret devait se rencontrer avec la veuve Rousselin, et, comme celle-ci, captive ou malade, n'avait pu contremander le rendez-vous fixé, tout s'arrangeait pour que Raoul profitât d'une entrevue qu'il jugeait si importante.

Cette perspective l'apaisa. Il fut repris par le problème qui, depuis des semaines, s'imposait à lui, et dont il semblait que la solution devenait toute proche.

Pour ne rien laisser au hasard, la veille il visita le lieu du rendez-vous, et, le jeudi, lorsque, une heure auparavant, il traversa d'un pas alerte les bois de Tancarville, la réussite lui paraissait inévitable, et il en goûtait fortement la joie et l'orgueil.

Une partie de ces bois, indépendante du parc, s'étend jusqu'à la Seine et couvre les falaises.

Des chemins rayonnent d'un carrefour central, et l'un d'eux mène par des gorges et des pentes brusques vers un promontoire abrupt, où se dresse, à moitié visible, le phare abandonné. Dans la semaine, l'endroit est absolument désert. Le dimanche, parfois, des promeneurs passent.

Si l'on monte au belvédère, c'est la vue la plus grandiose sur le canal de Tancarville et sur l'estuaire du fleuve. Mais, en bas, on était, à cette époque, enfoui dans la verdure.

Une seule pièce, assez grande, trouée de deux

fenêtres, et meublée de deux chaises, composait le rez-de-chaussée, et ouvrait, du côté de la terre, sur un enclos d'orties et de plantes sauvages.

Aux approches, l'allure de Raoul se ralentit. Il avait l'impression, d'ailleurs tout à fait justifiée, que des événements importants se préparaient, qui n'étaient pas seulement la rencontre d'une personne et la conquête définitive d'un secret formidable, mais qui, somme toute, continuaient la bataille suprême où l'ennemi serait vaincu définitivement.

Et cet ennemi, c'était la Cagliostro — la Cagliostro qui connaissait comme lui les aveux arrachés à la veuve Rousselin, et qui, incapable de se résigner à la défaite, disposant de moyens d'investigation illimités, avait dû retrouver aisément ce vieux phare où il semblait que dût se jouer le dernier acte du drame.

« Et non seulement, dit-il à mi-voix, en se moquant de lui, je me demande si elle n'assistera pas au rendez-vous, mais, en réalité, j'espère bien qu'elle y sera, et que je la reverrai, et que, tous deux vainqueurs, nous tomberons dans les bras l'un de l'autre. »

Par une barrière, scellée tant bien que mal aux pierres d'un petit mur bas que hérissaient des tessons de bouteilles, Raoul pénétra dans le clos. Au milieu des plantes sauvages, aucune trace. Mais on avait pu franchir le mur à un autre endroit et enjamber une des fenêtres latérales.

Son cœur battait. Il serra les poings, prêt à la riposte si on l'avait attiré dans un piège.

« Que je suis bête ! pensa-t-il. Pourquoi un piège ? »

Il fit jouer la serrure d'une porte vermoulue et entra.

La sensation fut immédiate. Quelqu'un se dissimulait dans un renfoncement, aussitôt après la porte. Il n'eut pas le temps de se retourner contre l'assaillant. A peine averti, par son instinct plutôt que par ses yeux, il avait eu le cou sanglé d'une corde qui le tirait en arrière, tandis qu'un genou s'enfonçait brutalement dans ses reins.

Suffoqué, cassé en deux, il dut se soumettre à la volonté adverse, perdit l'équilibre, et fut renversé.

« Bien joué, Léonard ! balbutia-t-il. Jolie revanche ! »

Il se trompait. Ce n'était pas Léonard. L'homme lui apparaissant de profil, il reconnut Beaumagnan. Alors, tandis que Beaumagnan lui attachait les mains, il rectifia son erreur et avoua sa surprise par ces simples mots :

« Tiens, tiens, le défroqué ! »

La corde qui l'agrippait se trouvait reliée à un anneau rivé dans le mur opposé et juste au-dessus d'une fenêtre. Beaumagnan, qui agissait avec des gestes saccadés et une sorte d'égarement, ouvrit cette fenêtre et entrebâilla des persiennes pourries. Puis, l'anneau servant de poulie, il tira sur la corde et contraignit Raoul à marcher. Raoul aperçut dans l'entrebâillement l'espace vide, qui, du haut de la roche verticale où le phare était juché, tombait parmi les éboulements de pierres

233

et les grands fûts d'arbres dont les têtes feuillues bouchaient l'horizon.

Beaumagnan le retourna, lui appliqua le dos contre les persiennes, et lui ficela les poignets et les chevilles.

Les choses se présentaient donc ainsi : au cas où Raoul essaierait de se porter en avant, la corde serrée en nœud coulant l'étranglait. Si, d'autre part, il prenait fantaisie à Beaumagnan de se débarrasser de sa victime, il lui suffisait de la pousser brusquement, les persiennes s'effondraient, et Raoul, basculant dans l'abîme, se trouvait pendu.

« Excellente position pour un entretien sérieux », ricana-t-il.

D'ailleurs il était résolu. Si l'intention de Beaumagnan consistait à lui donner le choix entre la mort et la divulgation des succès que lui, Raoul, avait pu obtenir dans la poursuite du grand secret, pas la moindre hésitation, il parlerait.

« A vos ordres, dit-il. Interrogez.

— Tais-toi », commanda l'autre toujours furieux.

Et Beaumagnan lui colla contre la bouche un paquet d'ouate qu'il fixa par un foulard passé derrière la nuque.

« Un seul grognement, dit-il, un seul geste, et, d'un coup de poing, je t'envoie dans le vide. »

Il le regarda une seconde, comme un homme qui se demande s'il ne doit pas sur-le-champ accomplir l'acte projeté. Mais il s'éloigna soudain, la démarche lourde et sinueuse, traversa la pièce en frappant du pied le carrelage, et s'accroupit au seuil de la porte, de manière qu'il lui fût possible de voir au dehors par l'entrebâillement.

« Ça va mal, pensa Raoul, fort inquiet. Ça va d'autant plus mal que je n'y comprends rien. Comment est-il ici ? Dois-je supposer que c'est lui le bienfaiteur de la veuve Rousselin, celui qu'elle n'a pas voulu compromettre ? »

Mais cette hypothèse ne le satisfaisait pas.

« Non, ce n'est pas cela. J'ai donné dans le panneau, mais d'une autre façon, par imprudence et naïveté. Il est évident qu'un type comme Beaumagnan connaît toute cette affaire Rousselin, qu'il connaît les rendez-vous, et l'heure de ces rendez-vous, et alors, sachant que la veuve a été enlevée, il surveille et fait surveiller les environs de Lillebonne et de Tancarville... Et alors, on remarque ma présence, mes allées et venues... et alors, piège... et alors... »

Cette fois la conviction de Raoul était entière. Vainqueur de Beaumagnan à Paris il venait de perdre la seconde manche. Victorieux à son tour, Beaumagnan l'étalait sur une persienne ainsi qu'une chauve-souris que l'on cloue au mur, et il guettait maintenant l'autre personne, afin de s'emparer d'elle et de lui arracher son secret.

Un point cependant demeurait obscur. Pourquoi cette attitude de bête fauve, prête à bondir sur une proie ? Cela ne s'accordait pas avec la rencontre probablement toute pacifique qui s'annonçait entre lui et cette personne. Beaumagnan n'avait qu'à sortir, à l'attendre tout simplement dehors, et à lui dire :

« Mme Rousselin est souffrante et m'envoie à sa place. Elle voudrait connaître l'inscription gravée au couvercle du coffret. »

« A moins que, pensa Raoul, à moins que Beaumagnan n'ait des raisons pour prévoir l'arrivée d'une troisième personne... et qu'il ne se défie... et qu'il ne prépare une attaque... »

Il suffisait qu'une telle question se posât à Raoul, pour qu'il en aperçût aussitôt l'exacte solution. Supposer que Beaumagnan lui avait tendu un piège, à lui, Raoul, ce n'était là que la moitié de la réalité. L'embûche était double, et qui donc Beaumagnan pouvait-il épier avec cette fièvre exaspérée ? Qui, sinon Joséphine Balsamo ?

« C'est cela ! c'est cela ! se dit Raoul illuminé par un éclair de vérité. C'est cela ! Il a deviné qu'elle était vivante. Oui, l'autre jour, à Paris, en face de moi, il a dû sentir cette chose effroyable, et c'est encore une boulette que j'ai commise... une faute d'expérience. Voyons ! aurais-je ainsi parlé, aurais-je agi de la sorte, si Joséphine Balsamo n'avait pas vécu ? Comment ! je viens dire à cet homme que j'avais lu entre les lignes de sa lettre au baron Godefroy, et que j'assistai à la fameuse séance de la Haie d'Etigues, et je n'aurais pas compris de quoi il retournait pour la Cagliostro ! Et un garçon comme moi, qui n'a pas froid aux yeux, aurait abandonné cette femme ! Allons donc ! Si j'étais à la réunion, j'étais aussi à l'escalier de la falaise ! Et j'étais sur la plage lors de l'embarquement ! Et j'ai sauvé Joséphine Balsamo ! Et nous nous sommes aimés... non pas d'un amour datant de l'hiver dernier, comme je le prétendais, mais d'un amour postérieur à la soi-disant mort de Josine !... Voilà ce qu'il s'est dit, le Beaumagnan. »

Les preuves s'ajoutaient aux preuves. Les événements se reliaient les uns aux autres comme les mailles d'une chaîne.

Empêtrée dans l'affaire Rousselin, et, par conséquent, recherchée par Beaumagnan, Josine n'avait pas manqué, elle aussi, de rôder aux environs du vieux phare. Aussitôt averti, Beaumagnan tentait son embuscade. Raoul y tombait. Au tour de Josine maintenant...

On eût dit que le destin voulait donner une confirmation à la suite des idées qui se succédaient dans l'esprit de Raoul. A la seconde même où il concluait, le bruit d'une voiture monta de la route qui longe le canal, au-dessous des falaises, et, instantanément, Raoul reconnut le pas précipité des petits chevaux de Léonard.

Beaumagnan, de son côté, devait savoir à quoi s'en tenir, car il se releva d'un mouvement et prêta l'oreille.

Le bruit des sabots cessa, puis reprit, moins rapide. La voiture escaladait un raidillon rocailleux qui grimpe vers le plateau, et d'où se détache la sente forestière, impraticable aux voitures, qui franchit les escarpements du vieux phare.

Dans cinq minutes, tout au plus, Joséphine Balsamo apparaîtrait.

Chaque seconde de chacune des minutes solennelles accrut l'agitation et le délire de Beaumagnan. Il bégayait des syllabes incohérentes. Son masque d'acteur romantique se déformait jusqu'à donner une impression de laideur bestiale. L'instinct, la volonté du meurtre tordait ses traits, et, tout à coup, il fut visible que cette volonté, que cet instinct de sauvage se portait contre Raoul, contre l'amant de Joséphine Balsamo.

De nouveau les jambes se levaient mécaniquement pour frapper le carrelage. Il marchait à son insu, et il allait tuer à son insu, comme un homme ivre. Ses bras se raidissaient. Ses poings crispés avançaient ainsi que deux béliers qu'une force lente, continue, irrésistible, eût poussés jusqu'à la poitrine du jeune homme.

Encore quelques pas, et Raoul basculait dans le vide.

Raoul ferma les yeux. Pourtant il ne se résignait point et cherchait à conserver quelque espoir.

« La corde cassera, pensait-il, et il y aura de la mousse sur les pierres qui me recevront. En vérité, la destinée du sieur Arsène Lupin d'Andrésy n'est pas d'être pendu. Si, à mon âge, je n'ai pas la chance de me tirer d'aventures de ce genre, c'est que les dieux, jusqu'ici favorables, n'ont plus l'intention de s'occuper de moi ! En ce cas, aucun regret ! »

Il songea à son père et à l'enseignement de

gymnastique et de voltige qu'il tenait de Théophraste Lupin... Il murmura le nom de Clarisse...

Cependant le choc ne se produisait pas. Bien qu'il sentît contre lui la présence même de Beaumagnan, il semblait que l'élan de l'adversaire fût arrêté.

Raoul releva les paupières. Beaumagnan, tout droit, le dominait de sa haute taille. Mais il ne bougeait point, ses bras étaient repliés, et, sur son visage, où l'idée de meurtre imprimait une grimace abominable, la décision semblait comme suspendue.

Raoul écouta et n'entendit rien. Mais peut-être Beaumagnan, dont les sens étaient surexcités, entendait-il l'approche de Joséphine Balsamo ? De fait, il reculait pas à pas, et soudain, se précipitant, il reprit son poste dans le renfoncement, à droite de la porte.

Raoul le voyait en pleine face. Il était hideux. Un chasseur à l'affût épaule son fusil et recommence plusieurs fois ce geste pour être à même de l'exécuter à l'instant voulu. Ainsi, chez Beaumagnan, les mains s'apprêtaient convulsivement au crime. Elles s'ouvraient pour l'étranglement, se mettaient à distance convenable l'une de l'autre, crispaient leurs doigts recourbés comme des griffes.

Raoul fut épouvanté. Son impuissance était une chose terrible, dont il souffrait jusqu'au martyre.

Bien qu'il sût la vanité de tout effort, il se débattait pour rompre ses liens. Ah ! s'il avait pu crier ! Mais le bâillon étouffait ses cris, et les liens lui coupaient la chair.

Dehors, dans le grand silence, un bruit de pas. La barrière grinça. Une jupe froissa les feuilles. Des cailloux remuèrent.

Beaumagnan, aplati contre le mur, leva les coudes. Ses mains, qui tremblaient comme des mains de squelette qu'agite le vent, avaient l'air, déjà, de se fermer autour d'un cou et de le tenir, tout vivant, tout palpitant.

Raoul hurla derrière son bâillon.

Et puis la porte fut poussée, et le drame eut lieu.

Il eut lieu exactement de la façon que Beaumagnan l'avait conçu et que Raoul se l'était imaginé. Une silhouette de femme, qui était celle de Joséphine Balsamo, apparut et s'écrasa aussitôt sous la ruée de Beaumagnan. Une faible plainte, tout au plus, fut exhalée, que couvrit une sorte d'aboiement furieux qui haletait dans la gorge de l'assassin.

Raoul trépignait : jamais il n'avait autant aimé Josine qu'à la minute où il se la représentait agonisante. Ses fautes, ses crimes ? Qu'importait ! elle était la plus belle créature qui fût au monde, et toute cette beauté, ce sourire adorable, ce corps charmant fait pour les caresses, allaient être anéantis. Aucun secours possible. Aucune force contre la force irrésistible de cette brute.

Ce qui sauva Joséphine Balsamo, ce fut l'excès même d'un amour que la mort seule pouvait assouvir et qui, à la dernière seconde, ne put achever la sinistre besogne. A bout d'énergie, terrassé par un désespoir qui prenait tout à coup des allures de folie, Beaumagnan se roula sur le sol en s'arrachant les cheveux et en se cognant la tête au carrelage.

Raoul enfin respira. Quelles que fussent les apparences, et quoique Joséphine Balsamo ne remuât pas, il était certain qu'elle vivait. En effet, lentement, sortant de l'horrible cauchemar, elle se releva, avec des intermittences de détresse qui semblaient la briser, et enfin se dressa, bien d'aplomb et paisible.

Elle était vêtue d'un manteau à pèlerine qui l'enveloppait, et coiffée d'une toque d'où pendait un voile à grosses fleurs brodées. Elle laissa tomber son manteau, découvrant ainsi ses épaules dans l'échancrure du corsage que la lutte avait déchiré.

Quant à la toque et au voile, froissés également, elle les rejeta, et la chevelure, délivrée, s'épanouit de chaque côté du front en boucles lourdes et régulières où s'allumaient des reflets fauves. Ses joues étaient plus roses, ses yeux plus brillants.

Un long moment de silence s'ensuivit. Les deux hommes la contemplaient éperdument, non plus comme si elle était une ennemie, ou une maîtresse, ou une victime, mais simplement une femme radieuse dont ils subissaient la fascination et l'enchantement. Raoul tout ému, Beaumagnan immobile et prosterné, admiraient tous deux avec la même ferveur.

Elle porta d'abord à sa bouche un petit sifflet de métal que Raoul connaissait bien, Léonard devait veiller à quelque distance et accourrait aussitôt à son appel. Mais elle se ravisa. Pourquoi le faire venir alors qu'elle demeurait maîtresse absolue des événements ?

Elle se dirigea vers Raoul, dénoua le foulard qui le bâillonnait et lui dit :

« Tu n'es pas revenu, Raoul, comme je le croyais. Tu reviendras ? »

S'il avait été libre, il l'eût serrée ardemment contre lui. Mais pourquoi ne coupait-elle pas ses liens ? Quelle pensée secrète l'en empêchait ?

Il affirma :

« Non... C'est fini. »

Elle se haussa un peu sur la pointe des pieds et colla ses lèvres aux siennes en murmurant :

« Fini entre nous deux ? Tu es fou, mon Raoul ! »

Beaumagnan avait tressauté et s'avançait, mis hors de lui par cette caresse imprévue. Comme il essayait de lui saisir le bras, elle se retourna, et soudain le calme qu'elle avait conservé jusqu'ici fit place aux sentiments réels qui la secouaient, sentiments d'exécration et de rancune farouche contre Beaumagnan.

Elle éclata d'un coup, avec une véhémence dont Raoul ne la jugeait pas capable.

« Ne me touche pas, misérable. Et ne crois pas que j'aie peur de toi. Tu es seul aujourd'hui, et j'ai bien vu tout à l'heure que tu n'oserais jamais me tuer. Tu n'es qu'un lâche. Tes mains trem-

blaient. Mes mains ne trembleront pas, Beaumagnan, lorsque l'heure sera venue. »

Il reculait devant ses imprécations et ses
menaces, et Joséphine Balsamo continuait, dans
une crise de haine :

« Mais ton heure n'est pas venue. Tu n'as pas
assez souffert... Tu ne souffrais même pas, puisque tu me croyais morte. Ton supplice maintenant,
ce sera de savoir que je vis et que j'aime.

« Oui, tu entends, j'aime Raoul. Je l'ai aimé
d'abord pour me venger de toi et te le dire plus
tard, et je l'aime aujourd'hui sans raison, parce
que c'est lui, et que je ne peux plus l'oublier. A
peine s'il le sait, à peine si je le savais, moi. Mais
depuis quelques jours, comme il me fuyait, j'ai
senti qu'il était toute ma vie. J'ignorais l'amour,
et l'amour c'est cela, c'est cette frénésie qui
m'agite. »

Elle était la proie du délire, comme celui
qu'elle torturait. Ses cris d'amoureuse semblaient
lui faire autant de mal qu'à Beaumagnan. Raoul
éprouvait, à la regarder ainsi, de l'éloignement
plutôt que de la joie. La flamme de désir,
d'admiration et d'amour, qui l'avait repris lors
du danger, s'éteignit définitivement. La beauté et
la séduction de Josine s'évanouissaient comme
des mirages, et, sur sa figure, qui pourtant
n'avait pas changé, il ne pouvait plus discerner
que le vilain reflet d'une âme cruelle et malade.

Elle continuait son attaque furieuse contre
Beaumagnan, lequel ripostait par soubresauts de
colère jalouse. Et c'était vraiment une chose

déconcertante de voir ces deux êtres, qui, au moment même où les circonstances allaient leur fournir le mot de la formidable énigme qu'ils cherchaient depuis si longtemps, oubliaient tout dans l'emportement de leur passion. Le grand secret des siècles précédents, la découverte des pierres précieuses, la borne légendaire, le coffret et l'inscription, la veuve Rousselin, la personne qui cheminait vers eux et leur donnerait la vérité... autant de balivernes dont ils se souciaient aussi peu l'un que l'autre. L'amour les entraînait tout comme un torrent tumultueux. Haine et passion se livraient l'éternel combat qui déchire les amants.

De nouveau les doigts de Beaumagnan se pliaient comme des griffes, et ses mains frémissantes se postaient pour étrangler. Elle s'acharnait cependant, aveugle et désordonnée, et lui jetait en pleine face l'injure de son amour !

« Je l'aime, Beaumagnan. Le feu qui te brûle et me dévore aussi, c'est un amour comme le tien où se mêle l'idée du meurtre et de la mort. Oui, je le tuerais plutôt que de le savoir à une autre, ou de savoir qu'il ne m'aime plus. Mais il m'aime, Beaumagnan, il m'aime, tu entends, il m'aime ! »

Un rire inattendu sortit de la bouche convulsée de Beaumagnan. Sa colère s'achevait en un accès d'hilarité sardonique.

« Il t'aime, Joséphine Balsamo ? Tu as raison, il t'aime ! il t'aime comme toutes les femmes. Tu es belle, et il te désire. Une autre passe, et il la veut aussi. Et toi également, Joséphine Balsamo, tu souffres l'enfer. Avoue-le donc !

— L'enfer, oui, dit-elle, l'enfer si je croyais à sa trahison. Mais cela n'est pas, et tu essaies stupidement de... »

Elle s'arrêta. Beaumagnan ricanait avec tant de joie et de méchanceté qu'elle avait peur. Très bas, d'un ton d'angoisse, elle reprit :

« Une preuve ?... Donne-moi une seule preuve... Même pas... une indication... quelque chose qui m'oblige à douter... Et je l'abats comme un chien. »

Elle avait tiré de son corsage un petit casse-tête fait d'un manche de baleine et d'une boule de plomb. Son regard se durcit.

Beaumagnan répliqua :

« Je ne t'apporte pas de quoi douter, mais de quoi être sûre.

— Parle... Cite un nom.

— Clarisse d'Etigues », dit-il.

Elle haussa les épaules.

« Je sais... une amourette sans importance.

— Assez importante pour lui, puisqu'il l'a demandée en mariage au père.

— Il l'a demandée ! Mais non, voyons, c'est impossible... Je me suis renseignée... Ils se sont rencontrés deux ou trois fois dans la campagne, pas davantage.

— Mieux que cela, dans la chambre de la petite.

— Tu mens ! tu mens ! s'écria-t-elle.

— Dis plutôt que c'est son père qui ment, car

la chose m'a été confiée, avant-hier soir, par Godefroy d'Etigues.

— Et de qui la tenait-il ?

— De Clarisse elle-même.

— Mais c'est absurde ! Une fille ne fait pas un tel aveu. »

Beaumagnan plaisanta :

« Il y a des cas où elle est bien obligée de le faire.

— Hein ? Quoi ? Qu'est-ce que tu oses dire ?

— Je dis ce qui est... Ce n'est pas l'amante qui s'est confessée, c'est la mère... la mère qui veut assurer un nom à l'enfant qu'elle porte en elle, la mère qui réclame le mariage. »

Joséphine Balsamo semblait suffoquée, désemparée.

« Le mariage ! Le mariage avec Raoul ! Le baron d'Etigues accepterait ?...

— Dame !

— Mensonges ! s'exclama-t-elle. Commérages de bonne femme ! Ou plutôt non, invention de ta part. Il n'y a pas un mot de vrai dans tout cela. Ils ne se sont jamais revus.

— Ils s'écrivent.

— La preuve, Beaumagnan ! la preuve immédiate !

— Une lettre te suffirait-elle ?

— Une lettre ?

— Ecrite par lui à Clarisse.

— Ecrite il y a quatre mois ?

— Il y a quatre jours.

— Tu l'as ?

« — La voici. »

Raoul, qui écoutait anxieusement, tressaillit. Il reconnaissait l'enveloppe et le papier de la lettre qu'il avait envoyée de Lillebonne à Clarisse d'Etigues.

Josine prit le document et lut tout bas, en articulant chaque syllabe :

« Pardonnez-moi, chère Clarisse. J'ai agi avec vous comme un misérable. Espérons en un avenir meilleur, et pensez à moi avec toute l'indulgence de votre cœur généreux. Encore pardon, Clarisse, et pardon. — *Raoul.* »

Elle eut à peine la force d'achever la lecture de cette lettre qui la reniait et qui la blessait au plus sensible de son amour-propre. Elle chancelait. Ses yeux cherchèrent ceux de Raoul. Il comprit que Clarisse était condamnée à mort, et, au fond de lui, il sut qu'il n'aurait plus que de la haine contre Joséphine Balsamo.

Beaumagnan expliquait :

« C'est Godefroy qui a intercepté cette lettre et qui me l'a remise en me demandant conseil. L'enveloppe étant timbrée de Lillebonne, c'est ainsi que j'ai retrouvé vos traces à tous deux. »

La Cagliostro se taisait. Son visage marquait une souffrance si profonde que l'on eût pu s'en émouvoir, et prendre aussi pitié des larmes lentes qui coulaient sur ses joues, si sa douleur n'avait été visiblement dominée par un âpre souci de vengeance. Elle combinait des plans. Elle établissait des embûches.

Hochant la tête, elle dit à Raoul :

« Je t'avais averti, Raoul.

— Un homme averti en vaut deux, fit-il d'un ton gouailleur.

— Ne plaisante pas ! s'écria-t-elle impatientée. Tu sais ce que je t'ai dit, et qu'il était préférable de ne jamais la mettre en travers de notre amour.

— Et tu sais également ce que je t'ai dit, moi, riposta Raoul, de son même air agaçant. Si jamais tu touches un seul de ses cheveux... »

Elle tressaillit.

« Ah ! comment peux-tu te moquer ainsi de ma souffrance et prendre le parti d'une autre femme contre moi ?... Contre moi ! Ah ! Raoul, tant pis pour elle !

— T'effraie pas, dit-il. Elle est en sûreté, puisque je la protège. »

Beaumagnan les observait, heureux de leur discorde et de toute cette haine qui bouillonnait en eux. Mais Joséphine Balsamo se contint, jugeant sans doute que c'était perdre du temps que de parler d'une vengeance qui viendrait à son heure. Pour le moment d'autres soucis l'occupaient, et elle murmura, avouant sa pensée intime et prêtant l'oreille :

« On a sifflé, n'est-ce pas, Beaumagnan ? C'est un de mes hommes qui surveillent les allées par où l'on peut arriver, qui me préviennent... La personne que nous attendons doit être en vue... Car je suppose que, toi aussi, tu es là pour elle ? »

De fait la présence de Beaumagnan et ses desseins secrets n'étaient pas très clairs. Comment avait-il pu savoir le jour et l'heure du

rendez-vous ? Quelles données spéciales possé-
dait-il relativement à l'affaire Rousselin ?

Elle jeta un coup d'œil sur Raoul. Celui-là,
bien attaché, ne pouvait la gêner dans ses combinaisons et ne participerait pas à la dernière
bataille. Mais Beaumagnan paraissait l'inquiéter,
et elle l'entraînait vers la porte comme si elle
avait voulu aller au-devant de la personne atten-
due, lorsque, à l'instant même où elle sortait, des
pas se firent entendre. Elle revint donc en arrière,
avec un geste qui repoussa Beaumagnan et livra
passage à Léonard.

Celui-ci examina vivement les deux hommes,
puis prit à part la Cagliostro, et lui dit quelques
mots à l'oreille.

Elle sembla stupéfaite et marmotta :

« Qu'est-ce que tu dis ?... qu'est-ce que tu
dis ?... »

Elle détourna la tête pour qu'on ne pût connaître le sentiment qu'elle éprouvait, mais Raoul
eut l'impression d'une grande joie.

« Ne bougeons pas, fit-elle... On vient... Léonard, prends ton revolver. Quand on aura franchi
le seuil, ajuste. »

Elle apostropha Beaumagnan qui essayait d'ouvrir la porte.

« Mais vous êtes fou ? Qu'y a-t-il ? Restez donc
là. »

Comme Beaumagnan insistait, elle s'irrita.

« Pourquoi voulez-vous sortir ? Quelles raisons ? Vous connaissez donc cette personne, et

vous voulez l'empêcher... ou bien l'emmener avec vous ?... Quoi ?... Répondez donc ?... »

Beaumagnan ne lâchait pas la poignée, tandis que Josine essayait de le retenir. Voyant qu'elle n'y parvenait pas, elle se tourna vers Léonard et, de sa main libre, lui montra l'épaule gauche de Beaumagnan avec un geste qui ordonnait à la fois de frapper et de frapper sans brusquerie. En une seconde Léonard tira de sa poche un stylet qu'il enfonça légèrement dans l'épaule de l'adversaire.

Celui-ci grogna : « Ah ! la gueuse... » et s'affaissa sur le dallage.

Elle dit tranquillement à Léonard :

« Aide-moi, et dépêchons-nous. »

A eux deux, coupant la corde trop longue qui attachait Raoul, ils lièrent les bras et les jambes de Beaumagnan. Puis, après l'avoir assis et appuyé contre le mur, elle examina la plaie, la recouvrit d'un mouchoir, et dit :

« Ce n'est rien... à peine deux ou trois heures d'engourdissement... Prenons notre poste. »

Ils se mirent à l'affût.

Tout cela elle l'exécuta sans hâte, la figure paisible, par gestes aussi mesurés que s'ils avaient été réglés d'avance. Quelques syllabes simplement pour donner des ordres. Mais sa voix, même assourdie, prenait un tel accent de triomphe que Raoul concevait une inquiétude croissante, et qu'il fut sur le point de crier et d'avertir celui ou celle qui, à son tour, allait tomber dans le guet-apens.

A quoi bon ? Rien ne pouvait s'opposer aux

décisions redoutables de la Cagliostro. D'ailleurs il ne savait plus que faire. Son cerveau s'épuisait en idées absurdes. Et puis... et puis... il était trop tard. Un gémissement lui échappa : Clarisse d'Etigues entrait.

XII

DÉMENCE ET GÉNIE

Jusqu'ici Raoul n'avait ressenti qu'une peur plutôt morale, le danger ne menaçant que lui et la Cagliostro ; pour lui, il se confiait à son adresse et à sa bonne étoile ; pour la Cagliostro, il la savait de taille à se défendre contre Beaumagnan.

Mais Clarisse ! En présence de Joséphine Balsamo, Clarisse était comme une proie livrée aux ruses et à la cruauté de l'ennemi. Et, dès lors, la peur de Raoul se compliqua d'une sorte d'horreur physique qui, *réellement,* dressait ses cheveux sur sa tête et lui donnait ce qu'on appelle vulgairement la chair de poule. La face implacable de Léonard ajoutait à cette épouvante. Il se souvenait de la veuve Rousselin et de ses doigts tuméfiés.

En vérité, il avait vu juste lorsque, une heure plus tôt, venant au rendez-vous, il devinait que la grande bataille se préparait et qu'elle le mettrait aux prises avec Joséphine Balsamo. Jusqu'ici, simples escarmouches, engagements d'avant-garde. Maintenant, c'était la lutte à mort entre toutes les forces qui s'étaient affrontées, et Raoul s'y présentait lui, les mains liées. la corde au cou, et avec ce surcroît d'affaiblissement que lui causait l'arrivée de Clarisse d'Etigues.

« Allons, se dit-il, j'ai encore beaucoup à apprendre. Cette situation affreuse, j'en suis à peu près responsable, et ma chère Clarisse une fois de plus est ma victime. »

La jeune fille demeurait interdite sous la menace du revolver que Léonard tenait braqué. Elle était venue allégrement, comme on vient un jour de vacances, à la rencontre de quelqu'un que l'on a plaisir à retrouver, et elle tombait au milieu de cette scène de violence et de crime, tandis que celui qu'elle aimait demeurait en face d'elle, immobile et captif.

Elle balbutia :

« Qu'y a-t-il, Raoul ? Pourquoi êtes-vous attaché ? »

Elle tendait ses mains vers lui, autant pour implorer son aide que pour lui offrir la sienne. Mais que pouvaient-ils l'un et l'autre !

Il remarqua ses traits tirés et l'extrême lassitude de tout son être, et il dut se retenir de pleurer en pensant à la douloureuse confession qu'elle avait faite à son père et aux conséquences de la faute commise. Malgré tout, il lui dit, avec une assurance imperturbable :

« Je n'ai rien à craindre, Clarisse, et vous non plus, absolument rien. Je réponds de tout. »

Elle jeta les yeux sur ceux qui l'entouraient, eut la stupeur de reconnaître Beaumagnan sous le masque qui l'étouffait, et interrogea timidement Léonard :

« Que me voulez-vous ? Tout cela est effrayant... Qui m'a fait venir ici ?

— Moi, mademoiselle », dit Joséphine Balsamo.

La beauté de Josine avait déjà frappé Clarisse. Un peu d'espoir la réconforta, comme s'il ne pouvait lui venir de cette femme admirable que de l'aide et de la protection.

« Qui êtes-vous, madame ? Je ne vous connais pas...

— Je vous connais, moi, affirma Joséphine Balsamo, que la grâce et la douceur de la jeune fille semblaient irriter, mais qui dominait sa colère. Vous êtes la fille du baron d'Etigues... et je sais aussi que vous aimez Raoul d'Andrésy. »

Clarisse rougit et ne protesta pas. Joséphine Balsamo dit à Léonard :

« Va fermer la barrière. Mets-y la chaîne et le cadenas que tu as apportés, et redresse le vieux poteau tombé, où il y a une pancarte : « Propriété privée. »

— Dois-je rester dehors ? demanda Léonard.

— Oui, je n'ai pas besoin de toi pour l'instant, dit Josine d'un air qui terrifia Raoul. Reste dehors. Il ne faut pas que nous soyons dérangés... A aucun prix, n'est-ce pas ? »

Léonard contraignit Clarisse à s'asseoir sur une

des deux chaises, lui ramena les deux bras en arrière et voulut lier les poignets aux barreaux.

« Inutile, dit Joséphine Balsamo, laisse-nous. »

Il obéit.

Tour à tour, elle regarda ses trois victimes, toutes trois désarmées et réduites à l'impuissance. Elle était maîtresse du champ de bataille et, sous peine de mort, pouvait imposer ses arrêts inflexibles.

Raoul ne la quittait pas des yeux, tâchant de discerner son plan et ses intentions. Le calme de Josine l'impressionnait plus que tout. Elle n'avait point cette fièvre et cette agitation qui eussent, pour ainsi dire, désarticulé la conduite de toute autre femme à sa place. Aucune attitude de triomphe. Plutôt même un certain ennui, comme si elle eût agi sous l'impulsion de forces intérieures qu'elle n'était pas maîtresse de discipliner.

Pour la première fois, il devinait en elle cette sorte de fatalisme nonchalant que dissimulait d'ordinaire sa beauté souriante, et qui était peut-être l'essentiel même et l'explication de sa nature énigmatique.

Elle prit place à côté de Clarisse, sur l'autre chaise, et, les yeux fixes, la voix lente, avec de la sécheresse et de la monotonie dans l'accent, elle commença :

« Il y a trois mois, mademoiselle, une jeune femme était enlevée furtivement à sa descente du train, et transportée au château de la Haie d'Etigues, où se trouvaient réunis, dans une grande salle isolée, une dizaine de gentilshommes du pays de Caux, dont Beaumagnan, que vous voyez ici, et votre père. Je ne vous raconterai pas tout ce qui fut dit à cette réunion, et toutes les ignominies que cette femme eut à subir de la part de gens qui se prétendaient ses juges. Toujours est-il que, après un simulacre de débats, le soir, ses invités étant partis, votre père et son cousin Bennetot emmenèrent cette femme au bas des falaises, l'attachèrent au fond d'une barque trouée qu'alourdissait un énorme galet, et la conduisirent au large où ils l'abandonnèrent. »

Clarisse, suffoquée, balbutia :

« Ce n'est pas vrai ! Ce n'est pas vrai !... mon père n'aurait jamais fait cela... ce n'est pas vrai ! »

Sans se soucier de la protestation indignée de Clarisse, Joséphine Balsamo continua :

« Quelqu'un avait assisté, sans qu'aucun des conjurés s'en doutât, à la séance du château, quelqu'un qui épia les deux assassins — il n'y a pas d'autre terme, n'est-ce pas ? — s'accrocha à la barque et sauva la victime dès qu'ils se furent éloignés. D'où venait-il, celui-là ? Tout porte à croire qu'il avait passé la nuit précédente et la matinée dans votre chambre, accueilli par vous, non pas comme un fiancé, puisque votre père lui avait refusé ce titre, mais comme un amant. »

Les accusations et les injures heurtaient Clarisse comme des coups de massue. Dès la première minute, elle avait été hors de combat, incapable de résister ni même de se défendre.

Toute pâle, défaillante, elle se courba sur sa chaise, en gémissant :

« Oh ! madame, que dites-vous ?

— Ce que vous avez dit vous-même à votre père, repartit la Cagliostro, les conséquences de votre faute rendant nécessaire l'aveu que vous lui avez fait avant-hier soir. Ai-je besoin de préciser davantage et de vous dire ce qu'il est advenu de votre amant ? Le jour même où il vous déshonorait, Raoul d'Andrésy vous abandonnait pour suivre la femme qu'il avait sauvée de la mort la plus affreuse, se dévouait à elle corps et âme, se faisait aimer d'elle, vivait de sa vie, et lui jurait de ne jamais vous revoir. Le serment fut fait de la façon la plus catégorique : « *Je ne l'aimais pas*, « a-t-il dit. *C'était une amourette. C'est fini.* »

« Or, à la suite d'un malentendu passager... qui s'est élevé entre sa maîtresse et lui, cette femme vient de découvrir que Raoul correspondait avec vous et vous écrivait une lettre que voici, où il vous demandait pardon et vous donnait confiance en l'avenir. Comprenez-vous maintenant que j'ai quelque droit de vous traiter en ennemie... et même en ennemie mortelle ? » ajouta sourdement la Cagliostro.

Clarisse se taisait. La peur montait en elle, et elle considérait avec une appréhension croissante le doux et terrifiant visage de celle qui lui avait pris Raoul et qui se proclamait son ennemie.

Frissonnant de pitié, et sans redouter la colère de Joséphine Balsamo, Raoul répéta gravement :

« S'il y a eu de ma part un serment solennel, et que je suis résolu à tenir envers et contre tous, Clarisse, c'est celui par lequel j'ai juré que pas un cheveu de votre tête ne serait touché. Soyez sans crainte. Avant dix minutes, vous sortirez d'ici, saine et sauve. Dix minutes, Clarisse, pas davantage. »

Joséphine Balsamo ne releva pas l'apostrophe. Posément, elle reprit :

« Voilà donc notre situation réciproque bien établie. Passons aux faits et là, de même je serai très brève. Votre père, mademoiselle, son ami Beaumagnan et leurs complices, poursuivent une entreprise commune, que je poursuis de mon côté, et après laquelle Raoul s'acharne également. D'où, entre nous, une guerre incessante. Or, les uns comme les autres, nous sommes entrés en relation avec une dame Rousselin, laquelle possédait un coffret ancien dont nous avons besoin pour réussir, et dont elle s'était dessaisie en faveur d'une autre personne.

« Nous l'avons interrogée de la manière la plus pressante, sans toutefois obtenir d'elle le nom de cette personne qui, paraît-il, l'avait comblée de bienfaits et qu'elle ne voulait pas compromettre par une indiscrétion. Tout ce qu'il nous fut possible d'apprendre, c'est une vieille histoire que je vais vous résumer, et dont vous suivrez tout l'intérêt à notre point de vue... et au vôtre, mademoiselle. »

Raoul commençait à discerner le chemin suivi par la Cagliostro et le but où elle devait inévitablement aboutir. C'était si effroyable qu'il lui dit avec un accent de colère :

« Non, non, pas cela, n'est-ce pas ? pas cela ! il y a des choses qui doivent rester cachées... »

Elle ne parut pas entendre et continua, inexorable :

« Voici. Il y a vingt-quatre ans, pendant la guerre entre la France et la Prusse, deux hommes qui fuyaient les envahisseurs et qui s'en allaient sous la conduite du sieur Rousselin, tuèrent aux environs de Rouen, pour lui voler son cheval, un domestique du nom de Jaubert.

« Avec le cheval, ils purent se sauver, emportant en plus un coffret qu'ils avaient dérobé à leur victime et qui contenait les bijoux les plus précieux.

« Plus tard, le sieur Rousselin qu'ils avaient emmené de force, et à qui ils avaient donné pour sa part quelques bagues sans valeur, revint à Rouen près de sa femme et y mourut presque aussitôt tellement ce meurtre et sa complicité involontaire l'avaient déprimé. Or, des relations s'établirent entre la veuve et les assassins, ceux-ci redoutant quelque bavardage et il arriva.... Mais je suppose, mademoiselle, que vous comprenez exactement de qui il s'agit, n'est-ce pas ? »

Clarisse écoutait avec un effarement si douloureux que Raoul s'écria :

« Tais-toi, Josine, pas un mot de plus ! C'est l'action la plus vile et la plus absurde. A quoi bon ? »

Elle lui imposa silence.

« A quoi bon ? fit-elle. Parce que toute la vérité doit être dite. Tu nous as jetées, elle et moi, l'une contre l'autre. Qu'il y ait donc égalité entre elle et moi dans la souffrance.

— Ah ! sauvage », murmura-t-il avec désespoir.

Et Joséphine Balsamo se retournant vers Clarisse, précisa :

« Votre père et votre cousin Bennetot suivirent donc de près la veuve Rousselin, et c'est évidemment au baron d'Etigues qu'elle dut son installation à Lillebonne, où il lui fut plus facile de la surveiller. Du reste, avec les années, il se trouva quelqu'un pour accomplir plus ou moins consciemment cette besogne : ce fut vous, mademoiselle. La veuve Rousselin vous prit en affection, à un tel point qu'il n'y avait plus à craindre de sa part le moindre acte d'hostilité. Pour rien au monde, elle n'eût trahi le père de la petite fille qui, de temps à autre, venait jouer chez elle. Visites clandestines évidemment, afin qu'aucun fil ne pût relier le présent au passé, visites qu'on remplaçait même quelquefois par des rendez-vous aux environs, au vieux phare ou ailleurs.

« C'est au cours d'une de ces visites que vous avez aperçu par hasard dans le grenier de Lillebonne le coffret que Raoul et moi nous cherchions, et par fantaisie que vous l'avez emporté chez vous, à la Haie d'Etigues. Aussi, lorsque Raoul et moi nous avons su, de la veuve Rousselin, que le coffret était en possession d'une personne qu'elle ne voulait pas nommer, que cette personne l'avait comblée de bienfaits, et qu'elles se rencontraient toutes deux à date fixe, nous en

260

avons conclu sans hésitation qu'il nous suffisait de venir au vieux phare, à la place de la veuve Rousselin, pour découvrir une partie de la vérité.

« Et, en vous voyant apparaître, nous avons acquis la certitude immédiate que les deux assassins n'étaient autres que Bennetot et le baron d'Etigues, c'est-à-dire les deux hommes qui, depuis, m'ont jetée à la mer. »

Clarisse pleurait, les épaules secouées par ses sanglots. Raoul ne doutait pas que les crimes de son père ne lui fussent inconnus, mais il ne doutait pas non plus que l'accusation de l'ennemie ne lui montrât subitement sous leur véritable jour bien des choses dont elle ne s'était pas rendu compte jusqu'ici et ne l'obligeât aussi à considérer son père comme un assassin. Quel déchirement pour elle ! et comme Joséphine Balsamo avait frappé juste ! Avec quelle science effroyable du mal le bourreau torturait sa victime ! Avec quel raffinement, mille fois plus cruel que les tourments physiques infligés à la veuve Rousselin par Léonard, Joséphine Balsamo se vengeait de l'innocente Clarisse !

« Oui, disait-elle à voix basse, un assassin... Ses richesses, son château, ses chevaux, tout cela provient du crime. N'est-ce pas, Beaumagnan ? Tu pourrais, toi aussi, apporter ton témoignage, toi qui avais justement, et par cela même, pris sur lui une telle influence ? Maître d'un secret que tu avais dérobé, peu importe comment, tu le faisais marcher au doigt et à l'œil, et profitais du premier crime commis et des preuves que tu en avais pour l'obliger à te servir et à tuer encore ceux qui te gênaient, Beaumagnan... j'en sais quelque chose ! Ah ! bandits que vous êtes ! »

Ses yeux cherchaient les yeux de Raoul. Il eut l'impression qu'elle essayait d'excuser ses propres crimes en évoquant ceux de Beaumagnan et de ses complices. Mais il lui dit durement :

« Et après ? Est-ce fini ? Vas-tu t'acharner encore sur cette enfant ? Que veux-tu de plus ?

— Qu'elle parle, déclara Josine.

— Si elle parle, la laisseras-tu libre ?

— Oui.

— Alors, interroge-la. Que demandes-tu ? Le coffret ? La formule inscrite à l'intérieur du couvercle ? Est-ce cela ? »

Mais que Clarisse voulût répondre ou non, qu'elle sût la vérité ou l'ignorât, elle semblait incapable de prononcer une parole et même de comprendre la question posée.

Raoul insista.

« Surmontez votre douleur, Clarisse. C'est la dernière épreuve, et tout sera terminé. Je vous en prie, répondez... Il n'y a là, dans ce qu'on vous demande, rien qui doive blesser votre conscience. Vous n'avez fait aucun serment de discrétion. Vous ne trahissez personne... En ce cas... »

La voix insinuante de Raoul détendait la jeune fille. Il le sentit et interrogea :

« Qu'est devenu ce coffret ? Vous l'avez rapporté à la Haie d'Etigues ?

— Oui, souffla-t-elle, épuisée.

— Pourquoi ?

— Il me plaisait... un caprice...

— Votre père l'a vu ?

— Oui.

— Le jour même ?

— Non, il ne l'a vu que quelques jours plus tard.

— Il vous l'a repris ?

— Oui.

— Sous quel prétexte ?

— Aucun.

— Mais vous aviez eu le temps d'examiner l'objet ?

— Oui.

— Et vous avez vu une inscription à l'intérieur du couvercle, n'est-ce pas ?

— Oui.

— De vieux caractères, n'est-ce pas ? gravés grossièrement ?

— Oui.

— Vous avez pu les déchiffrer ?

— Oui.

— Facilement ?

— Non, mais j'y suis arrivée.

— Et vous vous rappelez cette inscription ?

— Peut-être... je ne sais pas... c'étaient des mots latins...

— Des mots latins ? Cherchez bien...

— Ai-je le droit ?... Si c'est un secret si grave, dois-je le révéler ?... »

Clarisse hésitait :

« Vous le pouvez, Clarisse, je vous l'assure... Vous le pouvez parce que ce secret n'appartient à personne. Nul au monde n'a aucun titre à le connaître plus spécialement que votre père, ou ses amis, ou moi. Il est à celui qui le découvrira, au premier passant venu qui saura en tirer parti. »

Elle céda. Ce que Raoul affirmait devait être juste.

« Oui.. oui... sans doute avez-vous raison... Mais, n'est-ce pas ? j'y attachais si peu d'importance, à cette inscription, que je dois rassembler mes souvenirs... et en quelque sorte traduire ce que j'ai lu... Il était question d'une pierre... et d'une reine...

— Il faut vous rappeler, Clarisse, il le faut », supplia Raoul, que l'expression plus sombre de la Cagliostro inquiétait.

Lentement, la figure contractée par l'effort de mémoire qu'elle accomplissait, se reprenant et se contredisant, la jeune fille réussit à prononcer :

« Voilà... je me souviens... voilà exactement la phrase que j'ai déchiffrée... cinq mots latins... dans cet ordre...

« *Ad lapidem currebat olim regina...* »

C'est tout au plus si elle eut le loisir d'articuler la dernière syllabe. Joséphine Balsamo qui semblait plus agressive et s'était rapprochée de la jeune fille, lui criait :

« Mensonge ! Cette formule, nous la connaissons depuis longtemps ! Beaumagnan peut le certifier. N'est-ce pas, Beaumagnan, nous la connaissons ?... Elle ment, Raoul, elle ment. Ces cinq mots-là, le cardinal de Bonnechose y fait allusion dans son résumé, et il leur accorde si peu d'attention, et leur refuse si nettement le moindre sens que je ne t'en ai même pas parlé !... *Vers la pierre jadis courait la reine.* Mais où se trouve-t-elle, cette pierre et de quelle reine s'agit-il ? Voilà vingt ans qu'on cherche. Non, non, il y a autre chose. »

De nouveau elle était reprise de cette colère terrible qui ne se manifestait ni par éclats de voix ni par mouvements désordonnés, mais par une agitation tout intérieure, que l'on devinait à certains signes, et surtout à la cruauté anormale et inusitée des paroles.

Penchée contre la jeune fille, et la tutoyant, elle scandait :

« Tu mens !... tu mens !... Il y a un mot qui résume ces cinq-là... Lequel ? Il y a une formule... une seule... laquelle ? Réponds. »

Terrorisée, Clarisse se taisait. Raoul implora :

« Réfléchissez, Clarisse... Rappelez-vous... En dehors de ces cinq mots, vous n'avez pas vu ?...

— Je ne sais pas... je ne crois pas... gémit la jeune fille.

— Souvenez-vous... Il faut vous souvenir... Votre salut est à ce prix... »

Mais le ton même que Raoul employait et son affection frémissante pour Clarisse exaspéraient Joséphine Balsamo.

Elle empoigna le bras de la jeune fille et ordonna :

« Parle, sinon... »

Clarisse balbutia, mais sans répondre. La Cagliostro donna un coup de sifflet strident.

Presque aussitôt Léonard surgit dans l'embrasure de la porte.

Elle commanda entre ses dents, d'une voix dont le timbre ne résonnait pas :

« Emmène-la, Léonard... et commence à l'interroger. »

Raoul bondit dans ses liens.

« Ah ! lâche ! misérable ! cria-t-il. Qu'est-ce qu'on va lui faire ? Mais tu es donc la dernière des femmes ? Léonard, si tu touches à cette enfant, je te jure Dieu qu'un jour ou l'autre...

— Ce que tu as peur pour elle ! ricana Joséphine Balsamo. Hein ! l'idée qu'elle puisse souffrir te bouleverse ! Parbleu ! vous êtes faits pour vous entendre, tous les deux. La fille d'un assassin, et un voleur !

« Hé oui, un voleur, grinça-t-elle, en revenant à Clarisse. Un voleur, ton amant, pas autre chose ! Il n'a jamais vécu que de vols. Tout enfant il volait. Pour te donner des fleurs, pour te donner la petite bague de fiançailles que tu portes au doigt, il a volé. C'est un cambrioleur, un escroc. Tiens, son nom même, son joli nom d'Andrésy, une escroquerie tout simplement. Raoul d'Andrésy ? Allons donc ! Arsène Lupin, le voilà son nom véritable. Retiens-le, Clarisse, il sera célèbre.

« Ah ! c'est que je l'ai vu à l'œuvre, ton amant ! Un maître ! Un prodige d'adresse ! Quel joli couple vous feriez si je n'y mettais bon ordre, et quel enfant prédestiné sera le vôtre, fils d'Arsène Lupin et petit-fils du baron Godefroy. »

Cette idée de l'enfant donna de nouveau un

coup de fouet à sa fureur. La folie du mal se déchaînait.

« Léonard...

— Ah ! sauvage, lui jeta Raoul éperdu. Quelle ignominie !... Hein ! tu te démasques, Joséphine Balsamo ? Plus la peine de jouer la comédie, n'est-ce pas ? C'est bien toi, le bourreau ?... »

Mais elle était intraitable, butée dans son désir barbare de faire le mal et de martyriser la jeune fille. Elle-même poussa Clarisse que Léonard entraînait vers la porte.

« Lâche ! monstre ! hurlait Raoul. Un seul de ses cheveux, tu entends... un seul ! et c'est la mort pour vous deux. Ah ! les monstres ! Mais laissez-la donc ! »

Il s'était tendu si violemment contre ses liens que tout le mécanisme imaginé par Beaumagnan pour le retenir se démolit, et que la persienne vermoulue fut arrachée de ses gonds et tomba dans la pièce, derrière lui.

Il y eut un instant d'inquiétude dans le camp adverse. Mais les cordes, quoique relâchées, étaient solides et entravaient suffisamment le captif pour qu'il ne fût pas à craindre. Léonard sortit son revolver et l'appliqua sur la tempe de Clarisse.

« S'il fait un pas de plus, un seul mouvement, tire », commanda la Cagliostro.

Raoul ne bougea pas. Il ne doutait pas que Léonard n'exécutât l'ordre à la seconde même, et que le moindre geste ne fût la condamnation immédiate de Clarisse. Alors ?... Alors devait-il se résigner ? N'y avait-il aucun moyen de la sauver ?

Joséphine Balsamo ne le perdait pas de vue.

« Allons, dit-elle, tu comprends la situation, et te voilà plus sage.

— Non, répondit-il, très maître de lui... non, mais je réfléchis.

— A quoi ?

— Je lui ai promis qu'elle serait libre et qu'elle n'avait rien à redouter. Je veux tenir ma promesse.

— Un peu plus tard, peut-être, dit-elle.

— Non, Josine, tu vas la délivrer. »

Elle se retourna vers son complice.

« Tu es prêt, Léonard ? Va, et que ce soit rapide.

— Arrête, exigea Raoul, d'un ton où il y avait une telle certitude d'être obéi qu'elle eut une hésitation. Arrête, répéta-t-il, et délivre-la... Tu entends, Josine, je veux que tu la délivres... Il ne s'agit pas de différer l'ignoble chose qui allait se faire ou d'y renoncer. Il s'agit de délivrer sur-le-champ Clarisse d'Etigues et de lui ouvrir cette porte toute grande. »

Il fallait qu'il fût bien sûr de lui, et que sa volonté fût soutenue par des motifs bien extraordinaires pour qu'il la formulât avec tant d'impérieuse solennité.

Lui-même impressionné, Léonard demeurait indécis ; Clarisse, qui n'avait pas saisi cependant toute l'horreur de la scène, parut réconfortée.

La Cagliostro, interdite, murmura :

« Des mots, n'est-ce pas ? Quelque ruse nouvelle...

— Des faits, affirma-t-il... ou plutôt un fait qui domine tout et devant lequel tu t'inclineras.

— Qu'est-ce que cela signifie ? demanda la Cagliostro, de plus en plus troublée. Que désires-tu ?

— Je ne désire pas... J'exige.

— Quoi ?

— La liberté immédiate de Clarisse, la liberté de partir d'ici, sans que Léonard ni toi remuiez d'un seul pas. »

Elle se mit à rire et demanda :

« Rien que cela ?

— Rien que cela.

— Et en échange, tu m'offres ?...

— Le mot de l'énigme. »

Elle tressaillit.

« Tu le connais donc ?

— Oui. »

Le drame changeait soudain. De tout l'antagonisme furieux qui les jetait les uns contre les autres dans la haine et dans l'exécration de l'amour et de la jalousie il semblait que se dégageât le seul souci de la grande entreprise. L'obsession de la vengeance chez la Cagliostro passait au second plan. Les mille et mille pierres précieuses des moines avaient scintillé devant ses yeux, selon la volonté de Raoul.

Beaumagnan à demi dressé écoutait avidement.

Laissant Clarisse sous la garde de son complice, Josine s'avança et dit :

« Suffit-il de connaître le mot de l'énigme ?

— Non, dit Raoul. Il faut encore l'interpréter. Le sens même de la formule est caché sous un voile dont il faut d'abord s'affranchir.

— Et tu as pu, toi ?...

— Oui, j'avais déjà certaines idées à ce propos. Tout à coup la vérité m'a illuminé. »

Elle savait que Raoul n'était pas homme à plaisanter en pareille occurrence.

« Explique-toi, dit-elle, et Clarisse s'en ira d'ici.

— Qu'elle s'en aille, d'abord, répliqua-t-il, et je m'expliquerai. Je m'expliquerai, bien entendu, non pas la corde au cou et les mains liées, mais librement, sans la moindre entrave.

— C'est absurde. Tu retournes la situation. je suis maîtresse absolue des événements.

— Plus maintenant, affirma-t-il. Tu dépends de moi. C'est à moi de dicter mes conditions. »

Elle haussa les épaules et, cependant, ne put s'empêcher de dire :

« Jure que tu parles selon l'exacte vérité. Jure-le sur la tombe de ta mère. »

Il prononça posément :

« Sur la tombe de ma mère, je te jure que vingt minutes après que Clarisse aura franchi ce seuil, je t'indiquerai l'endroit précis où se trouve la borne, c'est-à-dire où se trouvent les richesses accumulées par les moines des abbayes de France. »

Elle voulut s'affranchir de la fascination incroyable que Raoul exerçait tout à coup sur elle avec son offre fabuleuse, et, s'insurgeant :

« Non, non, c'est un piège... tu ne sais rien...

— Non seulement je sais, dit-il, mais je ne suis pas seul à savoir.

— Qui encore ?

— Beaumagnan et le baron.

— Impossible.

— Réfléchis. Beaumagnan était avant-hier à la Haie d'Etigues. Pourquoi ? Parce que le baron a recouvré le coffret et qu'ils étudient ensemble l'inscription. Or, s'il n'y a pas que les cinq mots révélés par le cardinal, s'il y a le mot, le mot magique qui les résume et qui donne la clef du mystère, ils l'ont vu, eux, et ils savent.

— Que m'importe ! fit-elle, en observant Beaumagnan, je le tiens, lui.

— Mais tu ne tiens pas Godefroy d'Etigues, et peut-être, à l'heure actuelle, est-il là-bas, avec son cousin, tous deux envoyés d'avance par Beaumagnan pour explorer les lieux et préparer l'enlèvement du coffre-fort. Comprends-tu le danger ? Comprends-tu qu'une minute perdue, c'est toute la partie que tu perds ? »

Elle s'obstina rageusement.

« Je la gagne si Clarisse parle.

— Elle ne parlera pas pour cette bonne raison qu'elle n'en sait pas davantage.

— Soit, mais alors parle, toi, puisque tu as eu l'imprudence de me faire un tel aveu. Pourquoi la délivrer ? Pourquoi t'obéir ? Tant que Clarisse est entre les mains de Léonard, je n'ai qu'à vouloir pour t'arracher ce que tu sais. »

Il hocha la tête.

« Non, dit-il, le danger est écarté, l'orage est loin. Peut-être, en effet, n'aurais-tu qu'à vouloir, mais justement tu ne peux plus vouloir *cela*. Tu n'en as plus la force. »

Et c'était vrai, Raoul en avait la conviction. Dure, cruelle, « infernale », comme disait Beaumagnan, mais tout de même femme et sujette à des défaillances nerveuses, la Cagliostro faisait le mal par crise plutôt que par volonté — crise de démence où il y avait de l'hystérie et que suivait une sorte de lassitude, de courbature aussi bien morale que physique. Raoul ne doutait pas qu'elle n'en fût là, en cet instant.

« Allons, Joséphine Balsamo, dit-il, sois logique avec toi-même. Tu as joué ta vie sur cette carte : la conquête de richesses illimitées. Veux-tu renier tous tes efforts au moment où je te les offre, ces richesses ? »

La résistance faiblissait. Joséphine Balsamo objecta :

« Je me défie de toi.

— Ce n'est pas vrai. Tu sais parfaitement que je tiendrai mes promesses. Si tu hésites... Mais tu n'hésites pas. Au fond de toi, ta décision est prise, et c'est la bonne. »

Elle demeura songeuse une ou deux minutes, puis elle eut un geste qui signifiait : « Après tout, je la retrouverai, la petite, et ma vengeance n'est que différée. »

« Sur le souvenir de ta mère, n'est-ce pas ? dit-elle.

— Sur le souvenir de ma mère, sur tout ce qui

272

me reste d'honneur et de propreté, je ferai pour toi toute la lumière.

— Soit, accepta-t-elle. Mais Clarisse et toi, vous n'échangerez pas un seul mot à part.

— Pas un seul mot. D'ailleurs, je n'ai rien de secret à lui dire. Qu'elle soit libre, je n'ai pas d'autre but. »

Elle ordonna :

« Léonard, laisse la petite. Quant à lui, détache-le. »

Léonard eut un air de désapprobation. Mais il était trop asservi pour regimber. Il s'éloigna de Clarisse, puis il acheva de couper les liens qui retenaient encore Raoul.

L'attitude de Raoul ne fut pas du tout conforme à la gravité des circonstances. Il se déraidit les jambes, fit faire deux à trois exercices à ses bras, et respira profondément.

« Ouf ! J'aime mieux ça ! Je n'ai aucune vocation pour jouer les captifs. Délivrer les bons et punir les méchants, voilà ce qui m'intéresse. Tremble, Léonard. »

Il s'approcha de Clarisse et lui dit :

« Je vous demande pardon de tout ce qui vient de se passer. Cela ne se représentera plus jamais, soyez-en sûre. Désormais, vous êtes sous ma protection. Etes-vous de force à partir ?

— Oui... oui... dit-elle. Mais vous ?

— Oh ! moi, je ne cours aucun risque. L'essentiel, c'est votre salut. Or, j'ai peur que vous ne puissiez pas marcher longtemps.

— Je n'ai pas à marcher longtemps. Hier mon

père m'a conduite chez une de mes amies où il doit me reprendre demain.

— Près d'ici ?

— Oui.

— N'en dites pas davantage, Clarisse. Tout renseignement se retournerait contre vous. »

Il la mena jusqu'à la porte et fit signe à Léonard d'aller ouvrir le cadenas de la barrière. Quand Léonard eut obéi, il reprit :

« Soyez prudente et ne craignez rien, absolument rien, ni pour vous ni pour moi. Nous nous retrouverons lorsque l'heure aura sonné, et elle ne tardera pas à sonner, quels que soient les obstacles qui nous séparent. »

Il referma la porte derrière elle. Clarisse était sauvée.

Alors il eut l'aplomb de dire :

« Quelle adorable créature ! »

Par la suite, quand Arsène Lupin racontait cet épisode de sa grande aventure avec Joséphine Balsamo, il ne pouvait s'empêcher de rire :

« Eh ! oui. Je ris comme je riais à ce moment-là, et je me souviens que, pour la première fois, j'exécutai sur place un de ces petits entrechats qui me servirent bien souvent depuis à illustrer mes victoires les plus difficiles... et celle-ci l'était bigrement, difficile.

« En vérité, j'exultais. Clarisse libre, tout me semblait fini. J'allumai une cigarette, et comme Joséphine Balsamo se planta devant moi pour me rappeler notre pacte, j'eus l'incorrection de lui souffler ma fumée en plein visage. « — Voyou ! » mâchonna-t-elle.

« L'épithète que je lui relançai comme une balle fut tout simplement ignoble. Mon excuse, c'est que j'y mis beaucoup plus d'espièglerie que de grossièreté. Et puis... et puis... ai-je besoin d'analyser les sentiments excessifs et contradictoires que m'inspira cette femme ? Je ne me pique pas de faire de la psychologie à son propos, et de m'être conduit comme un gentleman avec elle. Je l'aimais et je la détestais *férocement* à la fois. Mais depuis qu'elle s'était attaquée à Clarisse, mon dégoût et mon mépris n'avaient plus de limites. Je ne voyais même plus le masque admirable de sa beauté, mais ce qui était en dessous, et c'est à la sorte de bête carnassière, qui m'apparut soudain, que je jetai en pirouettant une abominable injure. »

Arsène Lupin pouvait rire, *après*. Tout de même l'instant fut tragique, et il s'en fallut sans doute de peu que la Cagliostro ou Léonard ne l'abattissent d'un coup de feu.

Elle fit entre ses dents :

« Ah ! comme je te hais !

— Pas plus que moi, ricana-t-il.

— Et tu sais que ce n'est pas fini entre Clarisse et Joséphine Balsamo ?

— Pas plus qu'entre Clarisse et Raoul d'Andrésy, dit-il, indomptable.

— Gredin ! murmura-t-elle... tu mériterais...

— Une balle de revolver... Impossible, ma chérie !

— Ne me défie pas trop, Raoul !

— Impossible, te dis-je. Je suis sacré pour toi, actuellement. Je suis le monsieur qui représente un milliard. Supprime-moi, et le milliard passe sous ton joli nez, ô fille de Cagliostro ! C'est dire à quel point tu me respectes ! Chaque cellule de mon cerveau correspond à une pierre précieuse...

« Une petite balle là-dedans, et tu auras beau implorer les mânes de ton père... bernique ! pas un sou pour la Josette ! Je te le répète, ma petite Joséphine, je suis « tabou » comme on dit en Polynésie. Tabou des pieds à la tête ! Mets-toi à genoux et baise-moi la main, c'est ce que tu as de mieux à faire. »

Il ouvrit une fenêtre latérale qui donnait sur le clos et soupira :

« On étouffe ici. Décidément, Léonard sent le renfermé. Tu tiens beaucoup, Joséphine, à ce que ton bourreau garde sa main au fond de sa poche à revolver ? »

Elle frappa du pied.

« Assez de bêtises ! déclara-t-elle. Tu as posé tes conditions, tu connais les miennes.

— La bourse ou la vie.

— Parle, et tout de suite, Raoul.

— Comme tu es pressée ! D'abord, j'ai fixé un délai de vingt minutes pour être bien sûr que Clarisse soit à l'abri de tes griffes, et nous sommes loin des vingt minutes. En outre...

— Quoi encore ?

— En outre comment veux-tu que je déchiffre en cinq sec un problème que l'on s'évertue

276

vainement à résoudre depuis des années et des années ? »

Elle fut abasourdie.

« Que veux-tu dire ?

— Rien que de très simple. Je demande un peu de répit.

— Du répit ? Mais pourquoi ?

— Pour déchiffrer...

— Hein ? Tu ne savais donc pas ?...

— Le mot de l'énigme ? Ma foi, non.

— Ah ! tu as menti !

— Pas de gros mots, Joséphine.

— Tu as menti, puisque tu as juré...

— Sur la tombe de ma pauvre maman oui, et je ne me dérobe pas. Mais il ne faut pas confondre autour avec alentour. Je n'ai pas juré que je savais la vérité. J'ai juré que je te dirais la vérité.

— Pour dire, il faut savoir.

— Pour savoir, il faut réfléchir, et tu ne m'en laisses pas le temps ! Sacrebleu ! un peu de silence... et puis, que Léonard lâche la crosse de son revolver : ça me dérange. »

Plus encore que ses plaisanteries, le ton de persiflage et d'insolence avec lequel il les débitait avait quelque chose d'horripilant pour la Cagliostro.

Excédée, sentant la vanité de toute menace, elle lui dit :

« A ton aise ! Je te connais, tu tiendras ton engagement. »

Il s'écria :

« Ah ! si tu me prends par la douceur... je n'ai jamais pu résister à la douceur... Garçon, de quoi écrire ! Du papier de paille fine, une plume de colibri, le sang d'une mûre noire, et, comme écritoire, l'écorce d'un cédrat, ainsi qu'a dit le poète. »

Il tira de son portefeuille un crayon et une carte de visite sur laquelle quelques mots étaient déjà disposés d'une façon spéciale. Il traça quelques barres pour relier ces mots les uns aux autres. Puis, au verso, il inscrivit la formule latine :

Ad lapidem currebat olim regina.

« Quel latin de cuisine ! dit-il à mi-voix. Il me semble qu'à la place des bons moines, j'aurais trouvé mieux, tout en obtenant le même résultat. Enfin, acceptons ce qui est. Donc la reine piquait un galop vers la borne... Regarde ta montre, Joséphine. »

Il ne riait plus. Durant une ou deux minutes peut-être, sa figure fut empreinte de gravité, et ses yeux, comme fixés sur le vide, disaient l'effort de la méditation. Il s'aperçut cependant que Josine l'observait d'un regard où il y avait une admiration et une confiance illimitées, et il lui sourit distraitement sans rompre le fil de ses idées.

« Tu *vois* la vérité, n'est-ce pas ? » dit-elle.

Immobile sous ses liens, le visage tendu par l'anxiété, Beaumagnan écoutait. Est-ce que vraiment le formidable secret allait être divulgué ?

Il se passa encore une ou deux minutes, tout au plus, dans un silence infini.

Joséphine Balsamo prononça :

« Qu'est-ce que tu as, Raoul ? tu sembles tout ému.

— Oui, oui, très ému, dit-il. Toute cette histoire, ces richesses dissimulées dans une borne, en plein champ, cela déjà ne manque pas d'être assez curieux. Mais ce n'est rien, Josine, ce n'est rien à côté de l'idée même qui domine cette histoire. Tu ne peux pas t'imaginer comme c'est étrange... et comme c'est beau !... Quelle poésie et quelle naïveté ! »

Il se tut ; puis, au bout d'un instant, il affirma sentencieusement :

« Josine, les moines du Moyen Age étaient des gourdes. »

Et, se levant :

« Mon Dieu ! oui, de pieux personnages, mais, je le répète au risque de te blesser dans tes convictions, des gourdes ! Voyons, quoi ! si un grand financier s'avisait de protéger son coffre-fort en écrivant dessus : « Défense d'ouvrir » on le traiterait de gourde, n'est-ce pas ? Eh bien ! le procédé qu'ils ont choisi pour garantir leurs richesses est à peu près aussi ingénu. »

Elle chuchota :

« Non... non... ce n'est pas croyable !... tu n'as pas deviné !... tu te trompes !...

— Des gourdes aussi, tous ceux qui ont cherché depuis et qui n'ont rien trouvé. Des gens aveugles ! Des esprits bornés ! Comment ! toi,

Léonard, Godefroy d'Etigues, Beaumagnan, ses amis, toute la Société de Jésus, l'archevêque de Rouen, vous aviez sous les yeux ces cinq mots, et cela n'a pas suffi ! Sapristi ! un enfant de l'école primaire résout des problèmes autrement difficiles. »

Elle objecta :

« D'abord il s'agissait d'un mot et non de cinq.

— Mais il y est, le mot, sacrebleu ! Quand je t'ai dit tout à l'heure que la possession du coffret avait dû révéler ce mot indispensable à Beaumagnan et au baron, c'était pour t'effrayer et pour te faire lâcher prise ! Car ces messieurs n'y ont vu que du feu. Mais le mot indispensable il y est ! Il est là, mêlé aux cinq mots latins ! Au lieu de pâlir comme vous l'avez tous fait sur cette vague formule, il fallait tout bêtement la lire, assembler les cinq premières lettres, et s'occuper du mot composé par ces cinq initiales. »

Elle dit à voix basse :

« Nous y avons pensé... le mot *Alcor,* n'est-ce pas ?

— Oui, le mot *Alcor*.

— Eh bien ! quoi ?

— Comment quoi ? Mais il contient tout, ce mot ! Sais-tu ce qu'il signifie ?

— C'est un mot arabe qui signifie « épreuve ».

— Et dont les Arabes et dont tous les peuples se servent pour désigner quoi ?

— Une étoile.

— Quelle étoile ?

— Une étoile qui fait partie de la constellation

de la Grande Ourse. Mais cela n'a pas d'importance. Quelle relation peut-il y avoir ?... »

Raoul eut un sourire de pitié.

« Evidemment, n'est-ce pas ? le nom d'une étoile ne peut avoir aucun rapport avec l'emplacement d'une borne champêtre. On se tient ce raisonnement stupide, et l'effort s'arrête de ce côté. Malheureuse ! Mais c'est justement cela qui m'a frappé, moi, quand j'ai tiré le mot *Alcor* des cinq initiales de l'inscription latine ! Maître du mot-talisman, du mot magique, et, d'autre part, ayant remarqué que toute l'aventure tournait autour du nombre *sept* (*sept* abbayes, *sept* moines, *sept* branches au chandelier, *sept* pierres de couleur enchâssées dans *sept* bagues) aussitôt, tu entends, aussitôt, par une sorte de mouvement réflexe de mon esprit, j'ai noté que l'étoile *Alcor* appartenait à la constellation de la Grande Ourse. Et le problème était résolu.

— Résolu ?... Comment !

— Mais nom d'un chien ! parce que la constellation de la Grande Ourse est justement formée par *sept* étoiles principales ! Sept ! toujours le nombre sept ! Commences-tu à voir la relation ? Et dois-je te rappeler que si les Arabes ont choisi, et si les astronomes, depuis, ont accepté cette désignation d'*Alcor,* c'est parce que cette toute petite étoile, étant à peine visible, sert comme *épreuve,* tu entends ? comme *épreuve*, pour spécifier que telle personne a bonne vue puisqu'elle peut la distinguer à l'œil nu. *Alcor*, c'est ce qu'il faut voir, ce qu'on cherche, la chose dissimulée, le trésor caché, la borne invisible où l'on glisse les pierres précieuses, c'est le coffre-fort. »

Josine murmura, toute fiévreuse à l'approche de la grande révélation :

« Je ne comprends pas... »

Raoul avait tourné sa chaise de façon à se poster entre Léonard et la fenêtre qu'il avait ouverte avec l'intention bien nette de s'enfuir à la seconde même où il faudrait et, tout en parlant, il surveillait attentivement Léonard qui, lui, gardait sa main obstinément enfouie dans sa poche.

« Tu vas comprendre, dit-il. C'est tellement clair. De l'eau de roche. Regarde. »

Il montra la carte de visite qu'il tenait entre ses doigts.

« Regarde. Elle ne me quitte pas depuis des semaines. Dès le début de nos recherches, j'avais relevé sur un atlas la position exacte des sept abbayes dont j'avais inscrit les sept noms sur cette carte. Les voilà, toutes les sept, aux emplacements qu'elles occupent les unes à l'égard des autres. Or il m'a suffi, tout à l'heure, dès que j'ai connu le mot, de réunir les sept points par des lignes pour aboutir à cette constatation inouïe, Josine, miraculeuse, colossale, et pourtant très naturelle, que *la figure ainsi formée représente exactement la Grande Ourse.* Saisis-tu bien l'étonnante réalité ? Les sept abbayes du pays de Caux, les sept abbayes primordiales où convergeaient les richesses de la France chrétienne, étaient disposées comme les sept étoiles principales de la Grande Ourse ! Aucune erreur à ce propos. Qu'on prenne un atlas et qu'on fasse le décalque : c'est le dessin cabalistique de la Grande Ourse.

« Dès lors la vérité s'imposait aussitôt. A l'endroit même où Alcor se trouve sur la figure céleste, la borne doit fatalement se trouver sur la ligne terrestre. Et puisque Alcor se trouve, dans le ciel, un peu à droite et au-dessous de l'étoile située au milieu de la queue de la Grande Ourse, la borne doit fatalement se trouver un peu à droite et au-dessous de l'abbaye qui correspond à cette étoile, c'est-à-dire un peu à droite et au-dessous de l'abbaye de Jumièges, jadis la plus puissante et la plus riche des abbayes normandes. C'est inévitable, mathématique. La borne est là et pas ailleurs.

« Et tout de suite, comment ne pas songer : 1° que justement, un peu au sud et un peu à l'est de Jumièges, à une petite lieue de distance, il existe, au hameau de Mesnil-sous-Jumièges, tout près de la Seine, les vestiges du manoir d'Agnès Sorel, maîtresse du roi Charles VII ; 2° que l'abbaye communiquait avec le manoir par un

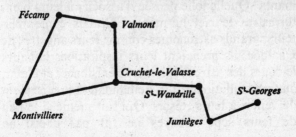

souterrain dont on aperçoit encore l'orifice ? Conclusion : la borne légendaire se trouve près du manoir d'Agnès Sorel, à côté de la Seine, et la légende veut sans doute que la maîtresse du roi, sa *reine* d'amour, courût vers cette borne, dont elle ignorait le précieux contenu, pour s'y asseoir et pour regarder la barque royale glisser sur le vieux fleuve normand.

« *Ad lapidem currebat olim regina.* »

Un grand silence unissait Raoul d'Andrésy et Joséphine Balsamo. Le voile était levé. La lumière chassait les ténèbres. Entre eux, il semblait que toute haine fût apaisée. Il y avait trêve aux conflits implacables qui les divisaient, et plus rien ne demeurait que l'étonnement de pénétrer ainsi dans les régions interdites du passé mystérieux que le temps et l'espace défendaient contre la curiosité des hommes.

Assis près de Josine, les yeux fixés à l'image qu'il avait dessinée, Raoul continua sourdement, avec une exaltation contenue :

« Oui, très imprudents, ces moines qui confiaient un tel secret à la garde d'un mot si transparent ! Mais quels poètes, ingénus et charmants ! Quelle jolie pensée d'associer à leurs biens terrestres le ciel lui-même ! Grands contemplateurs, grands astronomes comme leurs ancêtres de Chaldée, ils prenaient leurs inspirations là-haut ; le cours des astres réglait leur existence, et c'était aux constellations qu'ils demandaient précisément de veiller à leurs trésors. Qui sait même si le lieu de leurs sept abbayes ne fut pas choisi au préalable pour reproduire sur le sol normand la figure gigantesque de la Grande Ourse ?... Qui sait... »

L'effusion lyrique de Raoul était évidemment fort justifiée, mais il ne put la pousser jusqu'au bout. S'il se défiait de Léonard, il avait oublié Joséphine Balsamo. Brusquement, celle-ci lui frappa le crâne d'un coup de son casse-tête.

C'était bien la dernière chose à laquelle il s'attendait, quoique la Cagliostro fût coutumière de ces sortes d'attaques sournoises. Etourdi, il se plia en deux sur sa chaise, puis tomba à genoux, puis se coucha tout de son long.

Il bégayait, d'une voix incohérente :

« C'est vrai... parbleu !... je n'étais plus "tabou"... »

Il dit encore, avec ce ricanement de gamin qu'il tenait sans doute de son père Théophraste Lupin, il dit encore :

« La gredine !... même pas le respect pour le génie !... Ah ! sauvage, t'as donc un caillou en guise de cœur ?... Tant pis pour toi, Joséphine, *nous aurions partagé le trésor*. Je le garderai tout entier. »

Et il perdit connaissance.

XIII

LE COFFRE-FORT DES MOINES

SIMPLE engourdissement, pareil à celui que peut éprouver un boxeur atteint en quelque endroit sensible. Mais lorsque Raoul en sortit, il constata, sans la moindre surprise d'ailleurs, qu'il se trouvait dans la même situation que Beaumagnan, captif comme lui et, comme lui, adossé au bas du mur.

Et il n'eut guère plus de surprise à voir, devant la porte, étendue sur les deux chaises, Joséphine Balsamo, en proie à l'une de ces dépressions nerveuses que provoquaient chez elle les émotions trop violentes et trop prolongées. Le coup dont elle avait frappé Raoul avait déterminé la crise. Son complice Léonard la soignait et lui faisait respirer des sels.

Il avait dû appeler l'un de ses complices, car Raoul vit entrer l'adolescent qu'il connaissait sous le nom de Dominique, et qui gardait la berline devant la maison de Brigitte Rousselin.

« Diable ! dit le nouveau venu, en apercevant les deux captifs, il y a eu du grabuge. Beaumagnan ! d'Andrésy ! la patronne n'y va pas de main morte. Résultat, une syncope, hein ?

— Oui. Mais c'est presque fini.

— Qu'est-ce qu'on va faire ?

— La porter dans la voiture, et je la conduirai à la *Nonchalante*.

— Et moi ?

— Toi, tu vas veiller ces deux-là, dit Léonard en désignant les captifs.

— Bigre ! des clients peu commodes. J'aime pas ça. »

Ils se mirent en devoir de soulever la Cagliostro. Mais, ouvrant les yeux, elle leur dit, d'une voix si basse qu'elle ne pouvait certes pas soupçonner que Raoul eût l'oreille assez fine pour saisir la moindre bribe de l'entretien :

« Non. Je marcherai seule. Tu resteras ici, Léonard. Il est préférable que ce soit toi qui gardes Raoul.

— Laisse-moi donc en finir avec lui ! souffla Léonard, tutoyant la Cagliostro. Il nous portera malheur, ce gamin-là.

— Je l'aime.

— Il ne t'aime plus.

— Si. Il me reviendra. Et puis, quoi qu'il en soit, je ne le lâche pas.

— Alors que décides-tu ?

— La *Nonchalante* doit être à Caudebec. Je vais m'y reposer jusqu'aux premières heures du jour. J'en ai besoin.

— Et le trésor ? Il faut du monde pour manœuvrer une pierre de ce calibre.

— Je ferai prévenir ce soir les frères Corbut afin qu'ils me retrouvent demain matin à Jumièges. Ensuite je m'occuperai de Raoul... à moins que... Ah ! ne m'en demande pas plus pour l'instant... Je suis brisée...

— Et Beaumagnan ?

— On le délivrera quand j'aurai le trésor.

— Tu ne crains pas que Clarisse nous dénonce ? La gendarmerie aurait beau jeu de cerner le vieux phare.

— Absurde ! Crois-tu qu'elle va mettre les gendarmes aux trousses de son père et de Raoul ? »

Elle se souleva sur sa chaise et retomba aussitôt, en gémissant. Quelques minutes s'écoulèrent. Enfin, avec des efforts qui semblaient l'épuiser, elle réussit à se tenir debout, et, appuyée sur Dominique, s'approcha de Raoul.

« Il est comme étourdi, murmura-t-elle. Garde-le bien, Léonard, et l'autre aussi. Que l'un d'eux se sauve, et tout est compromis. »

Elle s'en alla lentement. Léonard l'accompagna jusqu'à la vieille berline, et, un peu après, ayant cadenassé la barrière, revint avec un paquet de provisions. Puis on entendit le sabot des chevaux sur la route pierreuse.

Raoul déjà vérifiait la solidité de ses liens, tout en se disant :

« Un peu faiblarde, en effet, la patronne ! 1° raconter, si bas que ce soit, ses petites affaires devant témoins ; 2° confier des gaillards comme Beaumagnan et moi à la surveillance d'un seul homme... voilà des fautes qui prouvent un mauvais état physique. »

Il est vrai que l'expérience de Léonard en pareille matière rendait malaisée toute tentative d'évasion.

« Laisse tes cordes, lui dit Léonard en entrant. Sinon, je cogne... »

Le redoutable geôlier multiplia d'ailleurs les précautions qui devaient lui faciliter sa tâche. Il avait réuni les extrémités des deux cordes qui attachaient les captifs, et les avait enroulées toutes deux au dossier d'une chaise placée par lui en équilibre instable, et sur laquelle il déposa le poignard que lui avait donné Joséphine Balsamo. Que l'un des captifs bougeât et la chaise tombait.

« Tu es moins bête que tu n'en as l'air », lui dit Raoul.

Léonard grogna :

« Un seul mot et je cogne. »

Il se mit à manger et à boire, et Raoul risqua :

« Bon appétit ! S'il en reste, ne m'oublie pas. »

Léonard se leva, les poings tendus.

« Suffit, vieux camarade, promit Raoul. J'ai un bœuf sur la langue. C'est moins nourrissant que ta charcuterie, mais je m'en contenterai. »

Des heures passèrent. L'ombre vint.

Beaumagnan semblait dormir. Léonard fumait des pipes. Raoul monologuait et se gourmandait lui-même d'avoir été si imprudent avec Josine.

« J'aurais dû me défier d'elle... Que de progrès

à faire encore ! La Cagliostro est loin de me valoir, mais quelle décision ! Quelle vision claire de la réalité, et quelle absence de scrupules ! Une seule tare, qui empêche le monstre d'être complet : son système nerveux de dégénérée. Et c'est heureux pour moi aujourd'hui puisque cela me permettra d'arriver avant elle au Mesnil-sous-Jumièges. »

Car il ne mettait pas en doute la possibilité d'échapper à Léonard. Il avait remarqué que les liens de ses chevilles se relâchaient sous l'influence de certains mouvements, et, comptant bien libérer sa jambe droite, il imaginait avec satisfaction l'effet d'un bon coup de chaussure sur le menton de Léonard. Dès lors, c'était la course éperdue vers le trésor.

Les ténèbres s'accumulaient dans la salle. Léonard alluma une bougie, fuma une dernière pipe et but un dernier verre de vin. Après quoi, il fut pris d'une somnolence qui lui fit faire quelques saluts de droite et de gauche. Par précaution, il tenait la bougie dans sa main, de sorte que la brûlure de la cire qui coulait le réveillait de temps à autre. Un coup d'œil à ses prisonniers, un autre à la double corde utilisée comme sonnette d'alarme, et il se rendormait.

Raoul continuait insensiblement, et non sans résultat, son petit travail de délivrance. Il devait être environ neuf heures du soir.

« Si je puis partir à onze heures, se disait-il, vers minuit je passe à Lillebonne où je soupe ; vers trois heures du matin je débouche au lieu sacré, et, dès les premières heures de l'aube, je mets dans ma poche le coffre-fort des moines. Oui, dans ma poche ! pas besoin des frères Corbut ni de personne. »

Mais, à dix heures et demie, il en était au même point. Si lâches que fussent les nœuds, ils ne cédaient pas et Raoul commençait à désespérer, lorsque soudain il lui sembla entendre un bruit léger qui différait de tous ces frémissements dont se compose le grand silence nocturne, feuilles qui voltigent, oiseaux qui remuent sur les branches, caprices du vent.

Cela se renouvela deux fois, et il eut la certitude que *cela* entrait par la fenêtre latérale qu'il avait ouverte, et que Léonard avait repoussée avec négligence.

De fait, l'un des battants parut glisser en avant.

Raoul observa Beaumagnan. Il avait entendu et regardait aussi.

En face d'eux, Léonard s'éveilla, les doigts brûlés, reprit son petit manège de surveillance, et s'assoupit de nouveau. Là-bas le bruit, un instant suspendu, recommença ; ce qui prouvait bien que chacun des mouvements du geôlier était attentivement suivi.

Quel événement se préparait donc ? La barrière étant close, il fallait qu'on eût franchi le mur que hérissaient des tessons de bouteilles, escalade qui n'était possible que pour un familier des lieux et par quelque brèche dégarnie de tessons. Qui ? un paysan ? un braconnier ? Etait-ce du secours ? Un ami de Beaumagnan ? ou quelque rôdeur ?

Une tête surgit, indistincte dans les ténèbres. Le rebord de la fenêtre, peu élevé, fut franchi aisément.

Tout de suite, Raoul discerna une silhouette de femme, et, aussitôt, avant même de voir, il sut que cette femme n'était autre que Clarisse.

Quelle émotion l'envahit ! Joséphine Balsamo s'était donc trompée, en supposant que Clarisse ne pourrait réagir ! Inquiète, retenue par la crainte des dangers qui le menaçaient, surmontant sa lassitude et sa peur, la jeune fille avait dû se poster aux environs du vieux phare et attendre la nuit.

Et maintenant, elle tentait l'impossible pour sauver celui qui l'avait trahie si cruellement.

Elle fit trois pas. Nouveau réveil de Léonard qui, heureusement, lui tournait le dos. Elle s'arrêta, puis reprit sa marche dès qu'il se rendormit. Ainsi parvint-elle à son côté.

Le poignard de Joséphine Balsamo se trouvait sur la chaise. Elle l'y prit. Allait-elle frapper ?

Raoul s'effraya. Le visage de la jeune fille, mieux éclairé, lui semblait contracté par une volonté farouche. Mais, leurs regards s'étant rencontrés, elle subit les ordres silencieux qu'il lui imposait, et elle ne frappa point. Raoul se pencha un peu pour que la corde qui le reliait à la chaise se détendît. Beaumagnan l'imita.

Alors, lentement, sans trembler, soulevant la corde avec une main, elle y entra le fil de la lame.

La chance voulut que l'ennemi ne se réveillât pas. Clarisse l'eût tué infailliblement. Sans le quitter des yeux, obstinée dans sa menace de mort, elle se baissa jusqu'à Raoul, et, à tâtons, chercha ses liens. Les poignets furent délivrés.

Il souffla :

« Donne-moi le couteau. »

Elle obéit. Mais une main fut plus rapide que celle de Raoul. Beaumagnan qui, lui aussi de son côté, patiemment, depuis des heures, avait attaqué ses cordes, saisit l'arme au passage.

Furieux, Raoul lui empoigna le bras. Si Beaumagnan achevait de se délier avant lui et prenait la fuite, Raoul perdait tout espoir de conquérir le trésor. La lutte fut acharnée, lutte *immobile*, où chacun employait toute sa force en se disant qu'au moindre bruit Léonard se réveillerait.

Clarisse, qui tremblait de peur, se mit à genoux, autant pour les supplier tous deux, que pour ne pas tomber à terre.

Mais la blessure de Beaumagnan, si légère qu'elle fût, ne lui permit pas de résister aussi longtemps. Il lâcha prise.

A ce moment, Léonard remua la tête, ouvrit un œil, et regarda le tableau qui s'offrait à lui, les deux hommes à moitié dressés, rapprochés l'un de l'autre et en posture de combat, et Clarisse d'Etigues à genoux.

Cela dura quelques secondes, quelques secondes effroyables, car il n'y avait point de doute que Léonard, voyant cette scène, n'abattît ses ennemis à coups de revolver. Mais il ne la *vit* pas. Son regard, fixé sur eux, ne parvint pas à les *voir*. La paupière se referma sans que la conscience pût s'éveiller.

Alors Raoul coupa ses derniers liens. Debout, le poignard à la main, il était libre. Il chuchota, pendant que Clarisse se relevait :

« Va... Sauve-toi...

— Non », fit-elle, d'un signe de tête.

Et elle lui montra Beaumagnan, comme si elle n'eût pas consenti à laisser derrière elle, exposé à la vengeance de Léonard, cet autre captif.

Raoul insista. Elle fut inébranlable.

De guerre lasse, il tendit le couteau à son adversaire.

« Elle a raison, souffla-t-il... Soyons beau joueur. Tiens, débrouille-toi... Et désormais, chacun son jeu, hein ? »

Il suivit Clarisse. L'un après l'autre, ils enjambèrent la fenêtre. Une fois dans le clos, elle lui prit la main et le conduisit jusqu'au mur, à un endroit où le faîte étant démoli, il y avait une brèche.

Aidée par lui, Clarisse passa.

Mais, quand il eut franchi le mur, il ne vit plus personne.

« Clarisse, appela-t-il, où êtes-vous donc ? »

Une nuit sans étoiles pesait sur les bois. Ayant écouté, il entendit une course légère parmi les fourrés voisins. Il y pénétra, heurta des branches et des ronces qui lui barrèrent la route, et dut revenir au sentier.

« Elle me fuit, pensa-t-il. Prisonnier, elle risque tout pour me délivrer. Libre, elle ne consent plus à me voir. Ma trahison, la monstrueuse Joséphine Balsamo, l'abominable aventure, tout cela lui fait horreur. »

Mais, comme il regagnait son point de départ, quelqu'un dégringola du mur qu'il avait franchi. C'était Beaumagnan qui s'enfuyait à son tour. Et tout de suite des coups de feu jaillirent qui venaient de la même direction. Raoul n'eut que le temps de se mettre à l'abri. Léonard, perché sur la brèche, tirait dans les ténèbres.

Ainsi, à onze heures du soir environ, les trois adversaires s'élançaient en même temps vers la pierre de la Reine, située à onze lieues de distance. Quels étaient leurs moyens individuels d'y parvenir ? Tout dépendait de cela.

D'une part il y avait Beaumagnan et Léonard, tous deux pourvus de complices et à la tête d'organisations puissantes. Que Beaumagnan fût attendu par ses amis, que Léonard pût rejoindre la Cagliostro, et le butin appartenait au plus rapide. Mais Raoul était plus jeune et plus vif. S'il n'avait pas commis la bêtise de laisser sa bicyclette à Lillebonne, toutes les chances étaient pour lui.

Il faut avouer qu'il renonça instantanément à trouver Clarisse et que la recherche du trésor devint son unique souci. En une heure, il franchit les dix kilomètres qui le séparaient de Lillebonne. A minuit, il réveillait le garçon de son hôtel, se restaurait en hâte, et, après avoir pris dans une valise deux petites cartouches de dynamite qu'il s'était procurées quelques jours auparavant, il enfourcha sa machine. Sur le guidon, il avait enroulé un sac de toile destiné à recueillir les pierres précieuses !

Son calcul était celui-ci :

« De Lillebonne au Mesnil-sous-Jumièges, huit lieues et demie... J'y serai donc avant le lever du jour. Aux premières lueurs, je trouve la borne et la fais éclater à la dynamite. Il est possible que la Cagliostro ou Beaumagnan me surprennent au milieu de l'opération. En ce cas partage. Tant pis pour le troisième. »

Ayant dépassé Caudebec-en-Caux, il suivit à pied la levée de terre qui, parmi les prairies et les roseaux, menait à la Seine. De même qu'en cette fin de journée où il avait déclaré son amour à Joséphine Balsamo, la *Nonchalante* était là, silhouette massive dans l'ombre épaisse.

Il vit un peu de lumière à la fenêtre voilée de la cabine que la jeune femme y occupait.

« Elle doit s'habiller, se dit-il. Ses chevaux viendront la chercher... Peut-être Léonard hâtera-t-il l'expédition... Trop tard, madame ! »

Il repartit à toute allure. Mais, une demi-heure après, comme il descendait une côte très dure, il eut l'impression que la roue de sa bicyclette s'empêtrait dans un obstacle, et il fut projeté violemment contre un tas de cailloux.

Aussitôt deux hommes surgirent, une lanterne fut braquée sur le talus derrière lequel il se blottit, et une voix cria :

« C'est lui ! ce ne peut être que lui !... je l'avais

bien dit : « Une corde tendue, et nous l'aurons
« quand il passera. »

C'était Godefroy d'Etigues, et, tout de suite,
Bennetot rectifia :

« Nous l'aurons... s'il y consent, le brigand ! »

Comme une bête traquée, Raoul avait piqué
une tête dans un buisson de ronces et d'épines où
il déchira ses vêtements, et il s'était mis hors de
portée. Les autres jurèrent et sacrèrent en vain.
Il était introuvable.

« Assez cherché, dit une voix défaillante qui
venait de la voiture et qui était celle de Beaumagnan. L'essentiel, c'est de démolir sa machine.
Occupe-toi de cela, Godefroy, et filons. Le cheval
a suffisamment soufflé.

— Mais vous, Beaumagnan, êtes-vous en
état ?...

— En état ou non, il faut arriver... Mais, pour
Dieu ! je perds tout mon sang par cette damnée
blessure... Le pansement ne tient pas. »

Raoul entendit qu'on cassait les roues de sa
bicyclette à coups de talon. Bennetot défit les
voiles qui encapuchonnaient les deux lanternes, et
le cheval, cinglé d'un coup de fouet, partit au
grand trot.

Raoul fila derrière la voiture.

Il enrageait. Pour rien au monde, il n'eût
abandonné la lutte. Il ne s'agissait plus seulement
de millions et de millions, et d'une chose qui
donnerait à toute sa vie un sens magnifique ; il
s'obstinait aussi par amour-propre. Ayant déchif-
fré l'énigme indéchiffrable, il devait arriver le

premier au but. N'être pas là, ne pas prendre et laisser prendre, c'eût été, jusqu'au dernier de ses jours, une humiliation intolérable.

Aussi, sans tenir compte de sa fatigue, il courait à cent mètres en arrière de la voiture, encouragé par cette idée que tout le problème n'était pas résolu, que ses adversaires seraient, au même titre que lui, contraints de chercher l'emplacement de cette borne, et que, dans ces investigations, il reprendrait l'avantage.

D'ailleurs, la chance le favorisa. En approchant de Jumièges, il avisa un falot qui se balançait devant lui et perçut le bruit aigre d'une sonnette, et, tandis que les autres avaient passé droit, s'arrêta.

C'était le curé de Jumièges qui, accompagné d'un enfant, s'en revenait d'administrer l'extrême-onction. Raoul fit route avec lui, s'enquit d'une auberge, et, au cours de la conversation, se donnant pour un amateur d'archéologie, parla d'une pierre bizarre qu'on lui avait indiquée.

« Le dolmen de la Reine... quelque chose comme cela... m'a-t-on dit. Il est impossible que vous ne connaissiez pas cette curiosité, monsieur l'abbé ?

— Ma foi, monsieur, lui fut-il répondu, ça m'a tout l'air d'être ce que nous appelons par ici la pierre d'Agnès Sorel.

— Au Mesnil-sous-Jumièges, n'est-ce pas ?

— Justement, à une petite lieue d'ici. Mais ce n'est nullement une curiosité... tout au plus un amas de petites roches engagées dans le sol, et dont la plus haute domine la Seine d'un mètre ou deux.

— Un terrain communal, si je ne me trompe ?

— Il y a quelques années, oui, mais la commune l'a vendu à un de mes paroissiens, le sieur Simon Thuilard, qui voulait arrondir sa prairie. »

Tout frissonnant de joie, Raoul faussa compagnie au brave curé. Il était pourvu de renseignements minutieux qui lui furent d'autant plus utiles qu'il put éviter le gros bourg de Jumièges, et s'engager dans le lacis de chemins sinueux qui conduisent au Mesnil. De la sorte, ses adversaires étaient distancés.

« S'ils n'ont pas la précaution de se munir d'un guide, pas de doute qu'ils ne s'égarent. Impossible de conduire une voiture dans la nuit, au milieu de ce fouillis. Et puis, où se diriger ? Où trouver la pierre ? Beaumagnan est à bout de forces et ce n'est pas Godefroy qui résoudra l'équation. Allons, j'ai gagné la partie. »

De fait, un peu avant trois heures, il passait sous une perche qui fermait la propriété du sieur Simon Thuilard.

La lueur de quelques allumettes lui montra une prairie qu'il traversa en hâte. Une digue qui lui sembla récente longeait le fleuve. Il l'atteignit par l'extrémité droite et revint vers la gauche. Mais, ne voulant pas épuiser sa provision d'allumettes, il ne voyait plus rien.

Une bande plus blanche cependant rayait le ciel à l'horizon.

Il attendit, plein d'un émoi qui le pénétrait de

douceur et le faisait sourire. La borne était près de lui, à quelques pas. Durant des siècles, à cette heure de nuit peut-être, des moines étaient venus furtivement vers ce point de la vaste terre, pour y enfouir leurs richesses. Un à un, les prieurs et les trésoriers avaient suivi le souterrain qui conduisait de l'Abbaye au Manoir. D'autres, sans doute, étaient arrivés sur des barques, par le vieux fleuve normand qui passait à Paris, qui passait à Rouen, et qui baignait de ses flots trois ou quatre des sept Abbayes sacrées.

Et voilà que lui, Raoul d'Andrésy, allait participer au grand secret ! Il héritait des mille et mille moines qui avaient travaillé jadis, semé par toute la France, et récolté sans relâche ! Quel miracle ! Réaliser à son âge un pareil rêve ! Etre l'égal des plus puissants et régner parmi les dominateurs !

Au ciel pâlissant, la Grande Ourse s'effaçait. On devinait, plutôt qu'on ne voyait, le point lumineux d'Alcor, l'étoile fatidique qui correspondait dans l'immensité de l'espace au petit bloc de granit sur lequel Raoul d'Andrésy allait poser sa main de conquérant. L'eau clapotait contre la berge en vagues paisibles. La surface du fleuve sortait des ténèbres et luisait par plaques sombres.

Il remonta la digue. On commençait à discerner le contour et la couleur des choses. Instant solennel ! Son cœur battait violemment. Et soudain, à trente pas de lui, il aperçut un tertre qui bossuait à peine le plan égal de la prairie, et d'où émergeaient, dans l'herbe qui les recouvrait, quelques têtes de roche grise.

« C'est là... murmura-t-il, troublé jusqu'au fond de l'âme... c'est là... je touche au but... »

Ses mains palpaient au fond de sa poche les deux cartouches de dynamite, et ses yeux cherchaient éperdument la pierre la plus haute dont le curé de Jumièges lui avait parlé. Etait-ce celle-ci ? ou celle-là ? Quelques secondes lui suffiraient pour introduire les cartouches par les fissures que les plantes bouchaient. Trois minutes plus tard, il enfouirait les diamants et les rubis dans le sac qu'il avait détaché de son guidon. S'il en restait des miettes parmi les décombres, tant mieux pour ses ennemis !

Il avançait cependant, pas à pas, et, à mesure qu'il avançait, le même tertre prenait une apparence qui n'était point conforme à ce qu'attendait Raoul. Nulle pierre plus haute... Nul sommet qui pût jadis permettre à celle qu'on appelait la Dame de Beauté de venir s'asseoir et de guetter au tournant du fleuve l'arrivée des barques royales. Rien de saillant. Au contraire... Que s'était-il donc produit ? Quelque crue subite du fleuve, ou quelque orage avait-il récemment modifié ce que les intempéries séculaires avaient respecté ? Ou bien...

En deux bonds, Raoul franchit les dix pas qui le séparaient de la butte.

Un juron lui échappa. L'affreuse vérité s'offrait à ses regards. La partie centrale du monticule était éventrée. La borne, la borne légendaire était bien là, mais disjointe, brisée, morcelée, ses débris rejetés aux pentes d'une fosse béante où se voyaient des cailloux noircis et des mottes d'herbe brûlée qui fumaient encore. Pas une pierre précieuse. Pas une parcelle d'or et d'argent. L'ennemi avait passé...

En face de l'effroyable spectacle, Raoul ne demeura certes pas plus d'une minute. Immobile, sans une parole, il avisa distraitement, et releva machinalement tous les vestiges et toutes les preuves du travail effectué quelques heures auparavant, aperçut des empreintes de talons féminins, mais refusa d'en tirer une conclusion logique. Il s'éloigna de quelques mètres, alluma une cigarette et s'assit au revers de la digue.

Il ne voulait plus penser. La défaite, et surtout la façon dont elle lui avait été infligée, était trop pénible pour qu'il consentît à en étudier les effets et les causes. En ces cas-là, on doit s'exercer à l'indifférence et au sang-froid.

Mais les événements de la veille et de la soirée précédente, malgré tout, s'imposaient à lui. Qu'il le voulût ou non, les actes de Joséphine Balsamo se déroulaient dans son esprit. Il la voyait se raidissant contre le mal et recouvrant toute l'énergie nécessaire en un pareil moment. Se reposer, quand l'heure du destin sonnait ? Allons donc ! Est-ce qu'il s'était reposé, lui ? Et Beaumagnan, si meurtri qu'il fût, s'était-il accordé le moindre répit ? Non, une Joséphine Balsamo ne pouvait commettre une telle faute. Avant que la nuit fût tombée, elle arrivait dans cette même prairie avec ses acolytes, et, en plein jour, puis à la lueur de lanternes, elle dirigeait les travaux.

Et quand, lui, Raoul, il l'avait devinée, derrière les vitres voilées de sa cabine, elle ne se préparait pas à l'expédition suprême, mais elle en revenait, une fois de plus victorieuse, parce qu'elle ne permettait jamais aux petits hasards, aux vaines hésitations et aux scrupules superflus, de faire obstacle entre elle et l'accomplissement immédiat de ses projets.

Plus de vingt minutes, se délassant de sa fatigue au soleil qui surgissait des collines opposées, Raoul examina l'âpre réalité où sombraient ses rêves de domination ; et il fallait qu'il fût bien absorbé pour ne pas entendre le bruit d'une voiture qui s'arrêta dans le chemin, et pour ne voir les trois hommes qui en descendirent, qui soulevèrent la perche et traversèrent la prairie, qu'au moment où l'un d'eux, arrivé devant la butte, poussait un cri de détresse.

C'était Beaumagnan. Ses deux amis, d'Etigues et Bennetot, le soutenaient.

Si la déception de Raoul avait été profonde, quel ne fut pas l'accablement de l'homme qui avait joué toute sa vie sur cette affaire du trésor mystérieux ! Livide, les yeux hagards, du sang sur le linge qui bandait sa blessure, il regardait stupidement comme le plus affreux des spectacles le terrain dévasté où la pierre miraculeuse avait été violée.

On eût dit que le monde s'effondrait devant lui

et qu'il contemplait un gouffre plein d'épouvante et d'horreur.

Raoul s'avança et murmura :

« *C'est elle.* »

Beaumagnan ne répondit pas. Pouvait-on douter que ce fût *elle* ? Est-ce que l'image de cette femme ne se confondait pas avec tout ce qui était ici-bas désastre, bouleversement, cataclysme, souffrance infernale ? Avait-il besoin, comme le firent ses compagnons, de se jeter à terre et de fouiller dans le chaos pour y découvrir une parcelle oubliée du trésor ? Non ! non ! après le passage de la sorcière, il n'y avait plus que poussière et que cendre ! Elle était le grand fléau qui dévaste et qui tue. Elle était l'incarnation même de Satan. Elle était le néant et la mort !

Il se dressa, toujours théâtral et romantique en ses attitudes les plus naturelles, promena autour de lui des yeux douloureux, puis, subitement, ayant fait un signe de croix, il se frappa la poitrine d'un grand coup de poignard, de ce poignard qui appartenait à Joséphine Balsamo.

Le geste fut si brusque et si inattendu que rien n'eût pu le prévenir. Avant même que ses amis et que Raoul eussent compris, Beaumagnan s'écroulait dans la fosse, parmi les débris de ce qui avait été le coffre-fort des moines. Ses amis se précipitèrent sur lui. Il respirait encore, et il balbutia :

« Un prêtre... un prêtre... »

Bennetot s'éloigna en hâte. Des paysans accouraient. Il les interrogea et sauta dans la voiture.

A genoux, près de la fosse, Godefroy d'Etigues

priait et se frappait la poitrine... Sans doute Beaumagnan lui avait-il révélé que Joséphine Balsamo vivait encore et connaissait tous ses crimes. Cela, et le suicide de Beaumagnan le rendaient fou. La terreur creusait son visage.

Raoul se pencha sur Beaumagnan et lui dit :

« Je vous jure que je *la* retrouverai. Je vous jure que je *lui* reprendrai les richesses. »

La haine et l'amour persistaient au cœur du moribond. Seules de telles paroles pouvaient prolonger son existence de quelques minutes. A l'heure de l'agonie, dans l'effondrement de tous ses rêves, il se rattachait désespérément à tout ce qui était représailles et vengeance.

Ses yeux appelaient Raoul qui s'inclina davantage et entendit ce bégaiement :

« Clarisse... Clarisse d'Etigues... il faut l'épouser... Ecoute... Clarisse n'est pas la fille du baron... Il me l'a avoué... c'est la fille d'un autre qu'elle aimait... »

Raoul prononça gravement :

« Je vous jure de l'épouser... je vous le jure...

— Godefroy... », appela Beaumagnan.

Le baron continuait à prier. Raoul lui frappa l'épaule et le courba au-dessus de Beaumagnan qui bredouilla :

« Clarisse épousera d'Andrésy... je le veux...

— Oui... oui..., fit le baron, incapable de résistance.

— Jure-le.

— Je le jure.

— Sur ton salut éternel ?

305

— Sur mon salut éternel.

— Tu lui donneras ton argent pour qu'il nous venge... toutes les richesses que tu as volées... Tu le jures ?

— Sur mon salut éternel.

— Il connaît tous tes crimes. Il en a les preuves. Si tu n'obéis pas, il te dénoncera.

— J'obéirai.

— Sois maudit, si tu mens. »

La voix de Beaumagnan s'exhalait en souffles rauques où les mots devenaient de plus en plus indistincts. Couché près de lui, Raoul les recueillait avec peine.

« Raoul, tu la poursuivras... il faut *lui* arracher les bijoux... C'est le démon... Ecoute... J'ai découvert... au Havre... *elle* a un bateau... *Le Ver-Luisant*... Ecoute... »

Il n'avait plus la force de parler. Cependant, Raoul entendit encore :

« Va-t'en... tout de suite... cherche-la... dès aujourd'hui... »

Les yeux se fermèrent.

Le râle commençait.

Godefroy d'Etigues ne cessait de se marteler la poitrine, à genoux au creux de la fosse.

Raoul s'en alla.

Le soir, un journal de Paris publiait en dernière heure :

« M. Beaumagnan, avocat bien connu dans les cercles militants royalistes, et dont on avait déjà, par erreur, annoncé la mort en Espagne, s'est tué ce matin au village normand de Mesnil-sous-Jumièges, sur les bords de la Seine.

« Les raisons de ce suicide sont absolument mystérieuses. Deux de ses amis, MM. Godefroy d'Etigues et Oscar de Bennetot, qui l'accompagnaient, racontent que cette nuit ils couchaient au château de Tancarville où ils étaient invités pour quelques jours, lorsque M. Beaumagnan les réveilla. Il était blessé et dans un état d'agitation extrême. Il exigea de ses amis qu'on attelât et qu'on se rendît aussitôt à Jumièges, et de là au Mesnil-sous-Jumièges. Pourquoi ? Pourquoi cette expédition dans une prairie isolée ? Pourquoi ce suicide ? Autant de questions auxquelles il leur est impossible de rien comprendre. »

Le surlendemain, les journaux du Havre inséraient une série de nouvelles que cet article résume assez fidèlement :

« L'autre nuit, le prince Lavorneff, venu au Havre pour mettre à l'essai un yacht de plaisance qu'il avait récemment acheté, a été le témoin d'un drame terrifiant. Il revenait vers les côtes françaises, lorsque des flammes s'élevèrent, et qu'une explosion se fit entendre à un demi-mille de distance tout au plus. Notons en passant que cette explosion fut entendue de plusieurs endroits de la côte.

« Aussitôt le prince Lavorneff dirigea son yacht vers le lieu du sinistre, où il finit par découvrir quelques épaves qui surnageaient. L'une d'elles portait un matelot que l'on put recueillir. Mais on eut à peine le temps de l'interroger et d'apprendre de lui que le bateau s'appelait *Le Ver-Luisant* et appartenait à la comtesse de Cagliostro. Tout de suite, il plongea de nouveau, en criant : « C'est elle... c'est elle. »

« De fait, à la lueur des lanternes, on aperçut une autre épave à laquelle se cramponnait une femme dont la tête flottait sur l'eau.

« L'homme réussit à la rejoindre et à la soulever, mais elle s'accrocha si désespérément à lui qu'elle paralysa ses mouvements et qu'on les vit disparaître. Toutes les recherches furent inutiles.

« De retour au Havre, le prince Lavorneff a fait sa déposition que confirmèrent les quatre hommes de son équipage... »

Et le journal ajoutait :

« Les derniers renseignements portent à croire que la comtesse de Cagliostro était une aventurière bien connue sous le nom de la Pellegrini, et qui portait aussi à l'occasion le nom de Balsamo. Traquée par la police qui a failli deux ou trois fois la capturer dans des localités du pays de Caux où elle opérait en ces derniers temps, elle aura résolu de passer à l'étranger, et c'est ainsi qu'elle aura péri avec tous ses complices dans le naufrage de son yacht, *Le Ver-Luisant*.

« Nous mentionnerons, en outre, sous toutes réserves, un bruit d'après lequel il y aurait corrélation étroite entre certaines aventures de la comtesse de Cagliostro et le drame mystérieux du Mesnil-sous-Jumièges. On parle de trésor déterré et volé, de conspiration, de documents séculaires.

« Mais ici nous entrons dans le domaine de la fable. Arrêtons-nous et laissons la justice éclaircir cette affaire. »

L'après-midi du jour où ces lignes paraissaient, c'est-à-dire exactement soixante heures après le drame du Mesnil-sous-Jumièges, Raoul entrait dans le bureau du baron Godefroy, à la Haie d'Etigues, dans ce même bureau où, quatre mois auparavant, une nuit, il avait pénétré. Que de chemin parcouru depuis et de combien d'années l'adolescent qu'il était alors avait vieilli !

Devant un guéridon, les deux cousins fumaient et buvaient de grands verres de cognac.

Sans préambule, Raoul expliqua :

« Je viens réclamer la main de Mlle d'Etigues et je suppose... »

Il n'était guère en tenue pour une demande en mariage. Pas de chapeau ni de casquette. Sur le dos, une vieille vareuse de matelot. Aux jambes un pantalon trop court qui laissait voir ses pieds nus dans des espadrilles sans rubans.

Mais la tenue de Raoul pas plus que l'objet de sa démarche n'intéressaient Godefroy d'Etigues. Les yeux caves, le visage encore plus tourmenté, il allongea vers Raoul un paquet de journaux en gémissant :

« Vous avez lu ? La Cagliostro ?

— Oui, je sais... », dit Raoul.

Il exécrait cet homme, et il ne put s'empêcher de lui dire :

« Tant mieux pour vous, hein ? La mort *défini-*

tive de Joséphine Balsamo, c'est une chose qui doit vous délivrer d'un rude poids !

— Mais la suite ?... les conséquences ? balbutia le baron.

— Quelles conséquences ?

— La justice ? Elle essaiera de débrouiller l'affaire. Déjà, à propos du suicide de Beaumagnan, on parla de la Cagliostro. Si la justice renoue tous les fils de l'affaire, elle ira plus loin, jusqu'au bout.

— Oui, plaisanta Raoul, jusqu'à la veuve Rousselin, jusqu'à l'assassinat du sieur Jaubert, c'est-à-dire jusqu'à vous et jusqu'au cousin Bennetot. »

Les deux hommes frissonnèrent. Raoul les apaisa :

« Soyez tranquilles, tous les deux. La justice n'éclaircira pas toutes ces sombres histoires, pour cette bonne raison qu'elle tâchera, au contraire, de les enterrer. Beaumagnan était protégé par des puissances qui n'aiment ni le scandale ni le grand jour. L'affaire sera étouffée. Ce qui m'inquiète beaucoup plus, ce n'est pas l'œuvre de la justice...

— Quoi ? fit le baron.

— C'est la vengeance de Joséphine Balsamo.

— Puisqu'elle est morte...

— Même morte, elle est à redouter. Et c'est pourquoi je suis venu. Il y a, au fond du verger, un petit pavillon de garde inhabité. Je m'y installe... jusqu'au mariage. Avertissez Clarisse de ma présence et dites-lui de ne recevoir personne... pas même moi. Elle voudra bien cependant accepter ce cadeau de fiançailles que je vous prie de lui offrir de ma part. »

Et Raoul tendit au baron stupéfait un énorme saphir, d'une pureté incomparable et taillé comme on taillait jadis les pierres précieuses...

XIV

L'INFERNALE CRÉATURE

« Qu'on jette l'ancre, chuchota Joséphine Balsamo, et qu'on amène la barque par ici. »

Il traînait sur la mer une brume lourde qui, s'ajoutant à l'obscurité de la nuit, empêchait qu'on discernât même les lumières d'Etretat. Le phare d'Antifer ne trouait d'aucune lueur le nuage impénétrable où le yacht du prince Lavorneff naviguait à tâtons.

« Qu'est-ce qui te prouve qu'on est en vue des côtes ? objecta Léonard.

— Mon désir qu'on y soit », prononça la Cagliostro.

Il s'irrita.

« C'est de la folie, cette expédition, de la pure folie ! Comment ! Voilà quinze jours que nous avons réussi et que, grâce à toi, je le reconnais, nous avons remporté la victoire la plus extraordinaire. Toute la masse des pierres précieuses est enfermée dans un coffre, à Londres. Tout danger a disparu. Cagliostro, Pellegrini, Balsamo, marquise de Belmonte, tout cela est au fond de l'eau par suite de ce naufrage du *Ver-Luisant* que tu as eu l'idée admirable d'organiser, et auquel tu as présidé avec tant d'énergie. Vingt témoins ont vu de la côte l'explosion. Pour tout le monde, tu es morte, cent fois morte, et moi aussi, et tous tes complices. Si l'on arrivait à mettre debout l'histoire du trésor des moines, on arriverait par là même à constater qu'il a coulé au fond de l'eau avec *Le Ver-Luisant,* à un endroit impossible à définir, à déterminer exactement, et que les pierres se sont répandues dans la mer. Et de ce naufrage et de cette mort, crois bien que la justice est enchantée, et qu'elle n'y regardera pas de trop près, tellement on la presse, en haut lieu, d'étouffer l'affaire Beaumagnan-Cagliostro.

« Donc, tout va bien. Tu es maîtresse des événements et victorieuse de tous tes ennemis. Et c'est le moment où la prudence la plus élémentaire nous ordonne de quitter la France et de filer aussi loin que possible de l'Europe, c'est ce moment-là que tu choisis pour revenir au lieu même qui t'a porté malheur, et pour affronter le seul adversaire qui te reste. Et quel adversaire, Josine ! Une sorte de génie si exceptionnel que, sans lui, tu n'aurais jamais découvert le trésor. Avoue que c'est de la folie. »

Elle murmura :

« L'amour est une folie.

— Alors, renonce.

— Je ne peux pas, je ne peux pas. Je l'aime. »

Elle avait appuyé ses coudes sur le bastingage et, la tête entre ses mains, elle chuchotait avec désespoir :

« J'aime... c'est la première fois... Les autres hommes, ça ne compte pas... Tandis que Raoul... Ah ! je ne veux pas parler de lui... C'est par lui que j'ai connu la seule joie de ma vie... mais aussi ma plus grande peine... Avant lui, j'ignorais le bonheur... mais aussi la douleur... et puis... et puis le bonheur est fini... et il n'y a plus que ma souffrance... Elle est horrible, Léonard... L'idée qu'il va se marier... qu'une autre vivra de sa vie... et qu'un enfant va naître de leur amour... non, c'est au-dessus de mes forces. Tout plutôt que cela !... J'aime mieux tout risquer, Léonard. J'aime mieux mourir. »

Il dit à voix basse :

« Ma pauvre Josine... »

Ils se turent assez longtemps, elle, toujours courbée et défaillante.

Puis, comme la barque approchait, elle se redressa et, tout à coup impérieuse et dure :

« Mais je ne risque rien, Léonard... pas plus de mourir que d'échouer.

— Enfin quoi ! Que veux-tu faire ?

— L'enlever.

— Oh ! oh ! tu espères...

— Tout est prêt. Les moindres détails sont réglés.

— Comment ?

— Par l'intermédiaire de Dominique.

— Dominique ?

— Oui, dès le premier jour, avant même que Raoul arrivât à la Haie d'Etigues, Dominique s'y faisait engager comme palefrenier.

— Mais Raoul le connaît...

— Raoul l'a peut-être aperçu une fois ou deux, mais tu sais à quel point Dominique est habile pour se grimer. Il est absolument impossible qu'on le distingue parmi tout le personnel du château et des écuries. Donc, Domi- nique m'a tenue au courant jour par jour et s'est conformé à mes instructions. Je sais les heures où Raoul se lève et se couche, comment il vit, et tout ce qu'il fait. Je sais qu'il n'a pas encore revu Clarisse, mais qu'on est en train de réunir les papiers nécessaires au mariage.

— Se défie-t-il ?

— De moi, non. Dominique a entendu les bribes d'une conversation que Raoul a eue avec Godefroy d'Etigues le jour où il s'est présenté au château. Ma mort ne faisait pas de doute pour eux. Mais Raoul n'en voulait pas moins que l'on prît contre moi, morte, toutes les précautions possibles. Donc, il observe, il guette, il monte la garde autour du château, il interroge les paysans.

— Et Dominique te laisse quand même venir ?

— Oui, mais durant une heure seulement. Un coup de main hardi, rapide, la nuit, et aussitôt la fuite.

— Et c'est ce soir ?

— Ce soir de dix à onze. Raoul occupe un pavillon de garde, isolé, non loin de la vieille tour où Beaumagnan m'avait fait conduire. Ce pavil-

lon, à cheval sur le mur d'enceinte, n'a du côté de
la campagne qu'une fenêtre au rez-de-chaussée, et
pas de porte. Pour y pénétrer, si les volets sont
clos, il faut franchir le grand portail du verger et
rejoindre la façade intérieure. Les deux clefs
seront, ce soir, sous une grosse pierre, près du
portail. Raoul étant couché, on le roulera dans
son matelas et dans ses couvertures qui sont
larges, et on l'emportera jusqu'ici. A l'instant
même, départ.

— C'est tout ? »

Joséphine Balsamo hésita, puis répondit
nettement :

« C'est tout.

— Mais Dominique ?

— Il partira avec nous.

— Tu ne lui as pas donné d'ordre spécial ?

— A quel propos ?

— A propos de Clarisse ? Tu la hais, cette
petite. Alors, je crains bien que tu n'aies chargé
Dominique de quelque besogne... »

Josine hésita de nouveau avant de répondre :

« Cela ne te regarde pas.

— Cependant... »

La barque glissait au flanc du bateau. Josine
déclara, d'un ton de plaisanterie :

« Ecoute, Léonard, depuis que je t'ai créé
prince Lavorneff et doté d'un yacht splendi-
dement aménagé, tu deviens tout à fait indiscret :
Ne sortons pas de nos conventions, veux-tu ?
Moi, je commande, et, toi, tu obéis. Tout au plus

as-tu droit à quelques explications. Je te les ai données. Fais comme si elles te suffisaient.

— Elles me suffisent, dit Léonard, et je reconnais que ton affaire est fort bien combinée.

— Tant mieux. Descendons. »

Elle descendit la première dans la barque et s'installa.

Léonard et quatre de leurs complices l'accompagnèrent. Deux d'entre eux saisirent les rames, tandis qu'elle se mettait à l'arrière et donnait ses ordres, aussi bas que possible.

« Nous doublons la porte d'Amont », dit-elle au bout d'un quart d'heure, bien que ses acolytes eussent l'impression d'avancer comme des aveugles.

Elle signalait à temps les roches à fleur d'eau et redressait la direction d'après des points de repère invisibles pour les autres. Seul le grincement des galets sous la quille les avertit qu'on abordait.

Ils la prirent dans leurs bras et la portèrent jusqu'au rivage où ils tirèrent ensuite l'embarcation.

« Tu es bien certaine, souffla Léonard, que nous ne rencontrerons pas de douaniers ?

— Certes. Le dernier télégramme de Dominique est catégorique.

— Il ne vient pas au-devant de nous ?

— Non. Je lui ai écrit de rester au château, parmi les gens du baron. A onze heures, il nous rejoindra.

— Où ?

— Près du pavillon de Raoul. Assez parlé. »

Tous ils s'engouffrèrent dans l'Escalier du Curé et montèrent silencieusement.

Bien qu'ils fussent au nombre de six, nul bruit, depuis la première minute jusqu'à la dernière, n'eût signalé leur ascension à l'oreille la plus attentive.

En haut la brume flottait plus légère, et se déplaçait avec des intervalles et des déchirures qui permettaient de voir le scintillement de quelques étoiles. Ainsi la Cagliostro put-elle désigner le château d'Etigues dont brillaient les fenêtres de la façade. L'église de Bénouville sonna dix heures.

Josine frissonna.

« Oh ! le tintement de cette cloche !... Je le reconnais... Dix coups comme l'autre fois... Dix coups ! Un par un, je les comptais en allant vers la mort.

— Tu t'es bien vengée, fit Léonard.

— De Beaumagnan, oui, mais des autres ?...

— Des autres aussi. Les deux cousins sont à moitié fous.

— C'est vrai, dit-elle. Mais je ne me sentirai tout à fait vengée que dans une heure. Alors, ce sera le repos. »

Ils attendirent un retour du brouillard afin qu'aucune de leurs silhouettes ne se détachât sur la plaine nue qu'il leur fallait traverser. Puis Joséphine Balsamo s'engagea dans le sentier où l'avaient menée Godefroy et ses amis, et les autres la suivirent en file indienne, sans prononcer une seule parole. Les moissons avaient été coupées. De grosses meules arrondissaient le dos çà et là.

Au voisinage du domaine, le sentier se creusait, bordé de ronces entre lesquelles ils marchèrent avec des précautions croissantes.

La haute silhouette des murs se dressa. Quelques pas encore et le pavillon de garde, qui s'y trouvait encastré, apparut sur la droite.

D'un geste, la Cagliostro barra le chemin.

« Attendez-moi.

— Je te suis ? demanda Léonard.

— Non. Je reviens vous chercher et nous entrerons ensemble par le portail du verger qui est à l'opposé sur la gauche. »

Elle s'avança donc seule, en posant chacun de ses pieds si lentement que nulle pierre ne pouvait rouler sous ses bottines, et nulle plante se froisser au contact de sa jupe. La pavillon grandissait. Elle y parvint.

Elle toucha de la main les volets clos. La fermeture ne tenait pas, truquée par Dominique. Joséphine Balsamo écarta les battants de façon qu'une fissure se produisît. Un peu de clarté filtra.

Elle colla son front et vit l'intérieur d'une chambre avec une alcôve qu'un lit remplissait.

Raoul y était couché. Une lampe à toupie de cristal, surmontée d'un abat-jour de carton, couvrait d'un disque éclatant son visage, ses épaules, le livre qu'il lisait, et ses vêtements pliés sur une chaise voisine. Il avait un air extrêmement jeune, un air d'enfant qui apprend un devoir avec attention, mais qui lutte contre le sommeil. Plusieurs fois, sa tête pencha. Il se réveillait, se forçait à lire et, de nouveau, s'endormait.

A la fin, fermant son livre, il éteignit la lampe.

Ayant vu ce qu'elle voulait voir, Joséphine Balsamo quitta son poste et retourna près de ses complices. Elle leur avait déjà donné ses instructions, mais, par prudence, elle recommença et, durant dix minutes, insista :

« Surtout, pas de brutalité inutile. Tu entends, Léonard ?... Comme il n'a rien à sa portée pour se défendre, vous n'aurez pas besoin de vous servir de vos armes. Vous êtes cinq, cela suffit.

— S'il résiste ? fit Léonard.

— C'est à vous d'agir de telle manière qu'il ne puisse pas résister. »

Elle connaissait si bien les lieux par les croquis que lui avait envoyés Dominique qu'elle marcha sans hésitation jusqu'à l'entrée principale du verger. Les clefs se trouvèrent à l'endroit convenu. Elle ouvrit et se dirigea vers la façade intérieure du pavillon.

La porte fut ouverte aisément. Elle entra, suivie de ses complices. Un vestibule dallé les conduisit au seuil de la chambre à coucher, dont elle poussa la porte avec une lenteur infinie.

C'était le moment décisif. Si l'attention de Raoul n'avait pas été mise en éveil, s'il dormait encore, le plan de Joséphine Balsamo se trouvait réalisé. Elle écouta. Rien ne bougeait.

Alors elle s'effaça pour livrer passage aux cinq

hommes, et, d'un coup, lâcha sa meute, en lançant sur le lit le jet d'une lampe de poche.

L'assaut fut si rapide que le dormeur ne dut se réveiller que lorsque toute résistance était vaine.

Les hommes l'avaient roulé dans ses couvertures et rabattaient sur lui les deux côtés du matelas, formant comme un long paquet de linge qu'ils ficelèrent en un tournemain. La scène ne dura certes pas une minute. Il n'y eut pas un cri. Aucun meuble n'avait été dérangé.

Une fois de plus la Cagliostro triomphait.

« Bien, dit-elle, avec un émoi qui décelait l'importance qu'elle attachait à ce triomphe... Bien... Nous le tenons... et cette fois toutes les précautions seront prises.

— Que devrons-nous faire ? demanda Léonard.

— Qu'on le porte sur le bateau.

— S'il appelle au secours ?

— Un bâillon. Mais il se taira... Allez. »

Léonard s'approcha d'elle, tandis que ses acolytes chargeaient le captif.

« Tu ne viens donc pas avec nous ?

— Non.

— Pourquoi ?

— Je te l'ai dit, j'attends Dominique. »

Elle ralluma la lampe et enleva l'abat-jour.

« Comme tu es pâle ! lui dit Léonard à voix basse.

— Peut-être, fit-elle.

— C'est à cause de la petite, n'est-ce pas ?

— Oui.

— Dominique agit en ce moment ? Qui sait ! il serait encore temps d'empêcher...

— Même s'il en était encore temps, dit-elle, ma volonté ne changerait pas. Ce qui doit être sera. D'ailleurs, c'est chose faite. Va-t'en.

— Pourquoi nous en aller avant toi ?

— Le seul péril vient de Raoul. Une fois Raoul en sûreté, dans le bateau, plus rien à craindre. File, et laisse-moi. »

Elle leur ouvrit la fenêtre, qu'ils enjambèrent et par laquelle ils passèrent le prisonnier.

Elle attira les volets, puis ferma la fenêtre.

Après un instant, l'église sonna. Elle compta les onze coups. Au onzième, elle gagna l'autre façade sur le verger, et prêta l'oreille. Il y eut un léger sifflement, à quoi elle répondit en tapant du pied sur la dalle du vestibule.

Dominique accourut. Ils rentrèrent dans la chambre, et, tout de suite, avant même qu'elle eût posé la question redoutable, il murmura :

« C'est fait.

— Ah ! » dit-elle faiblement, si troublée qu'elle chancela et s'assit.

Ils se turent longtemps. Dominique reprit :

« Elle n'a pas souffert.

— Elle n'a pas souffert ? répéta-t-elle.

— Non, elle dormait.

— Et tu es bien sûr ?...

— Qu'elle est morte ? Parbleu ! J'ai frappé au cœur, à trois reprises. Ensuite j'ai eu le courage de rester... pour voir... Mais ce n'était pas la

peine... elle ne respirait plus... les mains devenaient toutes froides.

— Et si on s'en aperçoit ?

— Pas possible. On n'entre dans sa chambre
qu'au matin. Alors, seulement... on verra. »

Ils n'osaient pas se regarder. Dominique tendit
la main. De son corsage, elle sortit dix billets de
banque qu'elle lui remit.

« Merci, dit-il. Mais ce serait à recommencer
que je refuserais. Que dois-je faire ?

— T'en aller. En courant, tu rattraperas les
autres avant qu'ils aient rejoint la barque.

— Ils sont avec Raoul d'Andrésy ?

— Oui.

— Tant mieux, il m'en a donné du mal, celui-
là, depuis quinze jours ! Il se défiait. Ah !... un
mot encore... les pierres précieuses ?

— On les a.

— Plus de danger ?

— Elles sont dans le coffre d'une banque, à
Londres.

— Il y en a beaucoup ?

— Une valise pleine.

— Bigre ! Plus de cent mille francs pour moi,
hein ?

— Davantage. Mais dépêche-toi... A moins
que tu n'aimes mieux attendre...

— Non, non, dit-il vivement. J'ai hâte d'être
loin... le plus loin possible... Mais vous ?...

— Je cherche s'il n'y a pas ici des papiers
dangereux pour nous et je vous rejoins. »

Il s'en alla. Aussitôt elle fouilla dans les tiroirs

de la table et d'un petit secrétaire et, ne trouvant rien, explora les poches des vêtements pliés au chevet du lit.

Le portefeuille surtout attira son attention. Il contenait de l'argent, des cartes de visite, et une photographie.

C'était celle de Clarisse d'Etigues.

Joséphine Balsamo la contempla longuement, avec une expression où il n'y avait pas de haine, mais qui était dure et qui ne pardonnait pas.

Ensuite, elle demeura immobile, en une de ces attitudes absorbées, où ses yeux se fixaient sur on ne sait quel spectacle douloureux, tandis que les lèvres conservaient leur doux sourire.

Il y avait une glace en face d'elle où son image se reflétait. Elle s'y regarda en posant ses deux coudes sur le marbre de la cheminée. Son sourire s'accentua, comme si elle eût eu conscience de sa beauté et s'en fût réjouie. Elle portait un capuchon de bure marron qu'elle rabattit sur ses épaules et elle avança sur son front le voile impalpable qui ne quittait jamais ses cheveux, et qu'elle arrangeait comme la Vierge de Bernardino Luini.

Elle se regarda ainsi durant quelques minutes. Puis elle retomba dans sa rêverie. Et le quart après onze heures sonna. Elle ne remuait plus. On eût dit qu'elle dormait, qu'elle dormait avec des yeux grands ouverts et immobiles.

A la longue, cependant, ils prirent, ces yeux, une expression moins vague, qui se fixait peu à peu. Il en est de même dans certains songes où toutes les idées, tumultueuses et incohérentes, se transforment en une idée de plus en plus précise, en une image de plus en plus exacte. Quelle était cette image déconcertante qu'il lui semblait apercevoir, et à laquelle vainement elle essayait de s'habituer ? Cela provenait de l'alcôve où s'enfermait le lit, et que les rideaux d'étoffe garnissaient tout autour. Or, derrière ces rideaux, il devait y avoir un espace libre, un couloir de dégagement, car on eût vraiment dit qu'une main les agitait.

Et cette main prenait des contours de plus en plus réels. Un bras la suivit, et, au-dessus de ce bras, bientôt surgit une tête.

Joséphine Balsamo, accoutumée aux séances spirites où l'ombre dessine des fantômes, donna un nom à celui que son imagination terrifiée faisait sortir des ténèbres. Celui-là était vêtu de blanc, et elle ne savait si la contraction de sa bouche était un sourire affectueux ou un rictus de colère.

Elle balbutia :

« Raoul... Raoul... Que me veux-tu ? »

Le fantôme écarta l'un des rideaux et longea le lit.

Josine baissa les paupières en gémissant, puis les releva aussitôt. L'hallucination continuait, et l'être s'approchait avec des mouvements qui dérangeaient les choses et qui troublaient le silence. Elle voulut fuir. Mais tout de suite elle sentit sur son épaule l'étreinte d'une main qui n'était certes pas celle d'un fantôme. Et une voix joyeuse s'exclama :

« Dis donc, ma bonne Joséphine, si j'ai un conseil à te donner, c'est de demander au prince Lavorneff de t'offrir une petite croisière de repos. Tu en as besoin, ma bonne Joséphine. Comment ! Tu me prends pour un fantôme, moi, Raoul d'Andrésy ! J'ai beau être en chemise de nuit et en caleçon, je ne suis cependant pas un inconnu pour toi. »

Tandis qu'il enfilait son costume et qu'il renouait sa cravate, elle répétait :

« Toi ! Toi !...

— Mon Dieu, oui, moi ! »

Et, s'asseyant à ses côtés, vivement il lui dit :

« Surtout, chère amie, ne gronde pas le prince Lavorneff, et ne crois pas qu'il m'ait laissé échapper une fois encore. Mais non, mais non, ce qu'ils ont emporté, ses amis et lui, c'est tout simplement un matelas et un mannequin de son, le tout roulé dans des couvertures. Quant à moi, je n'ai pas quitté cette ruelle où je m'étais réfugié, dès que tu avais abandonné ton poste derrière les volets. »,

Joséphine Balsamo demeurait inerte et aussi incapable de faire un geste que si on l'avait rouée de coups.

« Fichtre ! dit-il, tu n'es pas dans ton assiette. Veux-tu un petit verre de liqueur pour te remonter ? Je t'avoue d'ailleurs, Joséphine, que je comprends ton effondrement et je ne voudrais pas être à ta place. Tous les petits camarades partis... pas de secours possible avant une heure... et en face de toi, dans une chambre close, le dénommé

Raoul. Il y a de quoi voir les choses en noir !
Infortunée Joséphine... Quelle culbute ! »

Il se baissa et ramassa la photographie de
Clarisse.

« Comme elle est jolie, ma fiancée, n'est-ce
pas ? J'ai remarqué avec plaisir que tu l'admirais
tout à l'heure. Tu sais qu'on se marie dans
quelques jours ? »

La Cagliostro murmura :

« Elle est morte.

— En effet, dit-il, j'ai entendu parler de cela.
Le petit jeune homme de tout à l'heure l'a
frappée dans son lit, n'est-ce pas ?

— Oui.

— Un coup de poignard ?

— Trois coups de poignard, en plein cœur, dit-
elle.

— Oh ! un seul suffisait », observa Raoul.

Elle répéta lentement, comme en elle-même :

« Elle est morte, elle est morte. »

Il ricana.

« Que veux-tu ? Cela arrive tous les jours. Et
ce n'est pas pour si peu que je vais changer mes
projets. Morte ou vivante, je l'épouse. On s'arran-
gera comme on pourra... Tu t'es bien arrangée,
toi.

— Que veux-tu dire ? demanda Joséphine Balsamo, qui commençait à s'inquiéter de ce persiflage.

— Oui, n'est-ce pas ? Le baron t'a noyée une
première fois. Une seconde fois tu as sauté avec
ton bateau, *Le Ver-Luisant*. Eh bien ! cela ne

t'empêche pas d'être ici. De même ce n'est pas une raison parce que Clarisse a reçu trois coups de poignard dans le cœur pour que je ne l'épouse pas. D'abord es-tu bien sûre de ce que tu avances ?

— C'est un de mes hommes qui a frappé.

— Ou du moins qui t'a dit avoir frappé. »

Elle l'observa.

« Pourquoi aurait-il menti ?

— Dame ! pour toucher les dix billets de mille que tu lui as remis.

— Dominique est incapable de me trahir. Pour cent mille francs, il ne me trahirait pas. En outre il sait bien que je vais le retrouver. Il m'attend avec les autres.

— Es-tu bien sûre qu'il t'attende, Josine ? »

Elle tressaillit. Elle avait l'impression de se débattre dans un cercle de plus en plus étroit.

Raoul hocha la tête.

« C'est curieux comme nous avons fait, toi et moi, des boulettes vis-à-vis l'un de l'autre. Ainsi toi, ma bonne Joséphine, faut-il que tu sois naïve pour croire que j'aie pu couper une minute dans l'explosion du *Ver-Luisant,* dans le naufrage Pellegrini-Cagliostro, et dans les bourdes racontées par le prince Lavorneff ! Comment n'as-tu pas deviné qu'un garçon qui n'est pas un imbécile, que tu as formé à ton école — et quelle école, Vierge Marie ! — lirait dans ton jeu comme dans une Bible ouverte.

« Trop commode, en vérité, le naufrage ! On est chargé de crimes, on a les mains rouges de sang, la police court après vous. Alors on fait couler un vieux bateau, et tout le passé de crimes, le trésor volé, les richesses, tout cela fait naufrage. On passe pour mort. On fait peau neuve. Et on recommence un peu plus loin sous un autre nom, à tuer, à torturer et à se tremper les mains dans le sang. A d'autres, ma vieille ! Pour moi, quand j'ai lu ton naufrage, je me suis dit : « Ouvrons « l'œil, et le bon ! » Et je suis venu ici ! »

Après un silence, Raoul reprit :

« Voyons, Joséphine, mais ta visite était inévitable ! Et fatalement tu devais la préparer à l'aide de quelque complice. Fatalement le yacht du prince Lavorneff devait voguer un soir par ici ! Fatalement tu devais escalader l'échelle de perroquet par où l'on t'avait descendue sur un brancard ! Alors, quoi ! j'ai pris mes précautions, et mon premier soin fut de regarder, autour de moi, s'il n'y avait pas quelque figure de connaissance. Un compère, c'est l'enfance de l'art.

« Et, du premier coup, j'ai reconnu le sieur Dominique pour l'avoir vu, ce que tu ignorais, sur le siège de ta berline, à la porte de Brigitte Rousselin. Dominique est un loyal serviteur, mais que la peur des gendarmes et une volée de coups de bâton administrée par moi, ont assoupli au point que toute sa loyauté est désormais à mon service, et qu'il l'a prouvé en t'envoyant de faux rapports et de fausses clefs et en ouvrant sous tes pas, de concert avec moi, le traquenard où tu as trébuché. Bénéfice pour lui : les dix billets sortis de ta poche et que tu ne reverras jamais, car ton loyal serviteur est retourné au château, sous ma protection.

« Voilà où nous en sommes, ma bonne Joséphine. J'aurais, certes, pu t'épargner cette petite comédie et t'accueillir ici, directement, pour le simple plaisir de te serrer la main. Mais j'ai voulu voir comment tu dirigeais l'opération et, tout en restant dans la coulisse, j'ai voulu voir aussi comment tu apprendrais le soi-disant assassinat de Clarisse d'Etigues. »

Josine recula. Raoul ne plaisantait plus. Penché sur elle, il lui disait d'une voix contenue :

« Un peu d'émotion... à peine... c'est tout ce que tu as éprouvé. Tu as cru que cette enfant était morte, morte par ton ordre, et cela ne t'a rien fait ! La mort des autres ne compte pas pour toi. On a vingt ans, toute la vie devant soi... de la fraîcheur, de la beauté... Tu supprimes tout cela, comme si tu écrasais une noisette ! Aucun débat de conscience. Tu n'en ris certes pas... mais tu ne pleures pas non plus. En réalité tu n'y penses pas. Je me souviens que Beaumagnan t'appelait l'infernale créature ; désignation qui me révoltait. Pourtant le mot est juste. Il y a de l'enfer en toi. Tu es une sorte de monstre auquel je ne puis plus penser sans épouvante. Mais toi-même, Joséphine Balsamo, n'es-tu pas épouvantée par moments ? »

Elle gardait la tête baissée, ses deux poings collés aux tempes, ainsi qu'elle faisait souvent. Les paroles impitoyables de Raoul ne provoquaient pas ce sursaut de rage et d'indignation qu'il attendait. Raoul sentit qu'elle était à l'un de ces moments de l'existence où l'on aperçoit le fond de son âme, où l'on ne peut pas se détourner de sa vision redoutable, et où les mots d'aveu s'échappent à votre insu.

Il n'en fut pas surpris outre mesure. Sans être fréquentes ces minutes-là ne devaient pas être très rares chez cet être déséquilibré, dont la nature, impassible à la surface, s'abîmait dans de telles crises nerveuses. Les événements se présentaient à elle d'une façon si contraire à ses prévisions, et l'apparition de Raoul était si déconcertante, qu'elle ne pouvait pas se redresser en face de l'ennemi qui l'outrageait si cruellement.

Il en profita, serré contre elle, et la voix insinuante :

« N'est-ce pas, Josine, tu es effrayée toi aussi, par moments ? N'est-ce pas, il arrive que tu te fais horreur ? »

La détresse de Josine était si profonde qu'elle murmura :

« Oui... oui... quelquefois... mais il ne faut pas m'en parler... je ne veux pas savoir.. Tais-toi... tais-toi...

— Mais au contraire, dit Raoul, il faut que tu saches... Si tu as l'horreur de tels actes, pourquoi les commettre ?

— Je ne peux pas faire autrement, dit-elle avec une lassitude extrême.

— Tu essaies donc ?

— Oui, j'essaie, je lutte, mais c'est toujours la défaite. On m'a appris le mal... je fais le mal comme d'autres font le bien... Je fais le mal comme on respire... On a voulu cela...

— Qui ? »

Il entendit confusément ces deux mots :

« Ma mère » et reprit aussitôt :

« Ta mère ? l'espionne ? celle qui a combiné toute cette histoire Cagliostro ?...

— Oui... Mais ne l'accuse pas... Elle m'aimait bien... Seulement elle n'avait pas réussi... elle était devenue pauvre, misérable, et elle voulait que je réussisse... et que je sois riche...

— Mais tu étais belle, cependant. La beauté, pour une femme, c'est la plus grande richesse. La beauté suffit.

— Ma mère était belle aussi, Raoul, et pourtant sa beauté ne lui avait servi à rien.

— Tu lui ressemblais ?

— A s'y méprendre. Et c'est cela qui fut ma perte. Elle a voulu que je continue ce qui avait été sa grande idée... l'héritage Cagliostro...

— Elle avait des documents ?

— Un bout de papier... le papier des quatre énigmes qu'une de ses amies avait trouvé dans un vieux livre... et qui semblait réellement de l'écriture de Cagliostro... Ça l'avait grisée... ainsi que son succès auprès de l'impératrice Eugénie. Alors j'ai dû continuer. Tout enfant, elle m'a entré ça dans la tête. On m'a formé un cerveau avec cette idée-là seulement. Ça devait être mon gagne-pain... ma destinée... J'étais la fille de Cagliostro... Je reprenais sa vie à elle, et sa vie à lui... une vie brillante comme celle qu'il avait eue dans les romans... la vie d'une aventurière adorée de tous, et dominant le monde. Pas de scrupules... Pas de conscience... Je devais la venger de tout ce qu'elle avait souffert elle-même. Quand elle est morte, c'est le mot qu'elle m'a dit : « Venge-moi. »

Raoul réfléchissait. Il prononça :

« Soit. Mais les crimes ?... ce besoin de tuer ?... »

Il ne put saisir sa réponse, et pas davantage ce qu'elle répliqua lorsqu'il lui dit :

« Ta mère n'était pas seule à t'élever, Josine, à te dresser au mal. Qui était ton père ? »

Il crut entendre le nom de Léonard. Mais voulait-elle dire que Léonard était son père, que Léonard était l'homme qui avait été expulsé de France en même temps que l'espionne ? (et cela semblait assez plausible) ou bien que Léonard l'avait dressée au crime ?

Raoul n'en sut pas davantage, et ne put péné-trer dans ces régions obscures où s'élaborent les mauvais instincts et où fermentent tout ce qui est déséquilibre, tout ce qui détraque et désagrège, tous les vices, toutes les vanités, tous les appétits sanguinaires, toutes les passions inexorables et cruelles qui échappent à notre contrôle.

Il ne l'interrogea plus.

Elle pleurait silencieusement, et il sentait des larmes et des baisers sur ses mains qu'elle tenait éperdument et qu'il avait la faiblesse de lui abandonner. Une pitié sournoise s'infiltrait en lui. La mauvaise créature devenait une créature humaine, une femme livrée à l'instinct malade, qui subissait la loi des forces irrésistibles, et qu'il fallait peut-être juger avec un peu d'indulgence.

« Ne me repousse pas, disait-elle. Tu es le seul être au monde qui aurait pu me sauver du mal. Je l'ai senti tout de suite. Il y a en toi quelque chose de sain, de bien portant... Ah ! l'amour... l'amour... il n'y a que lui qui m'ait apaisée... et je n'ai jamais aimé que toi... Alors, si tu me rejettes... »

Les lèvres douces pénétraient Raoul d'une langueur infinie. Toute la volupté et tout le désir embellissaient cette compassion dangereuse qui amollit la volonté des hommes.

Et peut-être, si la Cagliostro se fût contentée de cette humble caresse, eût-il succombé de lui-même à la tentation de se pencher et de goûter une fois encore la saveur de cette bouche qui s'offrait à lui. Mais elle releva la tête, elle glissa ses bras le long des épaules, elle lui entoura le cou, elle le regarda, et ce regard suffit pour que Raoul ne vît plus en elle la femme qui implore, mais celle qui veut séduire et qui se sert de la tendresse de ses yeux et de la grâce de ses lèvres.

Le regard lie les amants. Mais Raoul savait tellement ce qu'il y avait derrière cette expression charmante, ingénue et douloureuse ! La pureté du miroir ne rachetait pas toutes les laideurs et toutes les ignominies qu'il voyait avec tant de lucidité.

Il se reprit peu à peu. Il se dégagea de la

tentation, et, repoussant la sirène qui l'enlaçait, il lui dit :

« Tu te rappelles... un jour... sur la péniche... nous avons eu peur l'un de l'autre comme si nous cherchions à nous étrangler. Il en est de même aujourd'hui. Si je retombe dans tes bras, je suis perdu. Demain, après-demain, c'est la mort... »

Elle se redressa, tout de suite hostile et méchante. L'orgueil l'envahissait de nouveau, et la tempête s'éleva brusquement entre eux, les faisant passer sans transition de l'espèce de torpeur où les attardait le souvenir de l'amour à un âpre besoin de haine et de provocation.

« Mais oui, reprit Raoul, au fond, dès le premier jour, nous avons été des ennemis féroces. L'un et l'autre, nous ne pensions qu'à la défaite de l'autre. Toi surtout ! J'étais le rival, l'intrus... Dans ton cerveau, mon image se mêlait à l'idée de la mort. Volontairement ou non, tu m'avais condamné. »

Elle secoua la tête, et d'un ton agressif :

« Jusqu'ici, non.

— Mais maintenant, oui, n'est-ce pas ? Seulement, s'écria-t-il, un fait nouveau se présente. C'est que, maintenant, je me moque de toi, Joséphine. L'élève est devenu le maître, et c'est cela que j'ai voulu te prouver en te laissant venir ici et en acceptant la bataille. Je me suis offert, seul, à tes coups et aux coups de ta bande. Et voilà que nous sommes l'un en face de l'autre et que tu ne peux rien contre moi. Déroute sur toute la ligne, hein ? Clarisse vivante. Moi, libre.

Allons, ma belle, décampe de ma vie, tu es battue à plate couture, et je te méprise. »

Il lui jetait en pleine face les mots injurieux qui la cinglaient comme des coups de cravache. Elle était blême. Son visage se décomposait et, pour la première fois, son inaltérable beauté accusait certains signes de déchéance et de flétrissure.

Elle grinça :

« Je me vengerai.

— Impossible, ricana Raoul, je t'ai coupé les ongles. Tu as peur de moi. Voilà ce qui est merveilleux, et qui est mon œuvre d'aujourd'hui : tu as peur de moi.

— Toute ma vie sera consacrée à cela, murmura-t-elle.

— Rien à faire. Tous tes trucs sont connus. Tu as échoué. C'est fini. »

Elle hocha la tête.

« J'ai d'autres moyens.

— Lesquels ?

— Cette fortune incalculable... ces richesses que j'ai conquises.

— Grâce à qui ? demanda Raoul allégrement. S'il y a un coup d'aile dans l'étrange aventure, n'est-ce pas moi qui l'ai donné ?

— Peut-être. Mais c'est moi qui ai su agir et prendre. Et tout est là. Comme paroles, tu n'es jamais en reste. Mais il fallait un acte, en cette occasion, et cet acte je l'ai accompli. Parce que Clarisse est vivante, que tu es libre, tu cries victoire. Mais la vie de Clarisse et ta liberté, Raoul, ce sont de petites choses auprès de la grande chose qui était l'enjeu de notre duel, c'est-à-dire les milliers et les milliers de pierres précieuses. La vraie bataille était là, Raoul, et je l'ai gagnée, puisque le trésor m'appartient.

— Sait-on jamais ! dit-il d'un ton gouailleur.

— Mais si, il m'appartient. Moi-même j'ai enfoui les pierres innombrables dans une valise qui a été ficelée et cachetée devant moi, que j'ai portée jusqu'au Havre, que j'ai mise à fond de cale dans *Le Ver-Luisant,* et que j'ai retirée avant que l'on fasse sauter ce bateau. Elle est à Londres maintenant, dans le coffre d'une banque, ficelée et cachetée comme à la première heure...

— Oui, oui, approuva Raoul d'un petit air entendu, la corde est toute neuve, encore raide et propre... les cachets sont au nombre de cinq, en cire violette, aux initiales J. B... Joséphine Balsamo. Quant à la valise, c'est de l'osier tressé, elle est munie de courroies et de poignées en cuir... quelque chose de simple, qui n'attire pas l'attention... »

La Cagliostro leva sur lui des yeux effarés.

« Tu sais donc ?... Comment sais-tu ?...

— Nous sommes restés ensemble, elle et moi, durant quelques heures », dit-il en riant.

Elle articula :

« Mensonges ! Tu parles au hasard... La valise ne m'a quittée d'une seconde, depuis la prairie du Mesnil-sous-Jumièges jusqu'au coffre-fort.

— Si, puisque tu l'as descendue dans la cale du *Ver-Luisant.*

— Je me suis assise sur le battant de fer qui

337

recouvre cette cale, et un homme à moi veillait au-dessus du hublot par où tu aurais pu entrer, et cela pendant tout le temps que nous étions en rade du Havre.

— Je le sais.

— Comment le saurais-tu ?

— J'étais dans la cale. »

Phrase effrayante ! Il la répéta, puis à la stupeur de Joséphine Balsamo, s'amusant lui-même de son récit, il raconta :

« Mon raisonnement, au Mesnil-sous-Jumièges,
« devant la borne détruite, fut celui-ci : Si je
« cherche cette bonne Joséphine, je ne la retrou-
« verai pas. Ce qu'il faut, c'est deviner l'endroit
« où elle sera à la fin de cette journée, m'y rendre
« avant elle, être là quand elle y arrivera, et
« profiter de la première occasion pour barboter
« les pierres précieuses. » Or, traquée par la police, poursuivie par moi, avide de mettre le trésor à l'abri, inévitablement tu devais fuir, c'est-à-dire passer à l'étranger. Comment ? Grâce à ton bateau, *Le Ver-Luisant*.

« A midi, j'étais au Havre. A une heure, les trois hommes de ton équipage s'en allaient prendre leur café au bar, je franchissais le pont et plongeais à fond de cale, derrière un amoncellement de caisses, de tonneaux et de sacs de provisions. A six heures, tu arrivais et tu descendais ta valise au moyen d'une corde, la mettant ainsi sous ma protection...

— Tu mens.. tu mens... », balbutia la Cagliostro, d'une voix rageuse.

Il continua :

« A dix heures, Léonard te rejoint. Il a lu les journaux du soir et connaît le suicide de Beaumagnan. A onze heures, on lève l'ancre. A minuit, en pleine mer, on est abordé par un autre bateau. Léonard, qui devient prince Lavorneff, préside au déménagement. Tous les matelots, tous les colis ayant de la valeur, tout cela passe d'un pont à l'autre et, en particulier, bien entendu, la valise que tu remontes du fond de la cale. Et puis, au diable, *Le Ver-Luisant* !

« Je t'avoue qu'il y a eu là, pour moi, quelques vilaines minutes. J'étais seul. Plus d'équipage. Pas de direction. *Le Ver-Luisant* semblait dirigé par un homme ivre, qui se cramponne à son gouvernail. On eût dit un jouet d'enfant, que l'on a remonté, et qui tourne, qui tourne... Et puis, je devinais ton plan, la bombe placée quelque part, le mécanisme se déclenchant, l'explosion...

« J'étais couvert de sueur. Me jeter à l'eau ? J'allais m'y décider, lorsque, au moment d'enlever mes chaussures, je me rendis compte, avec une joie qui me fit défaillir, qu'il y avait, dans le sillage du *Ver-Luisant,* attaché par une amarre, un canot qui bondissait sur l'écume. C'était le salut. Dix minutes plus tard, assis tranquillement, je voyais une flamme jaillir dans l'ombre, à quelques centaines de mètres, et j'entendais une détonation rouler à la surface de l'eau comme les échos du tonnerre. *Le Ver-Luisant* sautait...

« La nuit suivante, après avoir été quelque peu ballotté, j'étais poussé en vue des côtes, non loin du cap d'Antifer. Je me mettais à l'eau, j'atterrissais... et le jour même je me présentais ici... pour me préparer à ta bonne visite, ma chère Joséphine. »

La Cagliostro avait écouté, sans interrompre, et l'air assez rassuré. Autant de paroles inutiles, avait-elle l'air de dire. L'essentiel, c'était la valise. Que Raoul se fût caché dans le bateau, et qu'ensuite il eût évité le naufrage, cela n'avait point d'importance.

Elle hésitait cependant à oser la question définitive, sachant bien, tout de même, que Raoul n'était pas homme à tant risquer pour ne point obtenir d'autre résultat que de se sauver lui-même. Elle était toute pâle.

« Eh bien ! fit Raoul, tu ne me demandes rien ?

— Qu'ai-je à te demander ? Tu l'as dit toi-même. J'ai repris la valise. Depuis, je l'ai mise en lieu sûr.

— Et tu n'as pas vérifié ?

— Ma foi, non. L'ouvrir, à quoi bon ? Les cordes et les cachets sont intacts.

— Tu n'as pas remarqué les traces d'un trou, sur le côté, une fissure pratiquée entre les mailles de l'osier ?

— Une fissure ?

— Dame ! crois-tu que je sois resté deux heures en face de l'objet sans agir ? Voyons, Joséphine, je ne suis pourtant pas si bête.

— Alors ? fit-elle, d'une voix faible.

— Alors, ma pauvre amie, peu à peu,

patiemment, j'ai extrait tout le contenu de la valise, de sorte que...

— De sorte que ?...

— De sorte que, quand tu l'ouvriras, tu n'y trouveras guère qu'un poids équivalent de denrées pas très précieuses... ce que j'avais sous la main... ce que j'ai pu prendre dans les sacs de provisions... quelques livres de haricots et de lentilles... enfin des marchandises qui ne valent peut-être pas la peine que tu paies la location d'un coffre-fort dans une banque de Londres. »

Elle essaya de protester et murmura :

« Ce n'est pas vrai... il est impossible que tu aies pu... »

Du haut d'un placard, il descendit une petite sébile d'où il versa dans le creux de sa main deux ou trois douzaines de diamants, de rubis et de saphirs et, d'un air négligent, il les fit danser, miroiter et s'entrechoquer.

« Et il y en a d'autres, dit-il. Certes, l'explosion imminente m'a empêché de prendre tout, et les richesses des moines se sont éparpillées au sein des eaux. Mais, tout de même, n'est-ce pas, pour un jeune homme, il y a de quoi s'amuser et patienter... Qu'en dis-tu, Josine ? Tu ne réponds pas ?... Mais sapristi ! qu'y a-t-il donc ? Hein ! j'espère que tu ne vas pas t'évanouir. Ah ! ces sacrées femmes, ça ne peut pas perdre un milliard sans tourner de l'œil. Quelles mazettes ! »

Joséphine Balsamo ne tournait pas de l'œil, selon l'expression de Raoul. Elle s'était dressée, livide et le bras tendu. Elle voulait insulter l'ennemi. Elle voulait le frapper. Mais elle suffo-quait. Ses mains battirent l'air, comme des mains de naufragé qui s'agitent à la surface, et elle s'abattit contre le lit avec des gémissements rauques.

Raoul, sans s'émouvoir, attendit la fin de la crise. Mais il avait encore quelques paroles à placer et il ricana :

« Eh bien ! t'ai-je battue à plate couture ? Les épaules de madame ont-elles touché ? Es-tu knock-out ? Débâcle sur toute la ligne, hein ? C'est ce que j'ai voulu te faire sentir, Joséphine. Tu partiras d'ici convaincue que tu ne peux rien contre moi, et que le mieux est de renoncer à toutes tes petites machinations. Je serai heureux malgré toi, et Clarisse aussi, et nous aurons beaucoup d'enfants. Autant de vérités auxquelles il te faut consentir. »

Il se mit à marcher et il continuait de plus en plus gaiement :

« Aussi, que veux-tu, il y a de la malchance dans ton cas. Tu t'es mise en guerre contre un gaillard qui est mille fois plus fort et plus malin que toi, ma pauvre fille. Je suis ahuri moi-même de ma force et de ma malice. Tudieu ! Quel phéno-mène d'habileté, de ruse, d'intuition, d'énergie, de clairvoyance ! Un vrai génie ! Rien ne m'échappe. Je lis à livre ouvert dans le cerveau de mes ennemis. Leurs moindres pensées me sont con-nues. Ainsi, en ce moment, tu me tournes le dos, n'est-ce pas ? tu es aplatie sur le lit, et je ne vois pas ton charmant visage ? Eh bien ! je me rends parfaitement compte que tu es en train de glisser ta main dans ton corsage, et d'en tirer un revolver, et que tu vas... »

La phrase ne fut pas achevée. Brusquement la Cagliostro avait fait volte-face, un revolver à la main.

Le coup partit. Mais Raoul, qui s'y préparait, avait eu le temps de saisir le bras, de le tordre, et de le replier dans la direction même de Joséphine Balsamo. Elle tomba, atteinte à la poitrine.

La scène avait été si brutale et le dénouement si imprévu qu'il demeura interdit devant ce corps inerte soudain, et qui gisait, la face toute blanche.

Pourtant aucune inquiétude ne le tourmentait. Il ne pensait point qu'elle fût morte et, de fait, s'étant penché, il constata que le cœur battait régulièrement. Avec des ciseaux, il échancra le corsage. La balle, jaillie de biais, avait glissé, labourant la chair un peu au-dessus du signe noir qui marquait le sein droit.

« Blessure sans gravité », dit-il, tout en pensant que la mort d'une pareille créature eût été chose juste et souhaitable.

Il gardait ses ciseaux à la main, la pointe en avant, et il se demandait si son devoir n'était pas d'abîmer cette beauté trop parfaite, de taillader en pleine chair, et de mettre ainsi la sirène dans l'impossibilité de nuire. Une balafre en croix profonde, au travers du visage, et dont la cicatrice indélébile soulèverait la peau boursouflée, quel équitable châtiment et quelle utile précaution ! Que de malheurs évités et de crimes prévenus !

Il n'en eut pas le courage et ne voulut pas s'en arroger le droit. Et puis il l'avait trop aimée...

Il resta longtemps à la considérer, sans faire un mouvement, et avec une tristesse infinie. La lutte l'avait épuisé. Il se sentait plein d'amertume et de dégoût. Elle était son premier grand amour, et ce sentiment, où le cœur ingénu apporte tant de fraîcheur et dont il garde un souvenir si doux, ne lui laisserait, à lui, que rancune et que haine. Toute sa vie, il aurait aux lèvres un pli de désenchantement et dans l'âme une impression de flétrissure.

Elle respira plus fort et souleva ses paupières.

Alors il éprouva le besoin irrésistible de ne plus la voir et de ne plus même penser à elle.

Ouvrant la fenêtre, il écouta. Des pas, lui sembla-t-il, arrivaient de la falaise. Léonard avait dû constater, en atteignant le rivage, que l'expédition se réduisait à la capture d'un manne-quin, et, sans doute, inquiet de Joséphine Balsamo, venait-il à son secours.

« Qu'il la trouve ici, qu'il l'emporte ! se dit-il. Qu'elle meure ou qu'elle vive ! Qu'elle soit heureuse ou malheureuse ! Je m'en moque... Je ne veux plus rien savoir d'elle. Assez ! Assez de cet enfer ! »

Et, sans une parole, sans un regard à la femme qui lui tendait les bras et le suppliait, il partit...

Le lendemain matin, Raoul se faisait annoncer chez Clarisse d'Etigues.

Pour ne pas toucher trop tôt à des blessures qu'il devinait si sensibles, il n'avait pas revu la jeune fille. Mais elle savait qu'il était là, et, tout de suite, il comprit que le temps accomplissait déjà son œuvre. Les joues étaient plus roses. Les yeux brillaient d'espoir.

« Clarisse, lui dit-il, dès le premier jour vous avez promis de tout me pardonner...

— Je n'ai rien à vous pardonner, Raoul, affirma la jeune fille, qui pensait à son père.

— Si, Clarisse, je vous ai fait beaucoup de mal. Je m'en suis fait beaucoup à moi, et ce n'est pas seulement votre amour que je demande, ce sont vos soins et votre protection. J'ai besoin de vous, Clarisse, pour oublier d'affreux souvenirs, pour reprendre confiance dans la vie, et pour combattre d'assez vilaines choses qui sont en moi et qui m'entraînent... où je ne voudrais pas aller. Si vous m'aidez, je suis sûr d'être un honnête homme, je m'y engage sincèrement, et je vous promets que vous serez heureuse. Voulez-vous être ma femme, Clarisse ? »

Elle lui tendit la main.

ÉPILOGUE

COMME le supposait bien Raoul, tout le vaste système d'intrigues, tendu pour la capture du trésor fabuleux, resta dans l'ombre. Le suicide de Beaumagnan, les aventures de la Pellegrini, la personnalité mystérieuse de la comtesse de Cagliostro, sa fuite, le naufrage du *Ver-Luisant*, autant de faits divers que la justice ne put pas ou ne voulut pas relier les uns aux autres. Le mémoire du cardinal-archevêque fut détruit ou disparut. Les associés de Beaumagnan se désunirent et ne parlèrent pas. On ne sut rien.

A plus forte raison, le rôle de Raoul, dans toute cette affaire, ne pouvait être soupçonné et son mariage passa inaperçu. Par quel prodige réussit-il à se marier sous le nom de vicomte d'Andrésy ? Sans doute doit-on attribuer ce tour de force aux moyens d'action formidables que lui donnaient les deux poignées de pierres précieuses prélevées sur le trésor. Avec cela, on achète bien des complicités.

Et c'est de même ainsi évidemment que le nom

de Lupin se trouva un jour escamoté. Sur aucun registre d'état civil, sur aucune pièce authentique, il ne fut plus question d'Arsène Lupin, ni de son père Théophraste Lupin. Légalement, il n'y eut plus que le vicomte Raoul d'Andrésy, lequel vicomte partit en voyage à travers l'Europe avec la vicomtesse, née Clarisse d'Etigues.

Deux événements marquèrent cette époque, Clarisse mit au monde une fille qui ne vécut point. Et, quelques semaines plus tard, elle apprenait la mort de son père.

Godefroy d'Etigues, en effet, et son cousin Bennetot périrent au cours d'une promenade en barque. Accident ? Suicide ? Les deux cousins, dans les derniers temps de leur vie, passaient pour fous, et l'on admit généralement qu'ils s'étaient tués. Il y eut aussi la version du crime, et l'on s'entretint d'un yacht de plaisance qui aurait coulé la barque et se serait enfui. Mais point de preuve.

En tout état de cause, Clarisse ne voulut pas toucher à la fortune de son père. Elle en fit don à des institutions de charité.

Des années encore s'écoulèrent, années charmantes et insouciantes.

Raoul tenait l'une des promesses qu'il avait faites à Clarisse : elle fut profondément heureuse.

L'autre promesse, il ne la tint pas : il ne fut pas honnête.

Cela, il ne le pouvait pas. Il avait dans le sang le besoin de prendre, de combiner, de mystifier, de duper, de s'amuser aux dépens d'autrui. Il était, d'instinct, contrebandier, flibustier, maraudeur, pirate, conspirateur, et surtout chef de bande. En outre, à l'école de la Cagliostro, il s'était rendu compte, avec un certain orgueil, des qualités vraiment exceptionnelles qui le mettaient hors de pair. Il croyait à son génie. Il s'attribuait des droits à une destinée fantastique, en opposition avec la destinée de tous les hommes qui vivaient en même temps que lui. Il serait au-dessus de tous. Il serait le maître.

A l'insu donc de Clarisse et, sans que jamais la jeune femme eût le moindre soupçon, il monta des entreprises et réussit des affaires où, de plus en plus, s'affirma son autorité et se développèrent ses dons réellement surhumains[1].

Mais avant tout, se disait-il, le repos et la félicité de Clarisse ! Il respectait sa femme. Qu'elle fût et qu'elle se sût l'épouse d'un voleur, cela il ne l'admit pas.

Leur bonheur dura cinq ans. Au début de la sixième année, Clarisse mourut des suites d'une couche. Elle laissait un fils appelé Jean.

Or, le surlendemain, ce fils disparut, sans que le moindre indice permît à Raoul de découvrir qui avait pu pénétrer dans la petite maison d'Auteuil qu'il habitait ni comment on avait pu y pénétrer.

1. La conquête du trésor de la maison de France, deuxième secret de Cagliostro, et la découverte de cette retraite impénétrable d'où, quinze ans plus tard, on ne put le déloger qu'à l'aide d'une flottille de torpilleurs, datent de cette époque. (Voir *L'Aiguille creuse.*)

Quant à savoir d'où le coup provenait, là-dessus aucune hésitation. Raoul, qui ne doutait pas que le naufrage des deux cousins n'eût été provoqué par la Cagliostro, Raoul qui, depuis, avait appris en outre que Dominique était mort empoisonné, Raoul considéra comme établi que la Cagliostro avait organisé l'enlèvement.

Son chagrin le transforma. N'ayant plus ni femme ni fils pour le retenir, il se jeta résolument dans la voie où l'entraînaient tant de forces. Du jour au lendemain, il fut Arsène Lupin. Plus de réserve. Plus de ménagements. Au contraire. Du scandale, des provocations, de l'arrogance, un étalage de vanité et de gouaillerie, son nom sur les murs, sa carte de visite dans les coffres-forts : Arsène Lupin, quoi !

Mais, que ce fût sous ce nom ou sous les noms divers qu'il s'amusait à prendre, qu'il se fît appeler comte Bernard d'Andrésy (il avait dérobé les papiers d'un cousin de sa famille, mort à l'étranger) ou Horace Velmont, ou colonel Sparmiento, ou duc de Charmerace, ou prince Sernine, ou don Luis Perenna, toujours et partout, au milieu de tous ses avatars et sous tous les masques il cherchait la Cagliostro, et il cherchait son fils Jean.

Il ne retrouva pas son fils. Il ne revit jamais Joséphine Balsamo.

Vivait-elle encore ? Osait-elle se risquer en France ? Continuait-elle à persécuter et à tuer ? Devait-il admettre, en ce qui le concernait, que la menace éternellement dirigée contre lui, depuis la minute même de la rupture, aboutirait à quelque vengeance plus cruelle que l'enlèvement de son enfant ?

Toute la vie d'Arsène Lupin, folles entreprises, épreuves surhumaines, triomphes inouïs, passions démesurées, ambitions extravagantes, tout cela devait se dérouler avant que les événements lui permissent de répondre à ces questions redoutables.

Et ainsi se fait-il que sa première aventure se renoua, plus d'un quart de siècle après, à ce qu'il lui plaît de considérer aujourd'hui comme sa dernière aventure.

TABLE

IMPRIMÉ EN FRANCE PAR BRODARD ET TAUPIN
Usine de La Flèche (Sarthe).
LIBRAIRIE GÉNÉRALE FRANÇAISE - 6, rue Pierre-Sarrazin - 75006 Paris.

ISBN : 2 - 253 - 00529 - 0   ◈ 30/1214/3